Manual prático de confeitaria senac

SÉRIE SENAC GASTRONOMIA

Administração Regional do Senac no Estado de São Paulo

Presidente do Conselho Regional
Abram Szajman

Diretor do Departamento Regional
Luiz Francisco de A. Salgado

Superintendente Universitário e de Desenvolvimento
Luiz Carlos Dourado

Editora Senac São Paulo

Conselho Editorial
Luiz Francisco de A. Salgado
Luiz Carlos Dourado
Darcio Sayad Maia
Lucila Mara Sbrana Sciotti
Luís Américo Tousi Botelho

Gerente/Publisher
Luís Américo Tousi Botelho

Coordenação Editorial
Verônica Pirani de Oliveira

Prospecção
Dolores Crisci Manzano

Administrativo
Marina P. Alves

Comercial
Aldair Novais Pereira

Edição e Preparação de Texto
Ivone P. B. Groenitz
Gabriela Lopes Adami

Coordenação de Revisão de Texto
Marcelo Nardeli

Revisão de Texto
Érika Finati
Karinna A. C. Taddeo

Colaboração
Manoel Divino da Matta Junior

Produção Fotográfica
Estúdio Gastronômico, exceto páginas 4, 5, 11, 15, 19, 25, 31, 32, 34 a 39, 41 a 43, 45, 49, 70, 71, 79, 108, 133, 135, 167, 169, 211, 212, 215, 226, 249, 250, 292, 307, 310, 319, 320, 358 – iStock

Projeto Gráfico, Capa e Editoração Eletrônica
Antonio Carlos De Angelis

Coordenação de E-books
Rodolfo Santana

Impressão e Acabamento
Maistype

Proibida a reprodução sem autorização expressa.
Todos os direitos desta edição reservados à

Editora Senac São Paulo
Av. Engenheiro Eusébio Stevaux, 823 – Prédio Editora
Jurubatuba – CEP 04696-000 – São Paulo – SP
Tel. (11) 2187-4250
editora@sp.senac.br
https://www.editorasenacsp.com.br

© Editora Senac São Paulo, 2018

Dados Internacionais de Catalogação na Publicação (CIP)
(Jeane Passos de Souza – CRB 8ª/6189)

Costa, Diego Rodrigues
    Manual prático de confeitaria Senac / Diego Rodrigues Costa, Fabio Colombini Fiori, Felipe Soave Viegas Vianna, Gisela Redoschi, Marcella Faria Lage, Samara Trevisan Coelho. – São Paulo : Editora Senac São Paulo, 2018. (Série Senac Gastronomia)

    ISBN 978-85-396-0923-9 (impresso/2018)
    e-ISBN 978-85-396-2190-3 (ePub/2018)
    e-ISBN 978-85-396-2191-0 (PDF/2018)

    1. Confeitaria (Culinária) 2. Confeitaria (receitas e preparo) I. Fiori, Fabio Colombini. II. Vianna, Felipe Soave Viegas. III. Redoschi, Gisela. IV. Lage, Marcella Faria. V. Coelho, Samara Trevisan. VI. Título. VII. Série.

18-7125   CDD-641.86
                                                BISAC CKB101000
                                                     CKB024000
                                                     CKB014000

Índice para catálogo sistemático
1. Confeitaria (receitas e preparo) : Culinária :
    Gastronomia   641.86

DIEGO RODRIGUES COSTA • FABIO COLOMBINI FIORI • FELIPE SOAVE VIEGAS VIANNA
GISELA REDOSCHI • MARCELLA FARIA LAGE • SAMARA TREVISAN COELHO

Manual prático de confeitaria

Senac

Editora Senac São Paulo – São Paulo – 2018

Sumário

Nota do editor, 7
Prefácio – Flavio Federico, 9

Breve histórico da confeitaria mundial, 11

Origens da confeitaria, 12
Desenvolvimento da confeitaria, 12

Profissionais da confeitaria, 15

Chef de confeitaria executivo, 16
Confeiteiro (confiseur), 16
Decorador (décorateur), 16
Chocolateiro (chocolatier), 16
Sorveteiro (glacier), 17
Padeiro (boulanger), 17
Auxiliar de confeitaria, 17
Auxiliar de chocolataria, 17
Aprendiz, 18

Boas práticas de higiene e segurança, 19

Manual de boas práticas, 20
Normas e apresentação pessoal dos manipuladores, 20
Normas para a utilização de equipamentos e utensílios, 21
Normas para a manipulação e conservação de alimentos, 22

PARTE I: PROCESSOS E INGREDIENTES, 23

1 Equipamentos e utensílios, 25

Equipamentos, 26
Utensílios, 27

2 Ingredientes e suas funções, 31

Ovo, 32
Amidos, 33
Farinhas e espessantes, 34
Açúcares, 36
Gorduras, 37
Leite e derivados, 38
Agentes de fermentação, 40
Agentes gelificantes, 40
Chocolate e cacau, 41
Sal, 42

3 Tabelas de conversão, 43

Equivalência de pesos e medidas, 44
Temperatura do forno, 44
Ovos (peso aproximado), 44
Abreviaturas padrão, 45

PARTE II: TÉCNICAS E RECEITAS, 47

4 Massas, 49

Massas espumosas ou aeradas, 50
Massas cremosas, 60
Erros de produção em massas espumosas e cremosas, 70
Massas secas (massas de torta ou quebradiças), 72
Erros de produção em massas secas, 79
Massas para petit four, 80
Massa cozida (pâte à choux), 92
Massas líquidas, 96
Massa de strudel (massa phyllo), 102
Massa folhada, 108
Massas fermentadas doces, 120

5 Cremes, 133

Cremes a frio, 134
Cremes cozidos, 136
Cremes assados, 140
Cremes gelatinizados, 144
Cremes compostos, 148
Mousses, 160
Suflês (soufflés), 166

6 Açúcar, 169

Pontos de calda de açúcar, 170
Merengues, 171
Confeitos de açúcar, 176
Compotas e geleias, 204
Caldas e molhos, 206

7 Chocolates, 211

Breve história do chocolate, 211
Variedades do cacau e produção do chocolate, 212
Técnicas de utilização do chocolate, 216
Ganache, 218
Fabricação de bombons, 222
Decorações básicas com chocolate, 228
Sobremesas à base de chocolate, 234
Sobremesas compostas à base de chocolate, 238

8 Bolos, tortas e sobremesas, 249

Montagem de bolos, tortas e sobremesas, 250
Bolos, 255
Técnicas de decoração, 260
Tortas, 268
Sobremesas, 286

9 Produções geladas, 307

Industrialização do sorvete, 308
Composição geral, 308
Etapas gerais de elaboração, 311
Sorbet, 312
Sorvetes e glaces, 320
Receitas de sorbet e sorvete, 357
Sobremesas à base de sorbet ou sorvete, 362

Glossário, 365
Bibliografia, 369
Sobre os autores, 371
Índice de receitas, 373
Índice geral, 374

Nota do editor

A produção de doces no mundo remonta a séculos, com início nas civilizações da Antiguidade. Desde então, ela tem atravessado os séculos e reunido, ao redor do globo, grande variedade de técnicas, receitas, tecnologias e costumes – muitos dos quais são utilizados até hoje ou servem de base para o surgimento de novas vertentes e preparações.

Esta área fascinante que é a confeitaria vem ganhando cada vez mais espaço no mundo da gastronomia, demandando de seus profissionais muita dedicação, além de sólido conhecimento e prática na preparação dos alimentos doces, que podem assumir uma infinidade de formas. Para agradar o exigente consumidor atual, os confeiteiros precisam ser inventivos e meticulosos, a fim de criar preparações inovadoras, saborosas e atraentes aos olhos.

A fim de auxiliar o leitor a dominar essa atividade, o **Manual prático de confeitaria Senac** traz os conceitos e as práticas fundamentais para a área, incluindo técnicas básicas e receitas variadas, desde as clássicas até as mais contemporâneas.

Após apresentar um breve panorama histórico da confeitaria no mundo, o livro é dividido em duas partes: a primeira busca desvendar as bases da confeitaria profissional no que diz respeito às diferentes ocupações existentes no ramo, aos ingredientes mais utilizados e às suas funções em uma produção e, por fim, aos utensílios comumente empregados na preparação dos doces. A segunda parte traz as técnicas de preparo das principais receitas, ensinando ao leitor o passo a passo da produção de massas, cremes, chocolates, sorvetes, bolos (desde os mais simples até os mais elaborados, como bolos de casamento), tortas e sobremesas, entre tantas outras. Para complementar, são apresentados, ainda, os termos técnicos estrangeiros mais utilizados na área.

Com esta publicação, o Senac São Paulo deseja contribuir para a formação de estudantes e confeiteiros iniciantes e aprimorar a atuação de profissionais já inseridos no mercado.

Prefácio

Desde o momento em que decidi me tornar confeiteiro, sempre ouvi dizer que a confeitaria é uma área muito difícil da gastronomia, principalmente por ser "certinha" e envolver muita matemática.

De fato, a confeitaria é uma arte complexa e exige muita precisão. Porém, com o amor pela profissão, que deve vir de dentro; com a habilidade manual, que deve ser treinada; com a dedicação, que requer paciência; e, acima de tudo, com muita humildade, é possível seguir em frente e se tornar um bom profissional.

Se lembrarmos que, em um passado não tão distante, não havia globalização nem internet (com suas lojas on-line e tutoriais) para ajudar, perceberemos que a difusão de informações nem sempre foi algo simples. No caso da confeitaria, havia poucas opções de livros e, muitas vezes, a única alternativa para quem se interessava pelo assunto eram os caderninhos de avós e mães, ou o auxílio dos profissionais mais antigos, que nem sempre queriam dividir seus conhecimentos. Fico imaginando como teria sido mais fácil se, lá atrás, houvesse um livro técnico com tudo o que precisávamos saber e não tínhamos de onde tirar...

Hoje em dia, embora o acesso ao conhecimento esteja facilitado, um livro como este ainda tem grande relevância, pois aborda as bases da confeitaria de maneira didática e abrangente, resumindo em um só volume uma ampla quantidade de informações valiosas.

Tenho orgulho de poder falar deste livro, que surge em um momento de pleno crescimento da doçaria nacional, podendo servir de base para os que buscam um alicerce robusto em sua aprendizagem, que encontram na confeitaria a felicidade de suas vidas e que poderão transmitir toda essa paixão para novas e doces criações.

Por fim, é importante lembrar que nada se leva dessa vida e que o conhecimento deve ser sempre passado com humildade, de mão em mão.

Desejo muito sucesso a todos nesta jornada, e que Deus abençoe o caminho de cada um.

Flavio Federico
Chef confeiteiro e proprietário da Academia de Confeitaria Flavio Federico

Breve histórico da confeitaria mundial

O ato de alimentar-se não significa somente ingerir nutrientes para a manutenção do organismo: ele também se relaciona com afeto, com proteção, com o cuidado e, sobretudo, com o ato de comunhão. Nos primeiros momentos de vida, recebemos o leite materno não apenas como nutrição; a amamentação reúne uma infinidade de sensações que transcendem a compreensão racional da interação entre mãe e filho.

Muitos consideram o açúcar o ápice da alimentação, pois o sabor doce provoca uma sensação de bem-estar, e assim completa, com prazer, o ciclo de uma refeição.

Desde criança associamos o doce a uma recompensa por termos feito algo de correto, de bom, de esperado, e, por isso, muitas vezes o sabor doce está relacionado ao prazer.

Mas de onde veio esse costume de consumir doces? Quem foram os primeiros a produzi-los? Neste breve histórico abordaremos essas e outras questões.

Origens da confeitaria

Encontrar as origens da produção de doces no mundo pode não ser uma tarefa fácil. Antes de tudo, é importante citar que eles derivam dos pães, os quais eram bastante usuais já no Antigo Egito, fruto da fermentação de grãos de cevada, trigo e muitas vezes mel. Com a sucessiva descoberta de diferentes usos da farinha de trigo, por causa do refinamento da produção de pães, não demorou muito para que essa produção se tornasse ainda mais palatável, surgindo, portanto, o pão doce, acrescido de mel, de frutas e de leite. Acredita-se que no Antigo Egito, assim como na Grécia e em Roma, já se fazia uso do mel, que é o açúcar natural, misturado com uma massa para confeccionar tortas doces, doces com frutas e pastéis recheados com tâmaras e nozes.

Há indícios da produção de diversos tipos de pães também na Índia e na Babilônia. Naquela época, a riqueza de um povo era medida pela capacidade de armazenar alimentos, e o pão contribuía para isso.

Outro preparo que contribuiu para o desenvolvimento da confeitaria no mundo foi uma espécie de massa, feita com farinha, óleo e água, que era utilizada para cobrir os alimentos assados. Ela servia como proteção para manter a umidade e evitar que os produtos queimassem.

A confecção de doces surgiu, primeiramente, dentro dos lares, com a finalidade de alimentar as famílias. As primeiras barracas de rua que vendiam doces apareceram em Roma, e mais tarde em Veneza, por volta do ano 1150, quando surgiram confeitarias que vendiam o conhecido marzipã – massa à base de amêndoas –, porém esse produto era muito caro e, portanto, era servido somente às elites.

Com a chegada do açúcar, que primeiramente era utilizado como remédio, a confeitaria desenvolveu-se em uma velocidade enorme. Em virtude das regras de sua utilização, inicialmente surgiram disputas entre farmacêuticos e confeiteiros pelo produto. No entanto, com o início de sua produção em escala industrial, todos passaram a ter acesso a ele, e as confeitarias puderam fazer uso de maneira mais abundante desse valioso ingrediente.

Desenvolvimento da confeitaria

A profissão de confeiteiro surgiu a partir de 1470 na Alemanha – local onde os doces eram vendidos em feiras. Naquele momento, iniciava-se o processo de separação entre a profissão de padeiro e a de confeiteiro, uma diferenciação que se concluiu somente no século XVI. Aparentemente, o termo *confeiteiro* surgiu pela primeira vez em 1678, também na Alemanha.

A confeitaria na Alemanha assumiu uma caraterística glamorosa, com bolos e tortas que chegavam a quase dois metros de altura. Enquanto isso, na França, a moda eram as criações praticamente arquitetônicas de doces com formatos de templos, palácios, animais ou outras novidades que causassem inveja aos países vizinhos.

Apesar de os alemães terem sido pioneiros na profissão de confeiteiro, a prática profissional veio, na realidade, de um famoso confeiteiro suíço chamado Grisons. Posteriormente, muitos livros de culinária e confeitaria começaram a surgir, promovendo, assim, o desenvolvimento da profissão.

No século XVII, a confeitaria tornou-se moda com a criação da massa folhada, supostamente inventada pelo aprendiz de cozinha e pintor francês Claude Gellée, por volta de 1645.

No final do mesmo século, descobriu-se que a mistura de açúcar, manteiga e ovos, adicionada ao amido ou à farinha de trigo, origina um doce delicado e fino – e assim foram feitos os primeiros biscoitos amanteigados.

Com a chegada do século XX e das duas guerras mundiais, que assolaram o território europeu, as confeitarias sofreram uma consistente diminuição, e as extravagâncias tiveram que dar espaço ao que havia de mais fundamental no cotidiano das pessoas. Iniciava-se a crise da confeitaria, fomentada ainda mais pela industrialização e pela produção em série, que deixavam ainda menos espaço para as grandes criações de tempos anteriores.

No entanto, passado o pós-guerra, aos poucos a confeitaria conseguiu se reerguer e se reinventar, trazendo mudanças interessantes. Em 1968 surgiu na França, por exemplo, um movimento liderado por chefs aclamados, como Paul Bocuse e Pierre Troisgros, que introduziu práticas e apresentações inovadoras, prezando por cardápios mais leves e ingredientes frescos. As tendências da chamada nouvelle cuisine passaram a repercutir em todos os setores da gastronomia, e com a confeitaria não foi diferente. Gaston Lenôtre foi outro chef francês que se destacou nesse sentido, pois passou a reduzir a quantidade de farinha e de açúcar nas receitas, além de introduzir frutas tropicais que não costumavam ser tão utilizadas nas preparações doces. Essas novidades continuam a ser utilizadas até hoje, acompanhando a tendência dos consumidores de se preocuparem mais com a saúde.

A confeitaria, portanto, desde seus primórdios até os dias atuais, segue instigando chefs de todo o mundo a usarem sua criatividade, bem como os novos aparatos que vão surgindo, para inovarem constantemente suas técnicas e receitas, agradando e surpreendendo os apreciadores dessa verdadeira arte.

Profissionais da confeitaria

Com a evolução da confeitaria e a ampla gama de serviços e produtos oferecidos, houve a necessidade de setorizar o ramo. Assim surgiram os cargos e as funções específicas para cada etapa de produção dos itens confeccionados dentro de uma confeitaria.

Quando falamos de produtos, referimo-nos a uma variedade que vai desde bolos, doces e sobremesas até massas fermentadas, como brioches e panetones. É importante lembrar que o processo de produção de um bolo ou de uma sobremesa envolve várias etapas, e cada uma pode ser realizada por uma pessoa com um cargo específico.

A seguir estão elencados alguns dos profissionais que podem atuar na área de confeitaria.

Chef de confeitaria executivo

O chef de confeitaria controla toda a produção dentro de uma confeitaria e é responsável pela elaboração e pelo teste de receitas e cardápios, atuando direta e indiretamente na preparação dos alimentos.

Geralmente ele gerencia a brigada de cozinha, definindo o perfil de pessoal, participando da seleção de funcionários e planejando as rotinas de trabalho. Também pode capacitar os funcionários, identificando e desenvolvendo talentos, e ainda ser responsável por gerenciar os estoques, visitando fornecedores e pesquisando preços.

- **Formação profissional exigida:** ensino médio concluído e curso técnico na área de atuação, oferecido por instituições de formação profissional ou escolas técnicas.
- **Condições de trabalho:** pode exercer suas atividades em confeitarias, em padarias, na indústria de alimentos, em restaurantes com diferentes operações, bem como em concessionárias de alimentação e residências, empreendendo e atuando individualmente ou em equipe. A escala de trabalho pode ser diurna ou noturna, e por vezes é irregular.

Confeiteiro (confiseur)

Produz grande parte dos produtos de uma confeitaria, como bolos, cremes, caldas, sobremesas, entre outros. Ele é responsável por organizar e coordenar a linha de produção para que todos os produtos saiam da forma correta.

Geralmente é auxiliado por pessoas que realizam toda a mise en place e executam as tarefas mais básicas na confeitaria. Após ter em mãos todas as bases para a confecção do produto final, o confeiteiro desenvolve as técnicas mais complexas e finaliza as produções.

- **Formação profissional exigida:** ensino fundamental concluído e curso básico de qualificação profissional (de duzentas a quatrocentas horas-aula).
- **Condições de trabalho:** pode exercer suas atividades em confeitarias, em padarias, na indústria de alimentos, em restaurantes com diferentes operações, bem como em concessionárias de alimentação e residências, empreendendo e atuando individualmente ou em equipe. A escala de trabalho pode ser diurna ou noturna.

Decorador (décorateur)

É responsável pela decoração de produções e pela elaboração de peças decorativas (como esculturas de açúcar, frutas e chocolate, ou sobremesas – pièce montée). Esse cargo não é mais tão comum, pois atualmente o próprio confeiteiro finaliza e decora as produções.

- **Formação profissional exigida:** ensino fundamental completo seguido de cursos básicos de profissionalização, que variam de duzentas a quatrocentas horas, ou experiência equivalente.
- **Condições de trabalho:** pode exercer suas atividades em confeitarias e padarias, empreendendo e atuando individualmente ou em equipe. A escala de trabalho pode ser diurna ou noturna.

Chocolateiro (chocolatier)

Prepara a base das produções que levam chocolate. Assim como o confeiteiro, o chocolateiro costuma ser auxiliado por pessoas que preparam a mise en place e as técnicas mais básicas. Após ter toda a mise en place pronta, ele monta e finaliza produções como bombons, mousses, sobremesas à base de chocolate, etc., além de ser responsável por produzir peças decorativas, como esculturas de chocolate.

O chocolateiro também é responsável por fornecer produções à base de chocolate para outros setores. Dentro do espaço organizacional de uma confeitaria, usualmente ele possui uma área de trabalho reservada, pois, para obter um produto final com ótima qualidade e padrão, é necessário um ambiente com temperatura e umidade controladas.

- **Formação profissional exigida:** ensino médio concluído e curso técnico na área de atuação oferecido por instituições de formação profissional ou escolas técnicas.
- **Condições de trabalho:** pode exercer suas atividades em confeitarias e na indústria de alimentos, empreendendo e atuando individualmente ou em equipe. A escala de trabalho pode ser diurna ou noturna.

Sorveteiro (glacier)

Prepara sobremesas geladas, entre elas glaces, sorbets, parfaits, suflês gelados, etc. Em geral costuma trabalhar sozinho, separado dos demais setores da confeitaria, pois precisa de um ambiente com temperatura exata para obter o melhor resultado em suas produções.

- **Formação profissional exigida:** ensino fundamental concluído e curso básico de qualificação profissional (de duzentas a quatrocentas horas-aula).
- **Condições de trabalho:** pode exercer suas atividades em confeitarias e na indústria de alimentos, empreendendo e atuando individualmente ou em equipe. A escala de trabalho pode ser diurna ou noturna.

Padeiro (boulanger)

Quando se trata de uma confeitaria, o padeiro produz uma gama específica de massas, como massas folhadas, panetones e brioches. Ele também é responsável por fornecer massas fermentadas para outras áreas.

Sua área de trabalho é afastada ou isolada das demais, pois necessita de um ambiente mais quente. Em alguns estabelecimentos, esse profissional também é responsável por assar todas as produções da confeitaria, como massas espumosas, cremosas, secas, etc.

- **Formação profissional exigida:** ensino fundamental concluído e curso básico de qualificação profissional (de duzentas a quatrocentas horas-aula).
- **Condições de trabalho:** pode exercer suas atividades em confeitarias, em padarias e na indústria de alimentos, empreendendo e atuando individualmente ou em equipe. A escala de trabalho pode ser diurna ou noturna.

Auxiliar de confeitaria

Responsável por preparar a mise en place e as bases da confeitaria, como massas secas, cremes, bases, etc. Também é responsável pela organização do espaço de trabalho, pela separação de utensílios e insumos para a produção diária, pela limpeza e organização final, entre outros procedimentos. Seu cargo é de suma importância, uma vez que ele agiliza todo o processo de produção.

- **Formação profissional exigida:** ensino fundamental concluído e curso básico de qualificação profissional (de duzentas a quatrocentas horas-aula).
- **Condições de trabalho:** pode exercer suas atividades em confeitarias, em padarias, na indústria de alimentos, em restaurantes com diferentes operações, em concessionárias de alimentação e em residências, empreendendo e atuando individualmente ou em equipe. A escala de trabalho pode ser diurna ou noturna.

Auxiliar de chocolataria

Responsável por preparar a mise en place e as bases de chocolate, bem como organizar a área de chocolataria. Prepara ganaches, cremes e recheios e é responsável por finalizar algumas produções mais simples, como embalar bombons e montar expositores.

- **Formação profissional exigida:** ensino fundamental concluído e curso básico de qualificação profissional (de duzentas a quatrocentas horas-aula).

- **Condições de trabalho:** pode exercer suas atividades em confeitarias, em padarias, na indústria de alimentos, em restaurantes com diferentes operações, em concessionárias de alimentação e em residências, empreendendo e atuando individualmente ou em equipe. A escala de trabalho pode ser diurna ou noturna.

Aprendiz

Cargo comum na confeitaria. Geralmente é uma pessoa que está começando na área e cuja função é basicamente realizar a mise en place e observar as técnicas aplicadas nas produções. Após um período de experiência, o aprendiz é designado para outras funções até se tornar um auxiliar de confeitaria.

Boas práticas de higiene e segurança

Toda produção da área alimentícia exige certos cuidados que devem ser observados em todas as etapas, desde a escolha dos fornecedores até o preparo do alimento em si, incluindo sua distribuição.

É imprescindível manter um controle higiênico e sanitário durante todo esse processo de transformação do alimento para assegurar que o consumidor final receba um produto seguro. É papel do manipulador de alimentos, portanto, adotar medidas que evitem qualquer tipo de contaminação, ou seja, que impeçam a incorporação de qualquer matéria estranha ao alimento ou à produção passível de causar danos à saúde do consumidor.

A contaminação pode ter diferentes origens, sendo de ordem:
- **química:** decorre do contato com produtos de limpeza, inseticidas, agrotóxicos, entre outros;
- **física:** é causada pela presença de elementos como fios de cabelo ou barba, pelos, pedaços de unha ou esmalte, ou então de materiais como pedras, vidro, entre outros;
- **biológica:** é causada pela presença de fungos, bactérias, vírus, vermes, protozoários e outros microrganismos ou toxinas por eles produzidas.

Algumas medidas simples, como lavar bem e descascar os alimentos, podem ser adotadas para reduzir o risco de contaminação por produtos químicos presentes na superfície dos alimentos. Também é importante observar as instruções dos rótulos de produtos usados na limpeza do local e tomar cuidado ao utilizar utensílios de cozinha que contenham metais pesados (como o chumbo), pois estes também podem causar intoxicação química.

Para evitar contaminações físicas e biológicas, outros cuidados devem ser seguidos, conforme apresentaremos nas páginas seguintes.

Manual de boas práticas

Uma ferramenta que facilita a manutenção da qualidade e da segurança higiênico-sanitária do produto final é o manual de boas práticas de manipulação de alimentos, o qual deve ser lido e seguido por todos os funcionários que entram em contato com esses alimentos.

Além dos documentos oficiais, como a cartilha da Agência Nacional de Vigilância Sanitária (Anvisa),[1] que podem ser aplicados em treinamentos e servir como um guia geral, é recomendado que cada estabelecimento elabore seu próprio manual, levando em conta suas características específicas e principalmente as legislações vigentes (federais, estaduais e municipais) de acordo com a localidade onde o ponto comercial se encontra e os tipos de operação, de procedimentos e de produtos que são confeccionados e distribuídos no local.

No manual de boas práticas devem ser descritos os procedimentos operacionais padronizados (POPs) para cada processo que necessite de instruções para os colaboradores seguirem. Dessa forma, é possível verificar quais são os pontos de risco para possíveis contaminações e quais são os métodos adequados para evitá-los.

Os POPs devem conter as seguintes informações:
- orientações para a higienização de instalações, equipamentos e móveis;
- instruções para o controle integrado de vetores e pragas urbanas;
- orientações para a higienização do reservatório;
- instruções de higiene e saúde dos manipuladores.

Normas e apresentação pessoal dos manipuladores

No que diz respeito à apresentação e aos hábitos pessoais, de forma geral, os profissionais que estão envolvidos no processo de manipulação dos alimentos devem:
1. Sempre manter adequados os hábitos de higiene, como:
   - banhar-se diariamente;
   - lavar frequentemente e pentear os cabelos;
   - fazer a barba diariamente;
   - escovar os dentes após as refeições;
   - manter as unhas curtas, limpas e sem esmalte ou base.

OBSERVAÇÃO
Para saber mais, acesse o site da Anvisa e verifique quais são as legislações e regulamentações vigentes para cada tipo de estabelecimento: http://portal.anvisa.gov.br.

---

[1] Anvisa, *Cartilha sobre Boas Práticas para Serviços de Alimentação*. Disponível em http://portal.anvisa.gov.br/documents/33916/389979/Cartilha+Boas+Pr%C3%A1ticas+para+Servi%C3%A7os+de+Alimenta%C3%A7%C3%A3o/d8671f20-2dfc-4071-b516-d59598701af0. Acesso em 5/5/2017.

2. Apresentar-se no setor de trabalho:
   - devidamente uniformizados. Os uniformes devem estar limpos e em boas condições de uso. Também devem ser trocados diariamente e utilizados somente dentro do estabelecimento;
   - utilizando sapato fechado, antiderrapante e em bom estado de conservação. Também é necessário utilizar meias limpas e trocá-las diariamente;
   - sem adornos (por exemplo, brincos, *piercings*, crachás, colares, anéis ou alianças, relógio, etc.) e sem maquiagem;
   - sem objetos nos bolsos (por exemplo, celular, maço de cigarro, isqueiro, batom, pinça, entre outros);
   - com as mãos limpas (devem ser higienizadas antes de entrar na área produtiva e todas as vezes que for iniciada a preparação de alimentos, a cada mudança de atividade e depois de utilizar o banheiro);
   - com proteção nos cabelos (por exemplo, touca, rede, entre outras).

3. Utilizar os equipamentos de proteção individual (EPIs) sempre que necessário. Em cozinhas profissionais, são comuns os seguintes EPIs:
   - luvas térmicas, de malha de aço, descartáveis e de borracha;
   - avental;
   - casaco de proteção para entrar nas câmaras frias.

No caso de apresentar alguma doença, recomenda-se que o profissional não prepare alimentos durante o período de tempo em que estiver doente e em até 48 horas depois que os sintomas desaparecerem. Os operadores da indústria alimentar devem informar seus superiores se apresentarem doenças e sintomas como hepatite A, diarreia, vômitos, febre, dores de garganta, lesões na pele, feridas (queimaduras, cortes) ou supurações nos ouvidos, nos olhos ou no nariz.[2]

Normas para a utilização de equipamentos e utensílios

Os equipamentos e utensílios usados no desenvolvimento das preparações também precisam de cuidados, tanto para garantir sua durabilidade como para evitar que eles sejam pontos de contaminação dos alimentos.

Copos, pratos e outros utensílios devem ser lavados de preferência com água quente e detergente. Utensílios (como as facas) e superfícies, principalmente se estiveram em contato com alimentos crus, também devem ser desinfetados em água fervente ou com o auxílio de desinfetantes.[3] Vale ressaltar que não devem ser utilizados panos nas áreas de preparo de alimentos, tanto por quem os prepara como pelos colaboradores da limpeza (estes colaboradores devem lavar o chão e retirar o excesso de água com rodo, deixando a área secar naturalmente). Vassouras também não devem ser usadas porque levantam pó. Mãos devem ser limpas com papel-toalha; no chão, deve-se usar o rodo, conforme já foi dito; nas bancadas, deve-se usar pano multiúso descartável (adquirido em rolos).

Também é necessário fazer a higienização e a manutenção preventiva de cada equipamento utilizado, seguindo os POPs e o manual de instruções do fabricante.

Os POPs referentes às operações de higienização de instalações, equipamentos e móveis devem conter as seguintes informações:
- natureza da superfície a ser higienizada;
- método de higienização;
- princípio ativo selecionado e sua concentração;
- tempo de contato dos agentes químicos e/ou físicos utilizados na operação de higienização;

---

[2] Organização Mundial da Saúde, *Cinco chaves para uma alimentação mais segura: manual*. Genebra, 2006, p. 10. Disponível em http://www.who.int/foodsafety/consumer/manual_keys_portuguese.pdf?ua=1. Acesso em 18/7/2017.

[3] *Ibid.*, p. 14.

- temperatura;
- outras informações que se fizerem necessárias.

Quando aplicável, os POPs também devem contemplar a operação de desmonte dos equipamentos.

Normas para a manipulação e conservação de alimentos

Alguns microrganismos causam alterações na aparência, no cheiro e no sabor dos alimentos; no entanto, também há casos em que as contaminações ocorrem de forma imperceptível. Por essa razão, durante a manipulação, o armazenamento e a conservação dos alimentos, todos devem estar atentos, principalmente, aos cinco pontos-chave descritos pela Organização Mundial da Saúde (OMS) a fim de garantir a segurança alimentar. São eles: manter a limpeza; separar alimentos crus e cozidos; cozinhar completamente os alimentos; mantê-los armazenados a temperaturas adequadas e usar água e matérias-primas seguras.[4]

CONTAMINAÇÃO CRUZADA

Chamamos de contaminação cruzada quando ocorre o contágio de uma área ou de um produto para outras áreas ou produtos que não estavam contaminados anteriormente. Essa transferência acontece principalmente por meio de superfícies de contato, das mãos, de utensílios e equipamentos, entre outros. Por isso, é muito importante evitar, por exemplo, que alimentos crus entrem em contato com outros que já tenham sido cozidos, seja no momento da preparação, seja no armazenamento.

DATA DE VALIDADE E QUALIDADE DO PRODUTO

É muito importante conferir as mercadorias assim que são recebidas, a fim de assegurar que os produtos estão prontos para serem manipulados e que foram entregues conforme a solicitação, respeitando as normas técnicas e a legislação.

Além disso, deve-se sempre observar a validade dos produtos, de acordo com a data especificada pelo fabricante. Após aberto, o produto terá um prazo menor de validade, portanto, deve-se sempre conferir se está dentro do tempo e se a forma de armazenamento é adequada.

ARMAZENAMENTO E CONSERVAÇÃO

Para evitar a contaminação durante o armazenamento dos alimentos, é preciso observar as temperaturas corretas, bem como algumas especificações. Por exemplo:
- alimentos congelados devem ser mantidos a uma temperatura igual ou inferior a −18 °C e, uma vez submetidos ao processo de descongelamento, não devem ser congelados novamente;
- alimentos cozidos, perecíveis ou submetidos ao descongelamento que não serão preparados/consumidos imediatamente devem ser refrigerados, de preferência, abaixo de 5 °C, e não devem ficar expostos à temperatura ambiente por mais de 2 horas;
- para a conservação a quente, os alimentos cozidos devem ser submetidos a uma temperatura superior a 60 °C por, no máximo, 6 horas.

Em todos os casos, devem-se sempre respeitar as normas municipais ou estaduais e, na ausência destas, seguir a legislação federal.[5]

Todos os produtos manipulados na cozinha devem conter uma identificação em sua embalagem ou no recipiente em que estão armazenados, com as seguintes informações: nome do produto/alimento, data do preparo/manipulação, prazo de validade (incluindo a validade para o produto após aberto ou após o descongelamento) e profissional responsável.

---

[4] *Ibid.*, p. 11.
[5] No caso, a Resolução de Diretoria Colegiada (RDC) nº 216, de 15 de setembro de 2004.

Parte I
Processos e ingredientes

CAPÍTULO 1

Equipamentos e utensílios

Atualmente, existe uma infinidade de equipamentos e utensílios para cozinha que facilitam e contribuem para a perfeita execução das técnicas exploradas neste livro. Desde um simples pão-duro até os instrumentos mais elaborados, cada utensílio tem sua utilidade e importância.

A seguir estão elencados alguns equipamentos e utensílios muito utilizados na confeitaria (alguns não foram fotografados por serem muito comuns).

Equipamentos

1. Balança de mesa digital
2. Batedeira de massas com batedores tipo gancho, globo e raquete (ou folha)
3. Câmara de fermentação
4. Fogão portátil de indução
5. Forno combinado
6. Forno de lastro
7. Forno micro-ondas
8. Geladeira industrial
9. Liquidificador
10. Máquina de sorvete
11. Máquina de waffle
12. Máquina para pulverizar chocolate
13. Mixer de mão
14. Processador de alimentos/Cutter de mesa
15. Resfriador/congelador rápido

Utensílios

1. Aerógrafo para pintura
2. Aros vazadores
3. Assadeiras
4. Assadeira/fôrma para bolo inglês
5. Bailarina
6. Bicos de confeitar
7. Bowls
8. Chinois
9. Colher de inox e colher de cocção
10. Cortadores pequenos de diversos formatos
11. Crepeira antiaderente (ou frigideira para crepe)
12. Escumadeira
13. Espátulas de confeitar reta e angular
14. Espátulas de silicone
15. Espátulas tipo raspador ou com dente para decoração da lateral de bolos

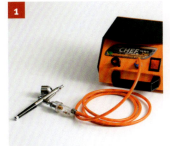

16. Filme plástico
17. Fita de acetato (rolo)
18. Fôrma para colomba (de papel)
19. Fôrma para panetone (de papel)
20. Fôrma para savarin
21. Fôrma redonda com buraco
22. Fôrma redonda para bolo
23. Fôrma redonda para muffins
24. Fôrmas caneladas
25. Fôrmas caneladas para brioche, cupcake ou muffin
26. Fôrmas de bombons (policarbonato)
27. Fôrmas de fundo removível
28. Fôrmas para petits fours e cupcake
29. Fouet
30. Funil com pistão
31. Garfo para fios de açúcar
32. Garfo para banhar bombons
33. Grade de banhar bombons
34. Grelha para banhar bombons
35. Maçarico
36. Mandolin com protetor de mão

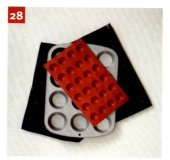

37. Microplane (ralador)
38. Molde tipo estêncil
39. Peneiras
40. Pincel de silicone
41. Pistola de pintura para pulverização de chocolate
42. Ramequins
43. Raspador de chocolate
44. Recipientes de porcelana
45. Regador de fios de ovos
46. Régua de alumínio flexível ou de inox
47. Rolo de abrir massa
48. Saco de confeitar (com bico)
49. Sifão e bisnagas de ar comprimido
50. Silpat
51. Termômetro de haste
52. Termômetro para calda de açúcar
53. Tubos de alumínio para cannoli
54. Zester

CAPÍTULO 2
Ingredientes e suas funções

O conhecimento de cada ingrediente e de suas funções é indispensável para que o profissional da área de confeitaria realize suas produções com qualidade, utilizando-os da forma adequada para atingir o sabor, a textura e a cor desejados na preparação.

Nesse processo, o uso dos ingredientes deve ser bem calculado para evitar desperdícios e obter tudo o que o alimento pode oferecer. O confeiteiro também pode ir até o produtor para obter ingredientes frescos e de qualidade, valorizando os alimentos e a cadeia produtiva.

Quando se deseja substituir ou mesclar alguns ingredientes em uma preparação – como trocar farinha branca por farinha integral – para adequá-la a certas restrições alimentares ou mesmo reduzir calorias, por exemplo, é necessário realizar alguns testes a fim de ajustar as quantidades e atingir o objetivo desejado.

Ovo

O ovo apresenta alto valor nutritivo e é um alimento completo no que diz respeito à quantidade de proteínas. Graças à sua versatilidade nas preparações, também pode ser considerado polifuncional: ele expande, aglutina, engrossa, hidrata, seca, dá sabor, dá brilho, retarda a cristalização, enfeita, dá cor e adiciona nutrientes a qualquer produção.

A clara do ovo torna as misturas mais firmes, enquanto a gema as lubrifica, com seu teor de gordura, e auxilia na emulsificação, promovendo um resultado cremoso e macio, além de atuar como excelente agente gelificador.

Os ovos inteiros também apresentam poder espessante e emulsificante significativos, os quais se destacam em preparações como a pâte à choux, os suflês e os cremes. Contribuem, ainda, para a aglutinação dos ingredientes, e o alto teor de umidade do ovo gera vapor, o que também ajuda na expansão e na umidificação do amido.

Essa diversidade de aplicações decorre da alta solubilidade do ovo em água, bem como de sua excelente capacidade de formar espuma, emulsificar e coagular.

COMPOSIÇÃO

Um ovo de galinha padrão pesa aproximadamente 57 gramas, sendo composto de cerca de 11% de casca, 58% de clara e 31% de gema.

A gema é rica em gordura, em proteínas e em lecitina, que é um agente emulsificante. Também contém ferro e diversas vitaminas. Sua cor varia do amarelo pálido ao alaranjado, dependendo da raça e da dieta da galinha.

A clara consiste basicamente de albumina e é transparente e solúvel quando crua, mas torna-se esbranquiçada e firme depois da coagulação. Também contém enxofre, e uma de suas principais propriedades é a formação de espuma – isto é, a agregação de ar em uma rede composta por suas proteínas quando submetidas ao estresse físico, como o batimento.

Na formação de claras em neve, uma pequena adição de sal aumenta a esponjação – isto é, a incorporação de ar –, mas diminui a estabilidade da espuma. Por outro lado, o açúcar aumenta a estabilidade da espuma, porém requer maior tempo de batimento e diminui a esponjação. A adição de gorduras e a diluição das claras impedem a formação de espuma.

- **Ovos desidratados:** oferecem controle microbial ao ovo pela redução dos níveis de água, realizada por meio de várias técnicas. As formas secas podem conter algum tipo de espessante ou amido para a obtenção da textura adequada.
- **Ovos congelados:** podem ser claras, gemas ou ovos inteiros, com ou sem adição de açúcar, ou ovos inteiros fortificados. Os substitutos congelados funcionam bem para ovos mexidos, bolos e tortas e como agentes aglutinadores.

OBSERVAÇÕES
- A capacidade de emulsificação da gema do ovo está relacionada aos fosfolipídios presentes na lecitina: eles conseguem ligar gordura e água, facilitando assim a formação da emulsão.
- No processo de cocção, normalmente é atribuído às proteínas o processo de coagulação. O que ocorre é que, com o calor ou a agitação intensa, as proteínas sofrem um processo de desnaturação, ou seja, elas mudam de formato e de textura, e, com isso, modificam sua capacidade de se ligar à água.

APLICAÇÕES

- **Estrutura:** quando as proteínas do ovo coagulam, podem estruturar muitos produtos assados.
- **Agente de volume:** claras em neve adicionam ar às preparações, formando uma espuma fina e delicada. As bolhas de ar expandem-se com o calor e fazem a preparação crescer. Quando essa espuma é aquecida, a proteína coagula em torno das células de ar, mantendo uma estrutura esponjosa e estável.
- **Selagem, coloração e brilho:** ovos dão cor a vários produtos. O brilho pode ser feito com claras, gemas ou ovos inteiros – eles geram uma camada substanciosa e visual com aparência de verniz brilhante, que se deve principalmente à interação da proteína e da gordura.
- **Espessante em molhos, cremes e recheios:** as proteínas do ovo coagulam quando são aquecidas e espessam os líquidos. A temperatura de coagulação da clara varia entre 62 °C e 65 °C; a da gema, entre 65 °C e 70 °C; e a do ovo inteiro, entre 68 °C e 70 °C.
- **Clareamento de fluidos:** as impurezas contidas nos líquidos podem ser clareadas ou até filtradas com a adição de ovo batido. Em temperaturas mais altas, a proteína do ovo desnatura, formando uma rede que decanta e, consequentemente, arrasta as partículas estranhas, clareando o fluido.
- **Controle da cristalização:** esse controle pode ser atingido com o auxílio da adição de claras.
- **Agente coagulante:** a coagulação dos ovos é essencial para muitos produtos alimentares. Trata-se da solidificação do ovo por meio da aplicação de calor.
- **Agente aglutinador:** o ovo inteiro cru acrescenta umidade a uma mistura e mantém os ingredientes aglutinados.
- **Agente emulsificante:** o ovo, especialmente a gema, age como um agente coesivo que faz moléculas opostas se combinarem, como água e óleo.

Amidos

Utilizado como espessante pela indústria de alimentos há centenas de anos, o amido desempenha papel significativo na obtenção de viscosidade, agindo como agente texturizador e espessante para líquidos.

O amido é o produto extraído das partes aéreas comestíveis dos vegetais, em geral grãos ou sementes (partes que crescem acima da terra). A fécula é o produto amiláceo extraído das partes subterrâneas comestíveis dos vegetais.

Os amidos podem ser classificados em duas categorias: aqueles originados de grãos, como os amidos de milho, de arroz, de trigo, etc., ou os originados de tubérculos e raízes, como a fécula de batata, a tapioca, a araruta e muitos outros. A culinária utiliza amplamente o amido de milho: a dextrina, o xarope de dextrina ou o açúcar de milho, por exemplo, são produzidos pela hidrólise do amido de milho, que é um pó obtido do endosperma dos grãos de milho.

O amido torna-se solúvel em água quando é aquecido; os grânulos incham e sofrem desassociação, sua estrutura semicristalina se perde e as minúsculas moléculas de amilopectina começam a se separar dos grânulos, formando uma cadeia capaz de absorver água e aumentando, assim, a viscosidade da mistura. Esse processo é chamado de gelatinização.

TIPOS DE AMIDO

A modificação do amido é realizada por meio de um tratamento físico ou químico a fim de desenvolver propriedades especiais altamente vantajosas para a indústria alimentar, como a mudança na força de gel, fluidez, cor, clareza e estabilidade de uma pasta ou gel.

- **Amido não modificado:** é indicado no rótulo dos produtos, mas, apesar de não ter sofrido modificação química, pode ter sido modificado fisicamente, o que pode acarretar em pouco brilho no produto final.

- **Amido modificado:** é transformado quimicamente; alguns tipos alteram o poder de congelamento, evitando assim a separação; ou ainda conferem capacidade de expansão ao produto, como no caso do polvilho azedo.
- **Espessante de amido instantâneo:** pode ser ou não modificado e tem a característica de se dispersar facilmente nas produções, aumentando a estabilidade e atuando como extensor do prazo de validade.
- **Espessante de amido pré-gelatinado:** é utilizado em produções que necessitam de rápida hidratação e auxilia na retenção de umidade.
- **Amido modificado de cocção:** é usado em preparações em que o uso de calor seja indispensável. Aplicado em temperaturas de aproximadamente 82 °C por pelo menos 10 minutos. Adiciona viscosidade a preparações frescas ou congeladas e mantém a durabilidade sob refrigeração ou congelamento.
- **Amido resistente:** similar às fibras, é resistente à digestão e à fermentação no intestino. É usado em produtos com teor de umidade médio, auxiliando no sabor. Suas fibras acentuam a qualidade de expansão e a crocância dos produtos.

Farinhas e espessantes

TRIGO

O trigo é um dos cereais mais consumidos no mundo e suas variedades são diferenciadas no que se refere às espécies, à época do plantio e à composição nutricional.

O grão de trigo é a semente da planta e tem formato oval. O germe corresponde a aproximadamente 2,5% do peso do grão – trata-se do embrião da semente, usualmente separado por causa da quantidade de gordura, que interfere na qualidade de conservação da farinha de trigo. A casca tem aproximadamente 14,5% do peso do grão, pode ser incluída na farinha de trigo integral e pode ser encontrada separadamente. O endosperma, que constitui aproximadamente 83% do peso do grão de trigo, é a fonte da farinha branca. Tem paredes finas, variáveis em tamanho, forma e composição, e contém a maior parte da proteína do grão inteiro, especialmente os formadores de glúten.

No que diz respeito à dureza do grão, o trigo é dividido em três grandes classes: duro, mole e *durum*. O *durum* apresenta elevado teor de proteína – em média 15% – e serve para a produção de pastas alimentícias. Os grãos duros têm cor escura e apresentam em média 13% de proteínas enquanto os moles apresentam em torno de 10%.

O glúten, a gliadina e a glutenina são as frações proteicas do trigo que, quando hidratadas e sob energia mecânica, formam uma rede tridimensional, viscoelástica, insolúvel em água e aderente. O trigo é o único cereal que tem as frações em proporções adequadas para a formação dessa rede de glúten, apesar de a aveia, a cevada e o centeio também possuírem as proteínas. Essa rede é extremamente importante para a culinária por sua capacidade de influenciar a qualidade das massas e dos produtos de panificação.

TIPOS DE FARINHA DE TRIGO
- **Farinha de trigo convencional:** é o tipo mais comum, encontrado em supermercados. É uma farinha elaborada com trigo duro e trigo mole, que deve conter entre 10% e 11% de glúten, servindo para várias produções em confeitaria.
- **Farinha especial para pão (farinha forte):** possui alto conteúdo de proteína, é mais amarelada e compacta.
- **Farinha para bolos e confeitos (farinha fraca):** possui textura fina com menor teor de proteína, aparência branca e pulverizada, em virtude do alto conteúdo de amido.
- **Farinha com adição de fermento:** com médio teor de proteína, fermento químico em pó e sal.
- **Farinha de trigo integral:** contém gérmen de trigo e casca, possui fibras, diferenciado conteúdo nutricional e gordura.
- **Farinha de trigo grano duro:** elaborada com trigo de uma espécie dotada de maior conteúdo de proteína, emprega-se em pastas e massas finas.

AVEIA

A aveia é um cereal nutritivo que apresenta carboidratos, vitaminas, ferro e cálcio, e é uma rica fonte de fibras. Pode ter aplicações diversas em confeitaria e, em alguns casos, pode substituir a farinha – porém, dependendo da receita, o resultado final será alterado.

SUBPRODUTOS DA AVEIA
- **Farinha de aveia:** possui menos fibras do que as outras formas de aveia; é obtida da parte mais interna do grão, perdendo sua carga de fibras, portanto, tem mais carboidratos por causa de sua moagem mais refinada.
- **Flocos de aveia:** são prensados integralmente, porém contêm mais amido, além de serem ricos em açúcares rápidos (principais causadores do sobrepeso e da obesidade).
- **Farelo de aveia:** contém pouquíssimo amido, é livre de açúcares e rico em fibras, por ser extraído da camada externa do grão. Por isso, mantém todos os nutrientes e substâncias funcionais da aveia para o organismo.

OUTROS TIPOS DE FARINHA
- **Farinha de amaranto:** sem glúten e com sabor pronunciado, é feita com grãos de amaranto. Apresenta umidade alta, doura rapidamente e forma uma crosta grossa. Disponível nas variedades claras e escuras. Funciona bem em receitas com baixa quantidade de líquido.
- **Farinha de araruta:** extraída de raízes da planta caribenha *Maranta arundinacea*, não contém glúten e é rica em nutrientes. Trata-se de uma fécula branca e fina que funciona como excelente espessante, com capacidade duas vezes maior que a da farinha de trigo. Além disso, engrossa rapidamente as preparações e o seu amido gelatiniza a uma temperatura baixa. Como o amido de milho, é utilizada em produtos que necessitam de maior leveza e transparência. Pode ser utilizada em preparações ácidas, pois não interfere na sua textura final.
- **Farinha de soja:** rica em proteínas e gorduras, é considerada um produto de baixo teor de gordura, tem cor amarelo-clara e sabor forte.
- **Fécula e farinha de batata:** produzem amido sem glúten, são utilizadas como espessantes em preparações culinárias e como ingredientes em biscoitos e pães, além de acrescentar textura e umidade aos produtos.
- **Farinha de tapioca:** tem sabor quase imperceptível e é utilizada como espessante por suas excelentes propriedades. Perde sua capacidade como espessante se for exposta à cocção prolongada ou na presença de elementos ácidos. O congelamento não afeta a propriedade espessante da tapioca, tornando-a uma excelente opção para alimentos que serão congelados.

Açúcares

O termo *açúcar* é utilizado para designar compostos químicos do grupo dos carboidratos que fornecem sabor (doçura) aos alimentos e energia às células do corpo. Dependendo da composição de suas moléculas, os açúcares podem pertencer a tipos de carboidratos chamados de monossacarídeos (como a glicose, a frutose e a galactose), dissacarídeos (como a sacarose, a lactose e a maltose) ou polissacarídeos.

Comercialmente, a glicose de milho é o produto mais conhecido. A sacarose é o açúcar mais abundante nos alimentos, e a lactose é o açúcar encontrado no leite.

Os açúcares simples exercem uma funcionalidade que ultrapassa seu poder adoçante: cor, textura, capacidade de reter água, viscosidade e firmeza dos géis de gelatina e de pectina, e força das malhas de glúten são alguns dos parâmetros que sofrem influência pela presença de açúcares no produto.

Os tipos mais comuns de açúcar são os obtidos do suco de cana (*Saccharum officinarum*) ou de beterraba branca (*Beta alba* L.), por processos industriais adequados, livres de fermentação, isentos de matéria terrosa, de parasitas e detritos animais ou vegetais.

Podem ser utilizados para conferir cor, sabor e textura às preparações, e na fermentação, como alimento para os microrganismos responsáveis pelo crescimento de massas.

TIPOS DE AÇÚCAR

- **Açúcar invertido:** essa variedade é uma mistura de três tipos de substâncias adoçantes. Com ⅓ de glicose, ⅓ de frutose e ⅓ de sacarose, é uma solução aquosa, fácil de ser armazenada. Esse tipo de açúcar é 30% mais doce que o açúcar comum e tem a propriedade de reter umidade, ajudando a manter as produções mais frescas e úmidas, além de resistir à cristalização.
- **Açúcar cristal:** o caldo de cana passa por processos de purificação, evaporação, cristalização, centrifugação e, por último, secagem. A partir do açúcar cristal, outros tipos de açúcar, como o refinado e o de confeiteiro, são obtidos. O açúcar cristal, portanto, passa por menos processos na hora de ser preparado em relação aos demais.
- **Açúcar refinado:** produzido por meio da diluição do açúcar cristal. A calda obtida passa por diversos processos até chegar ao peneiramento. A porção mais fina é separada para a obtenção do açúcar de confeiteiro, e o restante é o açúcar refinado. É indicado para a produção de bolos e biscoitos por causa da uniformidade.

- **Açúcar de confeiteiro:** após o peneiramento do açúcar para a separação dos grãos que vão dar origem ao açúcar refinado e ao de confeiteiro, o amido é adicionado (cerca de 3%). A finalidade dessa junção é evitar a aglomeração dos pequenos cristais, formando, assim, o açúcar de confeiteiro. O açúcar impalpável é um tipo de açúcar de confeiteiro que pode conter quantidades maiores de amido de milho. No Brasil, temos marcas que também comercializam açúcar de confeiteiro sem amido em sua composição.
- **Açúcar light:** é composto por açúcar refinado e adoçante artificial (sucralose). Com o poder de dulçor seiscentas vezes maior que o da sacarose, o adoçante garante que a ingestão calórica seja menor quando comparada ao consumo de açúcar refinado.
- **Açúcar mascavo:** por não passar pelo processo de refinamento, a qualidade nutricional do açúcar mascavo é melhor em relação ao açúcar refinado. Ele apresenta vitaminas e minerais que não estão presentes na versão refinada.
- **Açúcar orgânico:** o diferencial desse tipo de açúcar é que a cana utilizada em sua fabricação é cultivada sem fertilizantes químicos. Além disso, o açúcar orgânico utiliza processos apoiados na sustentabilidade do meio ambiente, desde o plantio até a etapa final. Suas características nutricionais assemelham-se às do açúcar mascavo, portanto apresenta uma quantidade maior de vitaminas e minerais em relação ao açúcar refinado.
- **Açúcar cande:** contém 99% de sacarose e se apresenta em blocos ou pedras. É obtido por meio de cristalização forçada, em torno de um eixo de cristalização.
- **Melaço e melado:** extraídos e concentrados do suco da cana-de-açúcar. O melado retém umidade nos produtos de panificação, e nos biscoitos pode deixar a massa murcha mais rapidamente.
- **Mel:** xarope natural de açúcar, consiste basicamente de açúcares simples (glucose e frutose) e outros componentes que lhe dão o sabor característico. Dependendo da origem do mel, seu sabor e sua cor podem variar muito.
- **Glucose e xarope de glucose de milho:** xarope de glucose de milho é uma solução concentrada transparente e de alta viscosidade obtida de açúcares de milho por meio de um avançado processo tecnológico. Sua função é enriquecer as produções com a presença suave de açúcar de milho, promovendo maciez às massas e cristalinidade à textura superficial de geleias, doces cristalizados e bolos caramelados, auxiliando no retardamento da cristalização natural do açúcar de cana.

Gorduras

Óleos e gorduras são triglicerídeos, isto é, são formados por três moléculas de ácido graxo esterificadas e uma molécula de glicerol. À temperatura ambiente, as gorduras são sólidas e os óleos são líquidos.

Quando uma cadeia de ácidos graxos contém a capacidade máxima de átomos de hidrogênio, diz-se que ela está saturada; e quando a cadeia possui espaço para abrigar novos átomos de hidrogênio, ela é chamada de insaturada. As gorduras naturais consistem de uma mistura de vários componentes: quanto mais gorduras saturadas houver na composição, mais sólida será a gordura, e quanto mais gorduras insaturadas houver, mais macia ela será.

A gordura não muda seu formato, como acontece com outros ingredientes quando são incorporados à produção; ela é quebrada em partículas cada vez menores durante o processo de mistura. Essas partículas menores acabam por se distribuir de forma homogênea. Uma mistura uniforme de duas substâncias imiscíveis, como água e gordura, é chamada de emulsão.

A gordura retarda o envelhecimento do amido, o que consequentemente diminui a perda de umidade da massa, mantendo o frescor e a vida útil do produto por mais tempo. Ela também funciona como agente lubrificante da massa, melhorando a capacidade de manipulá-la (ou seja, a massa fica mais fácil de ser cilindrada, boleada, dividida ou simplesmente batida), em especial na panificação e na produção de biscoitos.

TIPOS DE GORDURAS

- **Gordura hidrogenada:** produzida com gorduras de origem vegetal hidrogenadas. Sua textura é plástica, sua cor é branca e seu sabor e seu odor são característicos. Costuma ser usada para frituras de imersão (pois é mais resistente a altas temperaturas) e para preparar massas, bolos e salgados, nesse caso à temperatura ambiente, por ser mais maleável e fácil de trabalhar. Gorduras sólidas apresentam maior capacidade de reter as bolhas de ar no batimento de massas por causa da consistência. As melhores temperaturas para gordura hidrogenada estão entre 24 °C e 27 °C.
- **Manteiga:** a maioria das manteigas é feita de creme de leite pasteurizado e pode ser adquirida nas versões com ou sem sal. A temperatura em que a manteiga começa a derreter varia entre 21 °C e 40 °C, e seu ponto de fumaça (início do ponto em que a gordura queima) é baixo. As receitas que dependem de manteiga para formar massas esfareladas, ou tortas e biscoitos, requerem que ela esteja no estado sólido à temperatura de refrigeração.
- **Margarina:** é produzida com gorduras animais e vegetais hidrogenadas, acrescidas de saborizantes, emulsificantes, corantes e outros ingredientes. Contém de 80% a 85% de gordura, de 10% a 15% de umidade e cerca de 5% de sal, sólidos lácteos e outros componentes. As margarinas podem ser encontradas com concentração de lipídios que variam de 20% a 80%, apresentando características diferentes quando são utilizadas em preparações. Margarinas com baixo teor de lipídios não são indicadas para corar alimentos, porque demoram a atingir as temperaturas adequadas, necessitando da evaporação de água.
- **Gordura ou banha animal:** composta principalmente de ácidos graxos saturados e, em temperatura ambiente, apresenta-se sólida. Sebo bovino ou ovino, gordura de aves e banha de suínos são algumas das gorduras de origem animal utilizadas na gastronomia. A de uso mais comum no Brasil é a banha de porco, de consistência pastosa, lisa, macia, de cor marfim e sabor suave. Tem ponto de fumaça superior ao dos óleos vegetais e ponto de fusão superior ao da manteiga.
- **Óleo e azeite:** são gorduras líquidas não muito utilizadas em confeitaria, porque se misturam completamente à massa, deixando-a muito líquida. Os óleos são excelentes meios de cocção e podem ser aquecidos em temperaturas bem elevadas, transmitindo calor rapidamente.

Leite e derivados

O leite obtido da vaca, sem passar por qualquer processo, é chamado de leite cru. É constituído de sólidos e água: os sólidos representam cerca de 3% a 12% do leite – os principais são lipídios (gordura), carboidratos, sais minerais e vitaminas –, e a água representa aproximadamente 87%.

A grande maioria do leite utilizado no Brasil é pasteurizada antes de ser vendida ou transformada em outros produtos. O leite pasteurizado é aquecido a 72 °C e mantido nessa temperatura por 15 segundos, para eliminar os microrganismos causadores de doenças, e depois resfriado rapidamente. Alguns derivados do creme de leite podem ser ultrapasteurizados para aumentar a validade, sendo aquecidos a cerca de 135 °C por 4 segundos. O processo UHT (*ultra high temperature* ou temperatura ultra-alta) envolve temperaturas ainda mais elevadas.

No Brasil, o leite é classificado nos tipos A, B e C. Quanto ao teor de gordura, pode ser classificado em integral, padronizado, semidesnatado ou desnatado.

O uso do leite e de seus derivados é bastante extenso, e em algumas produções pode ter como funções o enriquecimento nutricional, o auxílio na coloração, a melhora da textura, o aumento de volume e de vida útil, o aumento da maciez do produto e o enriquecimento de sabor e aroma.

PRODUTOS À BASE DE LEITE

- **Leite integral:** o leite fresco é obtido da vaca sem qualquer alteração. Possui concentração de lipídios em torno de 4% a 6%.
- **Leite semidesnatado:** leite com concentração de lipídios em torno de 1,5% a 2%.
- **Leite desnatado:** leite com concentração de lipídios em torno de 0% a 0,5%. O leite semidesnatado e o desnatado podem ser fortificados com substâncias que aumentam seu valor nutricional.
- **Leite homogeneizado:** produto submetido ao processo de homogeneização, que consiste em romper os glóbulos de gordura formando partículas menores, o que evita a separação da gordura e proporciona maior digestibilidade e sabor suave. Esse processo é utilizado na obtenção do creme de leite UHT, mas não permite obter chantili, justamente porque os glóbulos de gordura são menores.
- **Leite evaporado:** obtido do leite integral tratado termicamente, com a retirada de 50% da água por evaporação a vácuo, sob temperatura de 50 °C a 60 °C. Quando se deseja substituir o leite evaporado para uso como leite fluido, a proporção de água deve equivaler a 50%.
- **Leite condensado:** leite integral, pasteurizado, submetido a desidratação parcial (⅓ do volume inicial) e com adição de açúcar.
- **Leite em pó (desidratado):** leite obtido do leite integral, desnatado ou semidesnatado, por processos industriais. O produto final deve apresentar no máximo 5% de umidade.
- **Leite acidificado (fermentado):** leite obtido por meio da fermentação do leite sob ação de bactérias selecionadas.
- **Kumis:** leite fluido que pode conter até 4% de álcool. É produzido por fermentação alcoólica e pelo uso de fermento búlgaro e levedo de cerveja.
- **Kefir:** leite que apresenta aparência granulosa, com visível separação de soro.
- **Leite modificado:** a formulação desse produto se caracteriza pelo acréscimo ou pela redução de nutrientes.
- **Leitelho:** é conhecido como leite ácido e apresenta-se com aspecto de líquido seroso. São adicionadas bactérias com a finalidade de acidificar e encorpar o produto, pois ele é pobre em gordura. Uma mistura semelhante pode ser obtida colocando-se uma colher de suco de limão ou vinagre para cada xícara de leite e deixando repousar por pelo menos 10 minutos.
- **Iogurte:** consiste em leite (integral ou semidesnatado) e uma cultura de bactérias.

PRODUTOS À BASE DE CREME DE LEITE

O creme de leite é um produto obtido do desnate do leite, realizado por meio de evaporação e centrifugação. É utilizado de acordo com o teor de lipídio, ou seja, o teor de gordura denota sua estabilidade ao ser submetido ao aquecimento e sua qualidade ao ser batido.

- **Creme de leite fresco:** pode ter um teor de gordura entre 30% e 40%. Dentro dessa categoria, podemos encontrar os cremes de leite mais magros, com 30% a 35% de gordura, que são os mais comuns no Brasil.
- **Creme de leite light:** possui teor de gordura baixo, geralmente em torno de 18%, mas pode chegar até 30%.
- **Half-and-half:** creme de leite com teor de gordura entre 10% a 18%.
- **Extra-heavy:** creme de leite muito espesso e com teor de gordura entre 38% e 40%.
- **Creme de leite azedo:** creme de leite fermentado pela adição de bactérias do ácido lático. Ligeiramente ácido e espesso, seu teor de gordura é de 18%.
- **Crème fraîche:** tipo de creme de leite gordo fermentado e ligeiramente maturado. Um produto de sabor aproximado pode ser obtido misturando-se quatro partes de creme de leite fresco para cada parte de iogurte natural, mexendo bem, amornando (38 °C) e deixando repousar em ambiente com calor até engrossar, de 6 a 24 horas.

Agentes de fermentação

Os três elementos mais importantes para o crescimento de massas são o dióxido de carbono, o vapor e o ar. Esses últimos estão presentes em quase todos os produtos. Uma parte essencial do processo de crescimento é a formação de bolhas de ar durante a mistura, bem como a medida precisa dos agentes de fermentação, pois pequenas mudanças podem causar grandes defeitos nos produtos finais.

Os agentes de crescimento de origem física fornecem vapor d'água ou técnicas que permitem a incorporação de ar nas massas, e nesse caso o ar é introduzido por meio de batimento ou da adição de clara em neve.

Os agentes de crescimento de origem química são utilizados quando somente a produção de vapor ou de ar não é suficiente para o crescimento total da massa. São compostos de uma substância ou de uma mistura de substâncias químicas que, por influência do calor ou da umidade, desprendem gases capazes de expandir massas elaboradas. São eles:

- **Bicarbonato de sódio:** é uma mistura cristalina, solúvel em água e de sabor alcalino. Quando um líquido e um ácido estão presentes, o bicarbonato de sódio libera gás carbônico, o que faz com que o alimento cresça. Não é necessário calor para que essa reação ocorra, embora o gás seja liberado mais rapidamente em temperaturas altas.
- **Fermento em pó químico:** é uma mistura de bicarbonato de sódio com um ou mais ácidos que reagem com ele, e requer apenas a presença de umidade para liberar gás. Atualmente, nos mercados são encontrados fermentos de ação dupla, que liberam um pouco de gás quando frios, mas precisam de calor para liberar o restante. O excesso de fermento pode tornar o sabor do produto indesejável, além de criar uma textura excessivamente leve e quebradiça.
- **Sal amoníaco:** é uma mistura de carbonato, bicarbonato e carbonato de amônia. Decompõe-se rapidamente durante o assamento para formar dióxido de carbono, gás amoníaco e água. Necessita apenas de calor e umidade para realizar sua função.

Agentes gelificantes

GELATINA

A gelatina é feita com colágeno, uma proteína extraída de tendões e ossos de animais que é solúvel em água quente e se solidifica em temperatura baixa. A gelatina engrossa e gelatiniza-se graças à característica de suas proteínas de formarem longas cadeias.

Na culinária, sua adição aumenta a viscosidade de um líquido quando seus grânulos são hidratados, amplificando em cerca de dez vezes seu tamanho original e aprisionando as moléculas de água no processo. É utilizada na confeitaria como agente espessante, bem como para combinar ou aglutinar ingredientes, formar texturas e formar e estabilizar emulsões e espuma.

A alteração extrema de temperatura destrói parte da habilidade espessante do agente gelatinoso. Alguns ingredientes, como o açúcar, quando são utilizados em excesso inibem a gelatinização, e algumas frutas, quando estão frescas, possuem enzimas que quebram as proteínas e desestabilizam a gelatinização.

A gelatina pode ser encontrada na forma de folhas e de pó. Veja a tabela de equivalência a seguir:

EQUIVALÊNCIA PARA GELATINA EM PÓ E EM FOLHA

1 envelope (12 g) de gelatina em pó	1 envelope (6 folhas) de gelatina em folhas
1 colher de chá de gelatina em pó	1 folha de gelatina
1 colher de sobremesa de gelatina em pó	3 folhas de gelatina

Fonte: Gisslen (2011, p. 87).

COMO HIDRATAR E DISSOLVER GELATINA EM FOLHA

1. Em um bowl, coloque água fria até a metade do recipiente.
2. Mergulhe as folhas inteiras no bowl com água fria e espere alguns segundos até que elas amoleçam. É importante que o bowl contenha água suficiente para cobrir as folhas.
3. Retire as folhas do bowl e esprema-as para eliminar o excesso de água.
4. Coloque as folhas espremidas em outro bowl e leve ao micro-ondas, por cerca de 15 segundos, ou ao banho-maria, sem parar de mexer, até que o conteúdo tenha ficado líquido e homogêneo.

COMO HIDRATAR E DISSOLVER GELATINA EM PÓ

1. Em um bowl, coloque a quantidade de água destinada à hidratação da gelatina conforme indicado na receita. (Caso a receita não tenha indicado a quantidade de água para a hidratação, normalmente são necessários 60 g de água para o conteúdo de um envelope de gelatina em pó com 12 g.)
2. Acrescente a gelatina em pó à água e misture com uma colher.
3. Leve o bowl com água e gelatina ao micro-ondas, por cerca de 15 segundos, ou ao banho-maria, sem parar de mexer, até que o conteúdo tenha ficado líquido e homogêneo.

PECTINA

A pectina é uma goma vegetal, geralmente presente nas frutas, que consiste de moléculas de longas cadeias, semelhante aos amidos. Ela pode absorver grande quantidade de água, o que a torna útil para engrossar compotas, geleias e doces, para gelificar líquidos e para fazer caldas à base de frutas, pois torna os purês e os sucos mais espessos.

Uma vantagem da pectina, se comparada ao amido, é que ela produz um gel transparente e não turvo. Para que se gelifique, é preciso combiná-la com um ácido e com altas doses de açúcar.

Chocolate e cacau

O chocolate é um dos produtos de maior admiração mundial. É muito utilizado na confeitaria para a produção de várias sobremesas, seja para adicionar sabor e cor, como em massas de torta e bolos, seja como produto principal da produção, como ocorre na fabricação de bombons. Pode ser usado, ainda, como recheio, ou apenas para a finalização e a decoração de outras preparações, como quando é utilizado para a glaçage ou para a produção de arabescos, plaquinhas, etc.

Existe no mercado uma grande variedade de chocolates e de subprodutos derivados do cacau que possuem diferentes características e utilizações. (Para mais detalhes, ver capítulo 7, p. 211).

TIPOS DE CHOCOLATE E OUTROS PRODUTOS DO CACAU
- **Manteiga de cacau:** é a gordura retirada do licor do chocolate quando se processa o cacau.
- **Cacau em pó:** é a substância que sobra após a retirada parcial da manteiga de cacau, sendo ligeiramente ácido.
- **Massa de cacau:** massa ou licor de cacau é o resultado da mistura da manteiga de cacau com sólidos que estão presentes nas sementes do cacau.
- **Chocolate em pó solúvel:** subproduto do chocolate com menor acidez que o cacau em pó. Apresenta sabor mais suave e se dissolve facilmente em líquidos. Sempre contém açúcar na composição.
- **Chocolate amargo:** composto de alta quantidade de massa de cacau, contém baixa quantidade de açúcar, sendo que algumas marcas chegam a não apresentar açúcar algum, e possui sabor bastante amargo. Não deve ser confundido com o chocolate meio amargo, que tem certo teor de açúcar e manteiga de cacau.
- **Chocolate meio amargo:** composto de massa de cacau, pouca manteiga de cacau e pouco açúcar.
- **Chocolate ao leite:** chocolate adoçado acrescido de sólidos lácteos.
- **Chocolate branco:** consiste em uma mistura de manteiga de cacau, açúcar e sólidos lácteos.

Sal

Embora seja usado geralmente em pequenas quantidades, o sal desempenha um papel muito importante na confeitaria, realçando o sabor e o aroma dos produtos e agindo como conservante. No caso de águas muito leves, o sal também acerta sua dureza, isto é, a quantidade de elementos como o cálcio e o magnésio.

O tipo refinado é o mais utilizado em produções doces, mas, em produtos mais delicados, a flor de sal também tem seu espaço.

CAPÍTULO 3
Tabelas de conversão

Equivalência de pesos e medidas

	Chocolate em pó ou cacau	Farinha de trigo	Açúcar	Manteiga ou margarina
1 xícara de chá	90 g	120 g	180 g	200 g
½ xícara de chá	45 g	60 g	90 g	100 g
⅓ de xícara de chá	30 g	40 g	60 g	65 g
¼ de xícara de chá	20 g	30 g	45 g	50 g
1 colher de sopa	6 g	7,5 g	12 g	20 g
1 colher de chá				
½ colher (sopa) ou ½ sachê				
1 colher (sopa) ou 1 sachê				
2 colheres (sopa) ou 2 sachês				

Temperatura do forno

Graus Celsius	Forno
200-220 °C	bem alto
170-190 °C	alto
160 °C	médio
140-150 °C	baixo
110-120 °C	frio

Ovos (peso aproximado)

Tamanho	Peso (g)	Gema (g)	Clara (g)
Extra	60	25	35
Grande	50	20	30
Médio	40	15	25
Pequeno	30	10	20

Equivalência de pesos e medidas

	Líquidos (leite, água, óleo, café, etc.)	Amido de milho	Leite em pó	Fermento instantâneo (unid.)
1 xícara de chá	240 ml	100 g	100 g	
½ xícara de chá	120 ml	50 g	50 g	
⅓ de xícara de chá	80 ml	30 g	35 g	
¼ de xícara de chá	60 ml	25 g	25 g	
1 colher de sopa	15 ml	10 g	15 g	
1 colher de chá	5 ml			
½ colher (sopa) ou ½ sachê				5 g
1 colher (sopa) ou 1 sachê				10 g
2 colheres (sopa) ou 2 sachês				20 g

Abreviaturas padrão

ml	mililitros
l	litro
g	grama
kg	quilograma
unid.	unidade
cls	colher de sopa
clc	colher de chá

TABELAS DE CONVERSÃO

Parte II
Técnicas e receitas

CAPÍTULO 4
Massas

As massas são preparações que se diferenciam de acordo com a técnica usada e com a finalidade de sua montagem. A textura de cada massa é o resultado dos ingredientes escolhidos, da maneira como a gordura foi incorporada e de quanto glúten (cadeia elástica formada por proteínas) foi desenvolvido.

Massas espumosas ou aeradas

São massas que partem de uma base aerada feita de ovos batidos (inteiros, só as gemas ou só as claras), que são os principais responsáveis pelo crescimento da massa, acrescida de açúcar e farinha, obrigatoriamente. Algumas receitas também podem levar líquido, gordura e fermento químico.

Exemplos de preparações feitas com massas espumosas ou aeradas são:
- **Pão de ló:** de origem portuguesa, sua receita tradicionalmente leva ovos, açúcar e farinha. No Brasil, a receita foi adaptada, passando a incluir líquidos e fermento químico.
- **Génoise:** espécie de bolo espumoso. Seu nome refere-se à cidade de Gênova, na Itália. Difere do pão de ló por levar manteiga derretida na composição e ter um processo de produção específico.
- **Rocambole (biscuit roulade):** também conhecido como *jelly roll* pelos norte-americanos e como *swiss roll* pelos ingleses, é um bolo espumoso, com um balanceamento que confere maleabilidade ao seu formato.
- **Bolo chiffon ou chiffon cake:** bolo criado em Los Angeles, nos Estados Unidos, contém um ingrediente diferente, o óleo, que lhe garante umidade única. Possui sabor rico igual ao de uma massa cremosa, mas é leve como uma massa espumosa.
- **Joconde ou biscuit Joconde:** massa espumosa de origem francesa, seu diferencial é levar manteiga e farinha de amêndoas na composição.
- **Bolacha champanhe:** massa espumosa e extremamente leve que após assada fica com uma textura quebradiça.
- **Biscuit à la cuillère:** massa que apresenta quantidade maior de gemas em sua composição, o que confere textura mais macia.
- **Bolo anjo ou angel's food cake:** bolo norte-americano cujo nome é uma referência à textura leve, resultante da quantidade de claras utilizada na receita.
- **Biscuit dacquoise:** é um merengue que apresenta farinha de castanhas na composição. Tradicionalmente também leva amêndoas, mas pode conter outros aromas.
- **Biscuit japonais:** é um merengue que geralmente apresenta farinha de avelã em sua composição.

RECEITAS COM MASSAS ESPUMOSAS OU AERADAS

Ingredientes	Pão de ló	Génoise	Dacquoise	Biscuit Joconde	Champanhe	Rocambole	Bolo anjo	Bolo chiffon
Açúcar impalpável			100 g	25 g				
Açúcar refinado	450 g	190 g	100 g	150 g	145 g	150 g	Qtde. 1: 70 g Qtde. 2: 210 g	Qtde. 1: 86 g Qtde. 2: 43 g
Água (suco)	300 g							57 g
Clara	210 g	210 g	100 g	280 g	150 g	210 g	280 g	101 g
Cremor de tártaro							4 g	0,5 g
Essência de baunilha							2 g	2,5 g
Farinha de amêndoas				150 g				
Farinha de avelãs			100 g					
Farinha de trigo	330 g	190 g		30 g	125 g	75 g		100 g
Farinha para confeitaria							100 g	
Fermento químico	15 g							3 g
Gema	120 g	120 g		80 g	100 g	120 g		50 g
Gordura		40 g		20 g				
Óleo vegetal								51 g
Sal							0,4 g	
Rendimento	3 fôrmas de 20 cm							1 fôrma de 25 cm

OPÇÕES DE AROMÁTICOS

Ingredientes	Alterações na receita*
Cacau em pó	Substituir 10%-25% da quantidade de farinha de trigo
Especiarias**	Adicionar a gosto
Frutas secas	Substituir 20% da farinha de trigo ou adicionar 5%-10% (sem alterar a farinha)
Outras farinhas (de amêndoas, de fubá, de aveia, etc.)	Substituir 10%-20% da farinha

*Alguns ingredientes substituem uma quantidade da farinha de trigo, que deverá ser reduzida na receita.
**Podem ser canela, noz-moscada, anis-estrelado, cardamomo, macis, entre outras.

:: MODO DE PREPARO – PROCESSOS COM BASE ESPUMOSA E OVOS SEPARADOS

Pão de ló nacional e rocambole (biscuit roulade)

1. Separe os ingredientes que serão utilizados na receita, bem como os seguintes utensílios e equipamentos: batedeira com batedor tipo globo, espátula de silicone, fouet, fôrma e pincel.
2. Preaqueça o forno a 160 °C.
3. Unte a fôrma: com um pincel, espalhe óleo sobre ela, incluindo as laterais, e polvilhe com farinha de trigo.
4. Na batedeira com o batedor tipo globo, acrescente as claras e bata em velocidade média. No momento que ficarem bem aeradas, pare de bater, levante o batedor e, se a mistura formar um pico firme, estará pronta a clara em neve.

5. Ligue a batedeira em velocidade média novamente e acrescente as gemas e depois o açúcar à clara em neve. Bata até a mistura ficar brilhante, depois desligue.

6. Fora da batedeira, mas no mesmo recipiente, acrescente aos poucos os ingredientes secos peneirados, mexendo com o fouet para incorporá-los bem.

8. Coloque a massa anterior na fôrma untada, espalhando com o auxílio de uma espátula de silicone para ficar bem distribuída, e leve para assar a 160 °C até ficar dourada e firme. (Para verificar, toque delicadamente o centro da massa com a ponta dos dedos. Se não afundar, a massa estará pronta.)
9. Para a montagem do rocambole, desenforme a massa sobre um papel-manteiga polvilhado com açúcar e aplique uma camada de recheio (pode ser geleia, creme de confeiteiro ou ganache). Leve para gelar apenas até ficar firme para enrolar sem o recheio escorrer. Depois, decore com merengue italiano usando uma espátula de silicone ou bicos de confeitar.

7. Em seguida, acrescente o líquido (água ou suco), se necessário, e mexa com o fouet até formar uma massa homogênea.

OBSERVAÇÃO
É importante mexer com o fouet apenas até a massa ficar homogênea, pois, se misturar demais, ela perderá a aeração, deixando o bolo elástico e duro ao final.

52

MANUAL PRÁTICO DE CONFEITARIA SENAC

:: **MODO DE PREPARO – PROCESSOS COM BASE ESPUMOSA E OVOS INTEIROS**

Génoise

1. Separe os ingredientes que serão utilizados na receita, bem como os seguintes utensílios e equipamentos: batedeira com o batedor tipo globo, espátula de silicone, fouet, fôrma e pincel.
2. Preaqueça o forno a 160 °C.
3. Unte a fôrma: com um pincel, espalhe óleo sobre o fundo e as laterais, depois polvilhe com farinha de trigo.
4. Na batedeira com o batedor tipo globo, bata os ovos com o açúcar em velocidade média até a mistura ficar aerada ou chegar a uma coloração esbranquiçada.

5. Desligue a batedeira e retire o batedor. Fora da batedeira, mas no mesmo bowl (recipiente), acrescente a farinha de trigo peneirada e, com o auxílio de um fouet, misture delicadamente de cima para baixo, para não perder a aeração.

6. Por último, acrescente a gordura líquida e fria, misturando delicadamente com o fouet até ficar homogêneo.

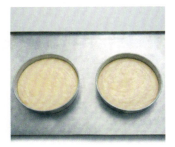

7. Coloque a massa na fôrma untada, espalhando com o auxílio da espátula, e leve para assar a 160 °C até ficar dourada e firme. (Para verificar, toque delicadamente o centro da massa com a ponta dos dedos. Se não afundar, a massa estará pronta.)

:: MODO DE PREPARO – PROCESSOS COM BASE ESPUMOSA E OVOS INTEIROS

Dacquoise

1. Separe os ingredientes que serão utilizados na receita, bem como os seguintes utensílios e equipamentos: batedeira com o batedor tipo globo, bico de confeitar perlê, saco de confeitar, espátula de silicone, fouet, bowl, assadeira e silpat.
2. Disponha o silpat sobre a assadeira e reserve.
3. Preaqueça o forno a 100 °C ou 170 °C (dependendo da textura final desejada – ver passo 8).

4. Em um bowl, misture a farinha de avelã e o açúcar impalpável com o auxílio de um fouet. Reserve.

5. Na batedeira com o batedor tipo globo, acrescente as claras e bata em velocidade média. No momento que ficarem bem aeradas, pare de bater, levante o batedor e, se a mistura formar um pico firme, estará pronta a clara em neve.
6. Ligue a batedeira novamente em velocidade média e acrescente o açúcar refinado aos poucos nas claras em neve. Bata até ficar firme, depois desligue. Neste ponto a mistura formou um merengue francês.

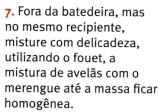

7. Fora da batedeira, mas no mesmo recipiente, misture com delicadeza, utilizando o fouet, a mistura de avelãs com o merengue até a massa ficar homogênea.

8. Com o auxílio da espátula de silicone, coloque a massa no saco de confeitar com bico perlê. Faça discos sobre o silpat e leve para assar a 170 °C por 10 minutos, para ficar crocante por fora e levemente úmido por dentro; ou então asse por 2 horas a 100 °C, para secar completamente.

54

MANUAL PRÁTICO DE CONFEITARIA SENAC

:: MODO DE PREPARO – PROCESSOS COM BASE ESPUMOSA E OVOS INTEIROS

Biscuit Joconde

1. Separe os ingredientes que serão utilizados na receita, bem como os seguintes utensílios e equipamentos: batedeira com o batedor tipo globo, espátula de silicone, espátula angular para bolo, bowl, fouet, assadeira e silpat.
2. Preaqueça o forno a 170 °C.
3. Disponha o silpat sobre uma assadeira e reserve.
4. Em um bowl, misture a farinha de trigo, a farinha de amêndoas e o açúcar impalpável com o auxílio de um fouet. Reserve.

5. Na batedeira com o batedor tipo globo, bata as gemas, 140 g de claras e 75 g do açúcar refinado em velocidade média até formar uma mistura aerada. Reserve.
6. Separadamente, na batedeira com o batedor tipo globo, acrescente 140 g de claras e bata em velocidade média. No momento que ficarem bem aeradas, pare de bater, levante o batedor e, se a mistura formar um pico firme, estará pronta a clara em neve.

7. Ligue a batedeira em velocidade média novamente e acrescente aos poucos 75 g de açúcar refinado às claras em neve. Bata até ficar firme, depois desligue. Neste ponto a mistura formou um merengue.

8. Acrescente a mistura de ovos (passo 5) na mistura das farinhas com o açúcar impalpável, mexendo delicadamente com o auxílio do fouet.

9. Acrescente a gordura (manteiga) líquida e fria, mexendo delicadamente com o auxílio do fouet.

10. Junte a massa finalizada com o merengue reservado no passo 7 e misture delicadamente com o auxílio do fouet.

11. Disponha a massa sobre o silpat na assadeira, utilizando a espátula angular para bolo para deixá-la uniforme e lisa.
12. Leve para assar a 170 °C até a massa ficar dourada e firme. (Para verificar, toque delicadamente o centro da massa com a ponta dos dedos. Se não afundar, a massa estará pronta.)

:: MODO DE PREPARO – PROCESSOS COM BASE ESPUMOSA E OVOS INTEIROS

Bolacha champanhe

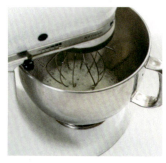

1. Separe os ingredientes que serão utilizados na receita, bem como os seguintes utensílios e equipamentos: batedeira com o batedor tipo globo, espátula de silicone, bico de confeitar perlê, saco de confeitar, fouet, bowls e assadeira para bolacha champanhe ou assadeira com silpat (ou papel-manteiga).
2. Separe a assadeira para bolacha champanhe ou disponha um silpat (ou papel-manteiga) sobre uma assadeira comum.
3. Preaqueça o forno a 160 °C.
4. Em um bowl, acrescente as gemas e bata levemente com o auxílio de um fouet. Reserve.

5. Na batedeira com o batedor tipo globo, acrescente as claras e bata em velocidade média. No momento que ficarem bem aeradas, pare de bater, levante o batedor e, se a mistura formar um pico firme, estará pronta a clara em neve.

6. Ligue a batedeira em velocidade média novamente e acrescente 125 g de açúcar refinado aos poucos nas claras em neve. Bata até ficar firme, depois desligue. Neste ponto a mistura formou um merengue francês.
7. Fora da batedeira, mas no mesmo recipiente, acrescente as gemas levemente batidas e a farinha. Misture com o fouet delicadamente, de baixo para cima, para manter a aeração.

8. Com o auxílio da espátula de silicone, coloque a massa no saco de confeitar com bico perlê e confeccione as bolachas em formato longo sobre o silpat na assadeira.

9. Com as mãos, polvilhe o restante do açúcar refinado (20 g) sobre as bolachas.
10. Leve para assar a 160° C até as bolachas secarem completamente e ficarem douradas.

56 MANUAL PRÁTICO DE CONFEITARIA SENAC

:: MODO DE PREPARO – PROCESSOS COM BASE ESPUMOSA E OVOS INTEIROS

Bolo anjo

1. Separe os ingredientes que serão utilizados na receita, bem como os seguintes utensílios e equipamentos: batedeira com o batedor tipo globo, bowls, espátula de silicone, fouet e assadeira específica para bolo anjo.
2. Preaqueça o forno a 155 °C.

3. Na batedeira com o batedor tipo globo, acrescente as claras e bata em velocidade média. No momento que ficarem bem aeradas, pare de bater, levante o batedor e, se a mistura formar um pico firme, estará pronta a clara em neve.

4. Ligue a batedeira em velocidade média novamente e acrescente aos poucos o cremor de tártaro e 70 g de açúcar refinado às claras em neve. Depois que incorporar, desligue.

5. Fora da batedeira, mas no mesmo recipiente, acrescente com delicadeza a farinha para confeitaria, 210 g de açúcar e o sal. Por último, acrescente a essência de baunilha e mexa com o auxílio de um fouet ou de uma espátula de silicone até a massa ficar homogênea.

6. Com o auxílio da espátula de silicone, coloque a massa na assadeira para bolo anjo, sem untar.
7. Leve para assar a 155 °C por 30-35 minutos até a massa ficar dourada e firme ao toque dos dedos.

8. Assim que tirar a assadeira do forno, vire-a de cabeça para baixo para o bolo esfriar. Quando esfriar completamente, passe a faca em todas as laterais e na base da fôrma para poder soltar o bolo.

Veja a observação da p. 59.

MASSAS

57

:: MODO DE PREPARO – PROCESSOS COM BASE ESPUMOSA E OVOS INTEIROS

Bolo chiffon

1. Separe os ingredientes que serão utilizados na receita, bem como os seguintes utensílios e equipamentos: batedeira com o batedor tipo globo, espátula de silicone, fouet, bowl e assadeira para bolo chiffon.
2. Preaqueça o forno a 165 °C.
3. Em um bowl, acrescente 86 g de açúcar, a água, a essência de baunilha, as gemas e o óleo. Com o auxílio de espátula de silicone, misture até formar uma massa homogênea. Depois, separe-a em duas partes e reserve.

4. Na batedeira com o batedor tipo globo, acrescente as claras e bata em velocidade média. No momento que ficarem bem aeradas, pare de bater, levante o batedor e, se a mistura formar um pico firme, estará pronta a clara em neve.
5. Ligue a batedeira em velocidade média novamente e acrescente aos poucos 43 g de açúcar refinado e o cremor de tártaro às claras em neve. Bata até ficar firme, depois desligue.

6. Fora da batedeira, mas no mesmo recipiente, acrescente a primeira parte da mistura reservada no passo 4 e mexa delicadamente com o auxílio de um fouet. Em seguida acrescente o restante da mistura reservada e mexa novamente.

8. Com o auxílio da espátula de silicone, coloque a massa anterior na assadeira para bolo chiffon.
9. Leve para assar a 165 °C por 30 minutos até o bolo ficar dourado e firme ao toque dos dedos.

7. Acrescente, à mistura anterior, a farinha de trigo e o fermento químico, mexendo delicadamente com o fouet de baixo para cima para manter a aeração. Mexa até a massa ficar homogênea.

10. Assim que tirar a assadeira do forno, vire-a de ponta-cabeça para o bolo esfriar. Quando esfriar completamente, passe a faca em todas as laterais e na base da fôrma para poder soltar o bolo.

 OBSERVAÇÃO
Geralmente o **bolo chiffon** (acima) e o **bolo anjo** chegam a 12-15 cm de altura e, durante a cocção, tendem a pegar cor, mas o centro ainda pode estar cru. Verifique a textura da massa com cautela colocando a ponta dos dedos sobre o centro do bolo: se estiver firme e não afundar, a massa estará cozida.
O método de espetar um palito para checar se a massa está assada nem sempre é recomendável: se o bolo estiver firme e assado, o palito sairá limpo, mas, se somente a superfície estiver assada e o centro ainda estiver mole e cru, quando o palito for retirado, o centro afundará, deixando o bolo pesado e irregular. Por isso, a melhor maneira de verificar se o bolo está assado ou não é colocar a ponta dos dedos levemente sobre o centro do bolo.

Massas cremosas

O ingrediente-base na preparação de uma massa cremosa é a gordura, que pode ser manteiga, margarina ou óleo, acrescida de ovos, açúcar, farinha, líquido e fermento químico. Como essas massas são pesadas e têm pouca aeração, é necessário usar o fermento para auxiliar o crescimento, bem como adicionar claras em neve no final.

Algumas receitas que levam massas cremosas são:
- **Bolo simples:** de origem inglesa, tem a particularidade de se conservar por vários dias e utiliza o leite como líquido. Quando é aromatizado, pode receber outros nomes, como bolo de chocolate, em que se substitui uma pequena parte da farinha da massa por cacau em pó (ver tabela na próxima página), ou bolo de laranja, no qual colocam-se suco de laranja como líquido e 1 g de raspas de laranja.
- **Bolo inglês:** é um bolo simples, mas enriquecido com gemas e frutas secas e cristalizadas.
- **Bolo mármore ou bolo mesclado (marble butter cake):** bolo branco com o desenho da massa de chocolate (1/3 da massa é acrescida de 5 g de cacau em pó). Para obter esse efeito, é importante combinar as massas de forma a não misturá-las.
- **Bolo de frutas (cake aux fruits ou plum cake):** massa tradicional inglesa com grande variedade de frutas secas e oleaginosas em sua composição. É muito usada para a montagem de bolos de casamento. Além do sabor, seu tempo de conservação é ótimo.
- **Cupcakes:** foram criados no Reino Unido e costumavam ser conhecidos como fairy cakes (bolo das fadas). O termo *cupcake* foi mencionado pela primeira vez no livro *Seventy-Five Receipts for Pastry, Cakes, and Sweetmeats*, de Eliza Leslie, em 1828. Presente em quase todas as refeições e festividades (café da manhã, chá da tarde, aniversários e festas), tradicionalmente era de baunilha com cobertura de royal icing (fondant). Atualmente, o mais clássico nos Estados Unidos é o red velvet com cobertura de frost cream.
- **Pound cake:** bolo norte-americano cujo nome é uma referência ao peso (um pound, ou seja, 453 g) utilizado para os ingredientes, como farinha, açúcar, manteiga e ovos. O resultado é um bolo bem mais denso, pois é difícil incorporar os ingredientes.

RECEITAS COM MASSA CREMOSA

Ingredientes	Bolo simples	Bolo mármore (mesclado)	Bolo inglês	Bolo de frutas	Cupcake red velvet com frost cream	Pound cake
Açúcar de confeiteiro sem amido					200 g	
Açúcar mascavo				125 g		
Açúcar refinado	160 g	160 g	125 g		110 g	105 g
Ameixa seca				90 g		
Amêndoas picadas			50 g	60 g		
Amido de milho			50 g			
Bicarbonato de sódio					1,5 g	
Cacau em pó		5 g			1 g	
Canela em pó			0,5 g	0,5 g		
Cardamomo em pó				0,5 g		
Conhaque				35 g		
Corante vermelho					1 g	
Cravo em pó			0,5 g	0,5 g		
Cream cheese					75 g	
Creme azedo						100 g
Damasco seco				90 g		
Essência de baunilha					2 g	3 g
Farinha de trigo	155 g	155 g	100 g	150 g	100 g	100 g
Fermento químico em pó	7 g	7 g	5 g			2,7 g
Frutas cristalizadas			50 g	60 g		
Gemas			40 g			
Gengibre em pó				0,5 g		
Gordura*	100 g	100 g	125 g	125 g	Qtde. 1: 45 g (temp. amb.) Qtde. 2: 85 g (gelada)	95 g
Leite integral	125 g	125 g		10 g	90 g	
Noz-moscada				0,5 g		
Nozes picadas			25 g			
Ovos	110 g	100 g	75 g	100 g	50 g	51 g
Raspas de laranja				2 g		
Raspas de limão			2 g			
Rum				60 g		
Sal			0,5 g		0,5 g	1,3 g
Suco de laranja				25 g		
Uvas-passas pretas e brancas				150 g		
Vinagre de maçã					2 g	
Rendimento	1 fôrma de 20 cm × 5 cm	1 fôrma de 20 cm × 5 cm	1 fôrma de 20 cm × 5 cm	1 fôrma de 20 cm × 5 cm	6 unidades (aprox.)	1 fôrma de 20 cm × 5 cm

*Geralmente usa-se manteiga sem sal.

OPÇÕES DE AROMÁTICOS

Ingredientes	Quantidade	Alterações na receita
Cacau em pó	10 g-20 g	Reduzir 10 g-20 g de farinha de trigo
Especiarias	1 g	
Frutas secas	20 g	
Líquido (sucos, leite, chás, etc.)	Total de líquidos da receita	Substituir os líquidos da receita
Outras farinhas (amêndoas, fubá, aveia, etc.)	20 g	Reduzir 20 g de farinha de trigo

OPÇÕES DE SUBSTITUIÇÃO DO BOLO SIMPLES

Ingredientes	Bolo de chocolate (Quantidades)	Bolo de laranja (Quantidades)	Alterações na receita
Açúcar refinado	160 g	160 g	
Cacau em pó	20 g		Substituir 20 g de farinha de trigo
Farinha de trigo	135 g	155 g	
Fermento químico	7 g	7 g	
Gordura	100 g	100 g	
Ovos	100 g	110 g	
Suco de laranja		125 g	Substituir o leite
Leite integral	125 g		

:: MODO DE PREPARO – TÉCNICA CRÉMAGE

Método americano

1. Separe os ingredientes que serão utilizados na receita, bem como os seguintes utensílios e equipamentos: batedeira com o batedor tipo raquete, espátula de silicone, fouet, assadeira para bolo inglês.
2. Preaqueça o forno a 160 ºC.
3. Unte a fôrma: com um pincel, espalhe óleo sobre ela, inclusive nas laterais, e polvilhe com farinha de trigo.

4. Na batedeira com o batedor tipo raquete, bata a gordura e o açúcar em velocidade média até ficarem emulsionados.
5. Acrescente os ovos aos poucos e bata em velocidade média até a massa ficar homogênea. Desligue.
6. Fora da batedeira, mas no mesmo bowl, acrescente o líquido, os ingredientes secos e, por último, o fermento em pó. Misture com o auxílio de um fouet ou de uma espátula apenas até a massa ficar homogênea.

7. Coloque a massa na fôrma para bolo inglês untada, espalhando com o auxílio de uma espátula para ficar bem distribuída, e leve para assar a 155 ºC até a massa ficar dourada e firme. (Para verificar, toque delicadamente o centro da massa com a ponta dos dedos. Se não afundar, a massa estará pronta.)

:: MODO DE PREPARO – TÉCNICA CRÉMAGE

Método francês

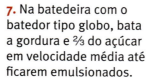

1. Separe os ingredientes que serão utilizados na receita, bem como os seguintes utensílios e equipamentos: batedeira com o batedor tipo globo, espátula de silicone, fouet, assadeira para bolo inglês.
2. Preaqueça o forno a 160 ºC.
3. Unte a forma: com um pincel, espalhe óleo sobre ela, inclusive nas laterais, e polvilhe com farinha de trigo.
4. Separe ⅓ do açúcar em um recipiente e o restante em outro recipiente. Reserve.

5. Na batedeira com o batedor tipo globo, acrescente as claras e bata em velocidade média. No momento que ficarem bem aeradas, pare de bater, levante o batedor e, se a mistura formar um pico firme, estará pronta a clara em neve.
6. Ligue a batedeira em velocidade média novamente e acrescente ⅓ do açúcar na clara em neve. Bata até ficar bem incorporado e brilhante. Desligue a batedeira e passe a mistura para um bowl separado. Reserve.

7. Na batedeira com o batedor tipo globo, bata a gordura e ⅔ do açúcar em velocidade média até ficarem emulsionados.

8. Sem parar de bater, acrescente as gemas aos poucos. Depois que incorporar, desligue.

9. Fora da batedeira, mas no mesmo recipiente, acrescente o líquido e os demais ingredientes secos e misture delicadamente com o auxílio de um fouet ou de uma espátula de silicone, mexendo de baixo para cima para manter a aeração.

10. Por último, acrescente delicadamente o fermento em pó e as claras batidas em neve do passo 6, mexendo de baixo para cima com o auxílio do fouet. Nessa etapa é importante mexer apenas até ficar homogêneo, pois se misturar demais a massa perderá a aeração e desenvolverá glúten, deixando o bolo, após a cocção, com uma textura densa e elástica, o que não é desejável como resultado final desta técnica.

11. Coloque a massa na fôrma untada, espalhando com o auxílio de uma espátula para ficar bem distribuída, e leve para assar a 160 ºC até ficar dourada e firme. (Para verificar, toque delicadamente o centro da massa com a ponta dos dedos. Se não afundar, a massa estará pronta.)

OBSERVAÇÃO
Para os bolos inglês e de frutas, as frutas secas e as oleaginosas devem ser acrescentadas à massa antes do fermento em pó e das claras em neve.

MASSAS

65

Da frente para o fundo:
bolo inglês,
bolo de laranja,
bolo simples,
bolo de chocolate,
bolo de frutas (plum cake)
e bolo mesclado.

:: MODO DE PREPARO – TÉCNICA CRÉMAGE

Cupcake red velvet com frost cream

PARA A MASSA:
1. Separe os ingredientes que serão utilizados na receita, bem como os seguintes utensílios e equipamentos: batedeira com os batedores tipo globo e raquete, espátula de silicone, fouet, bowls, forminhas de papel para cupcake, assadeira própria para cupcake.
2. Preaqueça o forno a 160 °C.
3. Disponha as forminhas de papel na assadeira.
4. Em um bowl, coloque a farinha de trigo, o bicarbonato e o sal e misture com o auxílio de um fouet. Reserve.
5. Em outro bowl, misture o vinagre e o leite. Reserve.

6. Na batedeira com o batedor tipo raquete, bata em velocidade média o açúcar refinado e 45 g da manteiga em temperatura ambiente até formar uma massa esbranquiçada e fofa.
7. Sem parar de bater, adicione os ovos um a um, raspando as laterais da batedeira, até que fiquem bem incorporados. Em seguida, acrescente a farinha e o leite em partes, intercalando cada um até a mistura ficar homogênea.

8. Acrescente o cacau em pó e o corante à massa e bata rapidamente apenas para a cor incorporar na massa. Desligue a batedeira.

9. Com o auxílio de uma espátula de silicone, coloque a massa no saco de confeitar e adicione às forminhas de papel até completar ¾ de sua altura.
10. Leve para assar a 160 °C por cerca de 25 minutos até os cupcakes ficarem firmes e dourados. (Para verificar, toque delicadamente o centro da massa com a ponta dos dedos. Se não afundar, a massa estará pronta.)

PARA A COBERTURA:
1. Separe os ingredientes que serão utilizados na receita, bem como os seguintes utensílios e equipamentos: batedeira com os batedores tipo globo e raquete, espátula de silicone, fouet, bowl, saco de confeitar, bico de confeitar perlê.
2. Na batedeira com o batedor tipo globo, bata em velocidade média o cream cheese e 85 g da manteiga (em cubos e fria) até formar um creme.
3. Acrescente o açúcar de confeiteiro aos poucos e bata em velocidade baixa, rapidamente, apenas até incorporar.

4. Acrescente a essência de baunilha e continue batendo apenas até a mistura ficar homogênea. Leve para gelar.

5. Com o auxílio da espátula de silicone, coloque o creme no saco de confeitar com bico perlê e espalhe-o sobre o cupcake.
6. Decore o cupcake polvilhando pequenos pedaços de massa por cima do creme.

Erros de produção

em massas espumosas e cremosas

BOLO NÃO CRESCEU
Possíveis causas:
- Muito líquido e pouca farinha.
- Forno não estava aquecido.
- Forno muito quente.
- Gordura e açúcar não foram emulsionadas.
- Falta de fermento ou fermento vencido.

BOLO COM FORMATO IRREGULAR
Possíveis causas:
- Calor do forno irregular ou insuficiente.
- Forno desnivelado.
- Fôrma torta.

BOLO COM FUROS GRANDES
Possíveis causas:
- Fermento não estava misturado corretamente na massa.
- Massa excessivamente misturada.

BOLO MURCHO
Possíveis causas:
- Muitos ovos na receita.
- Ovos pouco batidos.

BOLO COM COLORAÇÃO MUITO ESCURA OU MUITO CLARA
Possíveis causas:
- Forno com temperatura alta ou baixa demais.
- Muito tempo de cocção ou falta de tempo.
- Excesso ou falta de açúcar.

BOLO COM CROSTA PEGAJOSA
Possíveis causas:
- Falta de cocção.
- Foi esfriado na fôrma sem ventilação.
- Foi embalado ainda quente.

BOLO COM CROSTA ABERTA OU QUEBRADIÇA
Possíveis causas:
- Excesso de farinha ou falta de líquido.
- Uso de farinha com alto teor de proteína.
- Falta de mistura dos ingredientes.
- Forno muito quente.

BOLO PESADO E DENSO
Possíveis causas:
- Baixa quantidade de fermento.
- Pouca farinha ou excesso de líquido.
- Muito açúcar ou muita gordura.
- Forno frio.

BOLO ESFARELADO
Possíveis causas:
- Farinha com baixo teor de proteína.
- Muito açúcar ou muita gordura.
- Mistura inadequada dos ingredientes.
- Bolo desenformado ainda muito quente.

BOLO DURO
Possíveis causas:
- Farinha com alto teor de proteína.
- Excesso de farinha.
- Mistura em excesso dos ingredientes.
- Falta de gordura e açúcar.

BOLO SEM SABOR
Possíveis causas:
- Ingredientes de qualidade inferior.
- Receita sem balanceamento.

Massas secas (massas de torta ou quebradiças)

São massas que não possuem aeração e têm como base farinha, manteiga, açúcar, ovos ou líquido. São utilizadas como base para diferentes tortas (ver algumas receitas no capítulo 8, p. 249), e podem ser feitas pelo método sablage (arenoso) ou crémage (cremoso). Qualquer que seja a técnica usada, é importante não manusear muito as massas, para evitar o desenvolvimento do glúten.

Recomenda-se, também, deixar a massa descansar em geladeira por pelo menos 30 minutos antes de utilizá-la, principalmente em lugares quentes. Caso contrário, a manteiga contida nela começará a amolecer rapidamente, dificultando o trabalho.

Segundo a classificação da confeitaria, temos:

- **Massa sablée (pâte sablée):** com alto teor de gordura, o uso de farinha de amêndoas na massa resulta em uma textura quebradiça e arenosa – é o que confere seu nome em francês (*sable* significa "areia") –, a qual parece derreter na boca. Contém em sua composição uma base de 25% de açúcar em relação à farinha de trigo.
- **Massa brisée (pâte brisée):** massa clássica francesa usada tanto para a produção de sobremesas como de pratos salgados. Tem alta quantidade de manteiga, geralmente 60% em relação à farinha, e leva sal e água.
- **Massa foncer (pâte à foncer):** massa tradicional francesa, apresenta como diferencial a utilização de gemas, leite e açúcar em uma proporção de 1%-2% em relação ao peso da farinha. É utilizada para preparações doces e salgadas.
- **Massa sucrée (pâte sucrée):** contém maior quantidade de açúcar (por volta de 50% em relação ao peso da farinha de trigo). O resultado é uma massa crocante, muito semelhante à chamada *short dough* norte-americana. Normalmente é utilizado o açúcar de confeiteiro em seu preparo.
- **Massa brisée sucrée (pâte brisée sucrée):** massa com quantidade de açúcar inferior à pâte sucrée, em uma proporção de 8%-9% em relação ao peso da farinha.
- **Massa frolla (pasta frolla):** de origem italiana, contém quantidades iguais de açúcar e manteiga (cerca de 50% em relação à farinha). Assemelha-se à pâte brisée sucrée. Possui um aspecto quebradiço.
- **Massa sablé breton:** possui composição igual à da massa sablée, porém com uma quantidade maior de gordura. Pode conter fermento químico em pó, o que lhe fornece uma textura mais leve.
- **Massa crumble/streusel:** massa em textura granulada usada para a finalização de tortas. Normalmente não leva ovos, para conferir uma textura final granulosa.

> **OBSERVAÇÃO**
> Essas massas podem ser guardadas cruas no refrigerador por dois dias ou no freezer por três meses, sempre embaladas corretamente conforme a legislação. As massas também podem ser assadas e congeladas.

RECEITAS DE MASSAS SECAS

Ingredientes	Sablée	Brisée	Foncer	Brisée sucrée	Sucrée	Frolla	Sablé breton	Crumble/streusel
Açúcar impalpável					120 g			
Açúcar refinado	65 g		5 g	20 g		125 g	80 g	125 g
Água		40 g-50 g		50 g-60 g (opcional)				
Farinha de amêndoas	25 g							
Farinha de trigo para confeitaria	250 g	250 g	250 g	250 g	250 g	250 g	250 g	125 g
Fermento químico em pó							2 g	
Gema	20 g-40 g		8 g		60 g-80 g	20 g-30 g		
Leite integral			40 g					
Manteiga sem sal	150 g	150 g	100 g	125 g	125 g	125 g	180 g	125 g
Ovo		50 g		50 g		50 g	50 g	
Sal	Opcional	2 g	2 g	1 g	Opcional		1 g	
Rendimento (massa crua)	500 g (aprox.)	500 g (aprox.)	400 g (aprox.)	500 g (aprox.)	550 g (aprox.)	570 g (aprox.)	550 g (aprox.)	375 g (aprox.)

OPÇÕES DE AROMÁTICOS

Ingredientes	Quantidade	Alterações na receita
Cacau em pó	10 g	Reduzir 10 g de farinha de trigo
Chocolate derretido*		
Especiarias*	0,5 g	
Frutas secas picadas*	10 g	Reduzir 20 g de farinha
Geleia*		
Outras farinhas (amêndoas, fubá, aveia, etc.)	50 g	Reduzir 50 g de farinha de trigo

* Também podem ser utilizados na decoração.

:: **MODO DE PREPARO – MASSAS SECAS**

Técnica sablage

1. Separe os ingredientes que serão utilizados na receita, bem como os seguintes utensílios: bowl e espátula de silicone.

2. Em um bowl, misture os cubos de manteiga fria e a farinha de trigo com as pontas dos dedos até obter uma mistura arenosa (farofa fina).

3. Acrescente os demais ingredientes e mexa delicadamente com as mãos até obter uma massa homogênea.
Nessa etapa, é importante não sovar a massa mais do que o necessário, ou seja, parar assim que ela estiver homogênea, para evitar que o glúten da farinha de trigo se desenvolva. Se a massa foi muito sovada, após a cocção ela encolherá e ficará dura. O ideal é que a massa esfarele na boca.

 OBSERVAÇÃO
Sovar uma massa significa amassá-la com as mãos ou com o auxílio da batedeira até deixá-la elástica, o que indica o desenvolvimento do glúten.

:: MODO DE PREPARO – MASSAS SECAS

Técnica crémage

1. Separe os ingredientes que serão utilizados na receita, bem como os seguintes utensílios e equipamentos: batedeira com o batedor tipo raquete e espátula de silicone.

2. Na batedeira com o batedor tipo raquete, bata a manteiga e o açúcar em velocidade média.

4. Adicione os demais ingredientes e bata somente até obter uma massa homogênea. Nessa etapa, é importante não sovar a massa mais do que o necessário, ou seja, parar assim que ela estiver homogênea, para evitar que o glúten da farinha de trigo se desenvolva. Se a massa foi muito sovada, após a cocção ela encolherá e ficará dura. O ideal é que a massa esfarele na boca.

3. Acrescente os ovos e bata até formar um creme.

MASSAS 75

:: MODO DE PREPARO – MASSAS SECAS

Como abrir a massa

Como o objetivo é obter uma espessura fina e uniforme, pode-se utilizar o seguinte método:

1. Separe os utensílios que serão utilizados: rolo de abrir massa e folhas de plástico ou filme plástico.
2. Pese a massa para decidir o tamanho da fôrma (ver a tabela a seguir).

Quantidade de massa crua × tamanho da fôrma		
Diâmetro do aro (cm)	Peso da massa (g)	Espessura da massa (mm)
10	50	2
16	120	2
18	150	2,5
20	200	2,5
24	300	3

Fonte: adaptado de Suas (2011, p. 167).

3. Forme uma bola com a massa e coloque-a entre duas folhas plásticas.

4. Posicione um rolo de abrir massa no centro da bola e faça uma leve pressão, empurrando-a para a frente de forma a amassar a bola.
5. Volte o rolo para o centro e faça o mesmo movimento para trás, amassando a outra parte da massa.
6. Gire a massa em 90º e repita o mesmo processo até obter a espessura desejada. O tamanho da massa deve ficar maior que o tamanho da fôrma, para que seja possível forrar as laterais.

OBSERVAÇÕES
É importante saber que, para tortas menores, a espessura da massa pode ser mais fina, e, para tortas maiores, a espessura deve ser maior. Outra maneira de abrir a massa é fazê-lo em cima de uma mesa polvilhada de farinha. Esse método não é muito indicado, pois pode alterar a textura da massa e a farinha pode permanecer no produto após a cocção, o que é indesejável para algumas montagens.

:: MODO DE PREPARO – MASSAS SECAS

Como forrar a fôrma

Existem várias maneiras de forrar uma fôrma com a massa de torta. É importante ter cuidado nesse momento, pois, se a fôrma não for forrada corretamente, o resultado após a cocção pode não ser o esperado.

1. Após abrir a massa, retire uma das folhas plásticas e coloque a massa sobre a fôrma.
2. Passe delicadamente a mão para aderir a massa à fôrma, pressione o rolo por cima para dar o acabamento na lateral e retire o plástico que falta.

 OBSERVAÇÃO
Quando for trabalhar com tortinhas individuais, pode-se usar um cortador para dar formato à massa antes de forrar a forminha.

DESENHO DA MASSA NA FORMA

ANTES DA COCÇÃO   APÓS A COCÇÃO

MASSAS

77

:: MODO DE PREPARO – MASSAS SECAS

Formas corretas de cocção

Para assar a massa, há dois métodos corretos de execução:

ASSAR SOMENTE A BASE
1. Abra a massa e forre a fôrma com ela (pp. 76-77).
2. Fure a massa com um garfo e coloque um pedaço de papel-manteiga sobre ela, de forma que o papel fique em contato com a massa. Coloque pesinhos sobre o papel – podem ser bolinhas de cerâmica ou grãos, como o de feijão.

3. Leve para assar em forno médio até que a lateral da massa fique seca.
4. Após esse tempo, retire o peso e o papel-manteiga e verifique se o fundo da torta também está seco.
5. Se a cor estiver clara, considere a massa como pré-assada. Nesse momento, pode-se colocar um recheio e voltar ao forno.
6. Se a cor estiver totalmente dourada, considere a massa como assada, deixe esfriar e monte uma torta com recheios que não necessitam de cocção no forno, como a torta de frutas.

ASSAR COM RECHEIOS
1. Abra a massa e forre a fôrma com ela (pp. 76-77).
2. Utilize a massa crua ou pré-assada para a montagem da torta.
3. Coloque o recheio gelado ou em temperatura ambiente sobre a massa.
4. Finalize a torta com a decoração desejada (p. 280) e leve para assar em forno médio até ficar dourada.
5. Caso a torta seja fechada, repita o processo de abertura da massa com uma quantidade que sirva para cobrir a torta.
6. Coloque a massa da cobertura sobre a torta já recheada.
7. Faça uma leve pressão nas bordas para unir as duas massas.
8. Com a ajuda de uma espátula, de um rolo de abrir massa ou até das próprias mãos, pressione a borda da assadeira para retirar o excesso da massa.
9. Se desejar, finalize com açúcar, decore com massa cortada com cortadores ou apenas pincele ovo batido.

Erros de produção

em massas secas

MASSA ELÁSTICA APÓS O PREPARO OU MASSA MUITO DURA
Possíveis causas:
- Farinha com alto teor de proteína.
- Mistura dos ingredientes em excesso.
- Não deixou a massa descansar após a mistura.
- Falta de gordura na receita.

MASSA MUITO QUEBRADIÇA
Possíveis causas:
- Farinha com baixo teor de proteína.
- Excesso de gordura.
- Falta de umidade.
- Ingredientes não foram misturados o suficiente.

MASSA DA TORTA ENCRUADA APÓS A COCÇÃO
Possíveis causas:
- Temperatura do forno baixa.
- Falta de tempo de cocção.
- Recheio colocado na massa ainda quente.

MASSA DA TORTA ENCOLHEU APÓS A COCÇÃO
Possíveis causas:
- Farinha com alto teor de proteína.
- Excesso de mistura dos ingredientes.
- Falta de gordura.

Massas para petit four

Petits fours são produções também conhecidas como bolachas ou biscoitos, consumidas como acompanhamento de cafés e chás. As texturas dos biscoitos – macias, firmes, duras, quebradiças, leves ou densas – dependerão da quantidade de ingredientes amaciantes (açúcares, gorduras, amido e fermento) e fortalecedores (farinha, água, cacau em pó, sal, ovos, leite e sólidos não gordurosos) que serão adicionados à massa. A principal diferença entre essas massas e as massas de bolos é a quantidade de líquido utilizada.

Seguem abaixo os tipos de petits fours e seus respectivos exemplos:
- **Biscoitos:**
  - **Cookies:** geralmente são compostos de farinha, açúcar, gordura e algum aromático (como baunilha ou cacau).
  - **Sablé florentin:** tipo de petit four composto de massa seca e uma camada de caramelo com frutas secas, decorado com chocolate.
- **De fôrma:**
  - **Madeleine (madalena):** pequeno bolo de textura leve e esponjosa que costuma ser produzido em formato de concha.
  - **Financier:** pequeno bolo macio e úmido, em geral retangular, feito principalmente de farinha de amêndoas, açúcar e claras, entre outros ingredientes.
  - **Brownies:** de origem norte-americana, são pequenos bolos assados, geralmente cortados em quadrados, que tradicionalmente levam chocolate, farinha, manteiga, açúcar e ovos, mas podem conter outros ingredientes, como castanhas e nozes. Podem ser usados como petit four ou como sobremesa (muitas vezes acompanhados de sorvete ou chantili).
  - **Tuiles (ou biscoito de estêncil):** biscoito fino e crocante que originalmente tem o formato de telha.
- **Modelados.**
- **Confeitados.**

RECEITAS DE PETIT FOUR

Ingredientes	Cookie	Sablé florentin	Madeleine	Financier	Tuile	Brownie
Açúcar cristal	45 g					
Açúcar mascavo	45 g					
Açúcar refinado		110 g	85 g	120 g	50 g	100 g
Água		45 g				
Amêndoas laminadas		75 g				
Bicarbonato de sódio	1 g					
Chocolate 55%		200 g				125 g
Claras				100 g	50 g	
Creme de leite fresco		60 g				
Doce de casca de laranja		50 g				
Essência de baunilha	1 g				Opcional	
Farinha de amêndoas				40 g		
Farinha de trigo para confeitaria	120 g		90 g	40 g	50 g	40 g
Fermento químico em pó			2,5 g			
Manteiga sem sal	100 g	60 g	100 g	65 g	50 g	115 g
Massa sucrée		½ receita				
Mel		60 g	5 g			
Nozes picadas						120 g
Ovo	50 g		100 g			110 g
Raspas de laranja		0,5 g				
Recheio	120 g-240 g					
Sal	0,2 g		1 g			
Xarope de glucose		5 g				
Rendimento	500 g	400 g	400 g	350 g	200 g	550 g

:: MODO DE PREPARO – MASSAS PARA PETIT FOUR

Sablé florentin

1. Separe os ingredientes que serão utilizados na receita, bem como os seguintes utensílios: panela, termômetro de aste, assadeira, silpat, rolo de abrir massa, filme plástico, faca e espátula de silicone.
2. Preaqueça o forno a 150 °C.
3. Disponha o silpat sobre a assadeira e reserve.
4. Com o auxílio de um filme plástico e do rolo, abra a massa sucrée em uma espessura de 2 mm. Coloque-a em uma assadeira com o silpat e leve para assar a 150 °C até que a massa fique levemente dourada. Reserve.
5. Em uma panela, leve o açúcar e a água ao fogo. Aqueça até 145 °C e mexa com a espátula até formar um caramelo, que deve ficar dourado.
6. Acrescente o xarope de glucose, o mel, a manteiga, o creme de leite, as raspas de laranja e aqueça até 122 °C. Nesta etapa é importante que a textura fique cremosa e desgrude da panela (assim como o ponto de um brigadeiro para enrolar).

7. Coloque as amêndoas e o doce de casca de laranja e misture com o auxílio da espátula de silicone.

8. Disponha a mistura de caramelo sobre um silpat e coloque outro silpat por cima.

9. Com o auxílio do rolo, abra até atingir a espessura de 2 mm.

10. Deixe esfriar um pouco e, depois, coloque a mistura em cima da massa assada.
11. Leve a massa ao forno a 150 °C por 2 minutos, para que o caramelo grude na massa.

12. Quando retirar do forno, faça quadrados da massa com uma faca e banhe-os pela metade no chocolate temperado. Disponha-os em uma assadeira com silpat até o chocolate cristalizar.

:: MODO DE PREPARO – MASSAS PARA PETIT FOUR

Cookie

1. Separe os ingredientes que serão utilizados na receita, bem como os seguintes utensílios e equipamentos: batedeira com o batedor tipo raquete, assadeira, silpat, espátula de silicone, colher de sopa.
2. Preaqueça o forno a 170 ºC.
3. Disponha o silpat sobre a assadeira e reserve.
4. Na batedeira com o batedor tipo raquete, bata a gordura e os açúcares em velocidade média até atingirem a textura de um creme.
5. Acrescente os ovos e a essência de baunilha e bata novamente até obter um creme homogêneo.
6. Adicione os demais ingredientes (exceto o recheio) e bata somente até incorporar todos eles na massa. Desligue a batedeira.
7. Fora da batedeira, mas no mesmo recipiente, acrescente o recheio com o auxílio de uma espátula de silicone – este pode ser feito com frutas secas, oleaginosas, granola, aveia ou chocolate.
8. Com uma espátula de silicone ou uma colher de sopa, coloque porções da massa sobre o silpat, deixando um espaço de 3 cm entre cada uma. Para padronizar o tamanho dos cookies, as porções podem ser pesadas ou então pode-se estabelecer um padrão com a colher de sopa.
9. Leve para refrigerar até a massa ficar firme.
10. Quando estiver firme, leve para assar em forno a 170 ºC por 10-15 minutos (dependendo do tamanho das porções) até os cookies ficarem firmes por fora e cremosos por dentro.

Madeleine

1. Separe os ingredientes que serão utilizados na receita, bem como os seguintes utensílios e equipamentos: panela, batedeira com batedor tipo globo, forminhas para madeleines, assadeira e espátula de silicone.
2. Preaqueça o forno a 170 ºC.
3. Disponha as forminhas sobre uma assadeira. (Caso as forminhas sejam de alumínio, é importante untá-las com manteiga e farinha. Se optar pelas de silicone, não é necessário untar.)
4. Em uma panela, coloque a manteiga em fogo baixo até que fique com uma cor caramelada e aroma de nozes (na terminologia francesa, este ponto é chamado de *noisette*). Reserve.
5. Na batedeira com o batedor tipo globo, bata o açúcar e os ovos em velocidade média até ficarem espumosos, depois desligue.
6. Fora da batedeira, mas no mesmo recipiente, acrescente os ingredientes secos peneirados. Misture delicadamente com o auxílio de um fouet até a massa ficar lisa e homogênea.
7. Adicione o mel e a manteiga derretida ainda morna, e mexa com o fouet apenas para incorporar os ingredientes.
8. Com o auxílio de uma espátula de silicone, coloque a massa nas forminhas próprias para madeleine. Leve-as para assar a 170 ºC até que a massa fique dourada.

MASSAS

:: MODO DE PREPARO – MASSAS PARA PETIT FOUR

Financier

1. Separe os ingredientes que serão utilizados na receita, bem como os seguintes utensílios e equipamentos: panela, batedeira com o batedor tipo raquete, forminhas para financiers, assadeira e espátula de silicone.
2. Preaqueça o forno a 170 °C.
3. Disponha as forminhas sobre uma assadeira. (Caso as forminhas sejam de alumínio, é importante untá-las com manteiga e farinha de trigo. Se optar pelas de silicone, não é necessário untar.)
4. Em uma panela, coloque a manteiga em fogo baixo até que fique com uma cor caramelada e aroma de nozes (na terminologia francesa, este ponto é chamado de *noisette*). Reserve.
5. Na batedeira com o batedor tipo raquete (ou então manualmente com o auxílio de um fouet), misture as claras e o açúcar refinado em velocidade média. Depois que incorporar, desligue.
6. Fora da batedeira, mas no mesmo recipiente, acrescente os demais ingredientes secos e, por último, a manteiga derretida e quente. Mexa com o fouet até a mistura ficar homogênea.
7. Com o auxílio da espátula de silicone, coloque a massa nas forminhas de financiers e leve-as para assar a 170 °C por 10 minutos até ficarem firmes e douradas.

Brownie

1. Separe os ingredientes que serão utilizados na receita, bem como os seguintes utensílios e equipamentos: batedeira com o batedor tipo globo, panela, bowl, assadeira, papel-manteiga e espátula de silicone.
2. Preaqueça o forno a 160 °C.
3. Cubra todas a assadeira com o papel-manteiga, incluindo as laterais.
4. Pique as nozes grosseiramente e reserve.
5. Em um bowl, derreta o chocolate em banho-maria. Em seguida, acrescente a manteiga e misture com a espátula de silicone até ficar homogêneo. Reserve.
6. Na batedeira com o batedor tipo globo, bata os ovos em velocidade média até espumarem, depois acrescente o açúcar aos poucos. Bata até a mistura ficar com brilho e bem aerada. Em seguida, desligue.
7. Fora da batedeira, mas no mesmo recipiente, acrescente o chocolate à mistura de ovos.
8. Adicione a farinha e, por último, as nozes picadas. Mexa com a espátula de silicone apenas para incorporar os ingredientes.
9. Coloque a massa em uma assadeira forrada com o papel-manteiga e leve para assar a 160 °C até que fique com uma casquinha na superfície e cremosa no centro.
10. Deixe esfriar e corte a massa em quadradinhos.

:: MODO DE PREPARO – MASSAS PARA PETIT FOUR

Tuile ou biscoito de estêncil

1. Separe os ingredientes que serão utilizados na receita, bem como os seguintes utensílios e equipamentos: batedeira com o batedor tipo raquete, assadeira, silpat, molde tipo estêncil, rolo ou forminhas para modelar as tuiles, espátula de silicone, fouet e espátula angulada para bolos.

2. Preaqueça o forno a 170 °C.

3. Disponha o molde tipo estêncil sobre um silpat e este sobre uma assadeira.

4. Na batedeira com o batedor tipo raquete, bata a manteiga e o açúcar em velocidade média até obter uma textura em pomada. Em seguida, desligue.

5. Fora da batedeira, mas no mesmo recipiente, acrescente as claras e a farinha e misture com o auxílio de um fouet até a massa ficar homogênea.

6. Com uma espátula de silicone, coloque a massa sobre o molde do tipo estêncil. Espalhe-a com o auxílio de uma espátula angulada para bolos. (Outra opção é colocar um pouco de massa com uma colher de sopa em cima do silpat na assadeira e, com a parte traseira da colher, abrir a massa em forma de círculo até ficar homogênea.)

7. Leve para assar a 170 °C por 10 minutos ou até que a massa fique dourada.

8. Assim que retirar a massa do forno, com cuidado para não se queimar, pegue-a com as mãos e modele imediatamente, torcendo ou colocando em cima de um rolo ou de uma forminha redonda. O objetivo é dar movimento a esse desenho, que era plano, pois, após esfriarem, os biscoitos ficarão sequinhos e crocantes.

Da esquerda para a direita: sablés florentins, madeleines, brownies (em cima); financiers, tuiles, cookies (embaixo).

Formatos de petits fours modelados

CORTADOS COM CORTADORES OU VAZADOS

1. Separe os utensílios que serão utilizados na receita: rolo de abrir massa, folhas plásticas ou filme plástico, cortadores, assadeira, silpat e pincel.
2. Preaqueça o forno a 160 °C.
3. Disponha o silpat sobre a assadeira e reserve.
4. Prepare a massa seca (massa de torta ou quebradiça – p. 73).
5. Com o auxílio de um rolo e do filme plástico, abra a massa entre duas folhas até chegar a uma espessura de 2 mm.
6. Escolha o formato ou o vazador e corte os biscoitos.
7. Coloque os biscoitos sobre o silpat deixando um espaço de 2 cm entre eles.
8. Leve para assar a 160 °C até ficarem levemente dourados e sequinhos.
9. Se desejar, com o auxílio de um pincel, passe um pouco de ovo batido sobre cada biscoito para dar brilho e polvilhe alguns aromáticos (por exemplo: coco seco e ralado, cacau em pó, canela em pó, fubá, etc.).

PINGADOS COM SACO DE CONFEITAR

1. Separe os utensílios que serão utilizados na receita: rolo de abrir massa, filme plástico, saco de confeitar com bico pitanga ou perlê, assadeira, silpat e pincel.
2. Preaqueça o forno a 160 °C.
3. Disponha o silpat sobre uma assadeira e reserve.
4. Prepare a massa seca (massa de torta ou quebradiça – p. 73) com a quantidade máxima de líquido indicada na receita, para gerar uma textura mais macia e facilitar a modelagem.
5. Coloque a massa em um saco de confeitar com bico pitanga ou perlê e pingue/modele sobre o silpat fazendo o formato desejado (rosetas, longo, armadura, pitanga deitada).
6. Leve para assar a 160 °C até ficarem levemente dourados e sequinhos.
7. Se desejar, com um pincel, passe um pouco de ovo batido sobre cada um para dar brilho e polvilhe alguns aromáticos (por exemplo: coco seco ralado, cacau em pó, canela em pó, fubá, etc.).

FATIADOS

QUADRICULADO

1. Separe os utensílios que serão utilizados na receita: rolo de abrir massa, faca, folhas plásticas ou filme plástico, assadeira, silpat e pincel.
2. Preaqueça o forno a 160 °C.
3. Disponha o silpat sobre uma assadeira e reserve.
4. Prepare a massa seca (massa de torta ou quebradiça – p. 73) e acrescente um corante ou um aromático à metade da massa.
5. Abra cada uma das massas separadamente, com o auxílio de um rolo, entre duas folhas plásticas. As duas devem ter o mesmo tamanho e a mesma espessura.
6. Com o auxílio de uma faca, corte tiras da massa, fazendo todas do mesmo tamanho.
7. Sobreponha quatro pedaços alternados conforme o desenho (branco com preto embaixo, preto com branco em cima), pincelando ovo batido para não soltarem após a cocção. Abra outra parte de massa e envolva a sobreposição anterior para uni-los.
8. Leve a massa para gelar até ficar firme (aproximadamente 3 horas). Quando retirar da geladeira, corte na espessura desejada.
9. Coloque a massa sobre o silpat e leve para assar a 160 °C até ficar dourada e sequinha.

LINEAR

1. Separe os utensílios que serão utilizados na receita: rolo, faca, folhas plásticas ou filme plástico, assadeira, pincel e silpat.
2. Preaqueça o forno a 160 °C.
3. Disponha o silpat sobre uma assadeira e reserve.
4. Prepare a massa seca (massa de torta ou quebradiça – p. 73) e acrescente um corante ou um aromático à metade da massa.
5. Abra cada uma das massas separadamente, com o auxílio de um rolo, entre duas folhas plásticas. As duas devem ter o mesmo tamanho e a mesma espessura.
6. Com o auxílio de uma faca, corte tiras da massa, fazendo todas do mesmo tamanho.
7. Sobreponha três tiras ou mais (conforme desejado), alternando as massas, e pincele-as com ovo batido para colá-las. Para finalizar, podem-se envolver as tiras com uma massa fina para uni-las.
8. Leve a massa para gelar até ficar firme (aproximadamente 3 horas). Quando retirar da geladeira, corte na espessura desejada.
9. Coloque a massa sobre o silpat e leve para assar a 160 °C até ficar dourada e sequinha.

ENROLADO

1. Separe os utensílios que serão utilizados na receita: rolo, faca, folhas plásticas ou filme plástico, assadeira, pincel e silpat.
2. Preaqueça o forno a 160 °C.
3. Disponha o silpat sobre uma assadeira e reserve.
4. Prepare a massa seca (massa de torta ou quebradiça – p. 73) e acrescente um corante ou um aromático à metade da massa.
5. Modele uma das massas com as mãos, fazendo um formato cilíndrico. Reserve.
6. Abra a segunda massa com o auxílio de um rolo, entre duas folhas plásticas, em uma espessura de 2 mm e na largura do cilindro modelado anteriormente.
7. Pincele uma fina camada de ovo batido sobre a massa aberta.
8. Coloque o cilindro na borda da massa aberta. Com o auxílio de um filme plástico, enrole a massa que envolveu o cilindro.
9. Leve para gelar até a massa ficar firme (aproximadamente 3 horas). Quando tirar da geladeira, corte na espessura desejada.
10. Coloque a massa sobre o silpat e leve para assar a 160 °C até ficar dourada e sequinha.

CARACOL

1. Separe os utensílios que serão utilizados na receita: rolo, faca, folhas plásticas, assadeira, pincel e silpat.
2. Preaqueça o forno a 160 °C.
3. Disponha o silpat sobre uma assadeira e reserve.
4. Prepare a massa seca (massa de torta ou quebradiça – p. 73) e acrescente um corante ou um aromático à metade da massa.
5. Abra cada uma das massas separadamente, com o auxílio de um rolo, entre duas folhas plásticas. As duas devem ter o mesmo tamanho e a espessura de 1 mm.
6. Pincele uma fina camada de ovo batido sobre uma das massas. Sobreponha-a à outra parte da massa.
7. Com o auxílio de um filme plástico, enrole a massa formando um cilindro.
8. Leve a massa para gelar até ficar firme (aproximadamente 3 horas). Quando retirar da geladeira, corte na espessura desejada.
9. Coloque a massa sobre o silpat e leve para assar a 160 °C até ficar dourada e sequinha.

MOLDADOS

1. Separe os utensílios que serão utilizados na receita: rolo, faca, folhas plásticas, assadeira, cortadores, moldes de cerâmica, de silicone ou de madeira, pincel e silpat.
2. Preaqueça o forno a 160 °C.
3. Disponha o silpat sobre uma assadeira e reserve.
4. Prepare a massa seca (massa de torta ou quebradiça – p. 73).
5. Abra a massa com o auxílio de um rolo, entre duas folhas plásticas, na espessura de 2 mm. Em seguida, corte-a no formato desejado.
6. Coloque a massa em um molde de cerâmica, de silicone ou de madeira desenhada e faça uma leve pressão para marcar.
7. Retire a massa do molde e coloque sobre o silpat.
8. Caso queira, com um pincel, passe um pouco de ovo batido sobre a massa para conferir uma cor dourada aos biscoitos.
9. Leve para gelar até ficar firme (aproximadamente 3 horas).
10. Quando retirar da geladeira, leve para assar a 160 °C até ficar dourada e sequinha.

FÔRMAS

1. Separe os utensílios que serão utilizados na receita: rolo, faca, folha plástica ou filme plástico, assadeira, forminhas e pincel.
2. Preaqueça o forno a 160 °C.
3. Unte as forminhas: com um pincel, espalhe manteiga sobre elas e polvilhe com um pouco de farinha. Disponha as forminhas sobre a assadeira e reserve.
4. Prepare a massa seca (massa de torta ou quebradiça – p. 73).
5. Abra a massa com o auxílio de um rolo, entre duas folhas plásticas, na espessura de 2 mm. Em seguida, corte-a no formato desejado.
6. Coloque a massa nas forminhas untadas.
7. Se desejar, com um pincel, passe um pouco de ovo batido sobre os biscoitos para conferir uma cor dourada.
8. Leve para gelar até a massa ficar firme (aproximadamente 3 horas).
9. Quando retirar da geladeira, leve para assar a 160 °C até ficar dourada e sequinha.

Petits fours modelados.

Massa cozida (pâte à choux)

Esse tipo de massa não possui aeração. Seu método de cocção consiste em duas etapas e tem como base farinha, líquido e manteiga. Na terminologia clássica, a massa cozida também é conhecida como pâte à choux ou, no Brasil, como massa de bomba.

No preparo, pode-se usar somente água, leite ou uma mistura dos dois ingredientes. O que muda na massa é que, com leite, ela fica mais pesada e sua cor mais acentuada durante a cocção; com água, é possível fazer a cocção em alta temperatura e a massa fica mais seca e crocante.

A expansão da pâte à choux ocorre graças à formação de vapor dentro da própria massa durante a cocção; por isso, se ela estiver muito seca, não haverá crescimento, e, se estiver muito úmida, poderá ficar sem formato definido.

A forma de cocção dessa massa é muito importante para a produção de bombas e carolinas. Utiliza-se uma temperatura alta no início para que a massa aqueça rapidamente, criando o vapor necessário para sua expansão; em seguida, é preciso reduzir a temperatura para média até que a massa fique dourada e crocante. No seu interior, ela ficará levemente úmida.

Algumas produções que utilizam a pâte à choux são:
- **Profiteroles (carolinas):** de formato redondo, são assados em calor seco.
- **Éclairs (bombas):** de formato comprido como um bastão, são assados em calor seco.
- **Paris-Brest:** de formato redondo, são assados em calor seco, decorados com amêndoas laminadas e recheados com o crème Paris-Brest, que consiste em uma mistura de creme de confeiteiro, manteiga e praliné (pasta de avelãs com açúcar).
- **Churros:** de formato comprido como um bastão, são fritos por imersão. A quantidade de ovos utilizada na massa de churros é menor que na pâte à choux tradicional.

OBSERVAÇÃO
Esta massa pode ser armazenada no freezer crua ou assada. Após a cocção, ela se mantém crocante por aproximadamente 24 horas.

RECEITAS COM MASSA COZIDA (PÂTE À CHOUX)

Ingredientes	Profiteroles (carolinas)	Éclairs (bomba)	Paris-Brest	Churros
Açúcar refinado	1 g	1 g	1 g	1 g
Água	150 g	150 g	150 g	150 g
Farinha de trigo	65 g	65 g	65 g	65 g
Manteiga sem sal	50 g	50 g	50 g	50 g
Ovos	85 g	85 g	85 g	42 g
Sal	1 g	1 g	1 g	1 g
Rendimento	15 unidades de 5 cm de diâmetro (aprox.)	10 unidades de 7 cm (aprox.)	4 unidades de 15 cm diâmetro (aprox.)	7 unidades de 10 cm (aprox.)

:: MODO DE PREPARO – MASSA COZIDA

Massa choux

1. Separe os ingredientes que serão utilizados na receita, bem como os seguintes utensílios e equipamentos: panela, batedeira com o batedor tipo raquete, assadeira, espátula de silicone, saco de confeitar e bico de confeitar pitanga ou perlê e pincel.
2. Preaqueça o forno a 200 °C.
3. Unte a assadeira pincelando óleo no fundo e nas laterais, ou então disponha um silpat sobre ela.
4. Em uma panela, coloque a água, o sal, o açúcar e a manteiga. Leve ao fogo até a manteiga derreter e a água começar a ferver.

5. Abaixe o fogo e adicione a farinha de trigo de uma só vez. Com a espátula de silicone, misture rapidamente até formar uma massa homogênea.

6. Deixe cozinhar até que a massa solte das paredes da panela e não apresente pontos de farinha crua.

7. Coloque a massa na batedeira e, com o batedor tipo raquete, bata em velocidade média, adicionando aos poucos os ovos sem parar de bater até que atinja o ponto de pico.

8. Com o auxílio da espátula de silicone, coloque a massa em um saco de confeitar com bico perlê (liso) e faça pequenas bolinhas, discos sobrepostos (Paris-Brest) ou formatos alongados sobre a assadeira untada ou sobre o silpat.
9. Para a cocção final, siga o procedimento de cada produção específica.

PARA BOMBAS (ÉCLAIR), CAROLINAS (PROFITEROLES) E PARIS-BREST:
1. Leve as massas para assar a 200 °C por 4 minutos até expandirem.
2. Após esse período, reduza o fogo para a temperatura média de 160 °C e deixe as massas ficarem totalmente secas.

PARA CHURROS:
1. Faça em fritura por imersão em óleo a 170 °C.
2. Passe as massas em uma mistura de açúcar com canela e recheie com doce de leite ou ganache.

OBSERVAÇÃO
Uma produção (massas, claras de ovos, etc.) atinge o ponto de pico quando, levantando o globo da batedeira, é possível perceber que se forma um pico na ponta do batedor. Outra maneira de verificar o ponto de pico na massa choux é pegando um pouco de massa, colocando entre os dedos, apertando e abrindo – nesse movimento, ela deverá formar um pico cremoso e estável. Se a massa descolar dos dedos, é sinal de que faltam ovos; caso ela fique mole entre os dedos, será necessário fazer uma nova massa para corrigir a textura.

Da esquerda para a direita: carolinas, Paris-Brest (em cima); bombas (embaixo).

Massas líquidas

Os ingredientes dessas preparações são: líquido, ovos, farinha, gordura (podendo ser manteiga, margarina ou óleo), sal e açúcar. É necessário misturar apenas para incorporar os ingredientes.

Algumas preparações que utilizam massas líquidas são:
- **Crepe:** os romanos já preparavam esse tipo de massa. Pode ser consumido com recheios doces e salgados.
- **Pancake e waffle:** são derivações dos crepes, porém apresentam aeração.
- **Blini:** receita de origem russa, seu nome significa "panqueca pequena". Tem 10 cm de diâmetro e 1 cm de espessura.
- **Beignet:** consiste em uma massa líquida usada para banhar vários tipos de ingredientes, que em seguida são fritos.

RECEITAS COM MASSAS LÍQUIDAS

Ingredientes	Crepe	Pancake ou waffle	Blini	Beignet
Açúcar refinado	25 g	10 g	5 g	
Água	75 g			
Amido de milho				3,5 g
Bicarbonato de sódio				
Cerveja clara				100 g
Claras		30 g	60 g	45 g
Farinha de trigo para confeitaria	65 g	75 g	120 g	110 g
Fermento biológico fresco			12 g	
Fermento químico em pó		5 g		
Frutas frescas				200 g
Gemas		20 g	40 g	30 g
Leite integral	60 g	115 g	150 g	
Licor de laranja	5 g			
Manteiga sem sal, derretida e fria	25 g	38 g	40 g	5 g
Ovos	75 g			
Raspas de limão	0,5 g			
Sal	0,5 g		0,5 g	
Rendimento	6 unidades (aprox.)			

:: MODO DE PREPARO – MASSAS LÍQUIDAS

Crepe

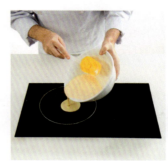

OBSERVAÇÃO
Hoje em dia encontramos com facilidade frigideiras para crepe antiaderentes, que facilitam e agilizam o preparo dessa produção.

1. Separe os ingredientes que serão utilizados na receita, bem como os seguintes utensílios: fouet, bowl, frigideira para crepe, concha, espátula de silicone, prato de apoio e pincel.

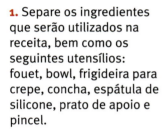

2. Em um bowl, com o auxílio de um fouet, misture todos os ingredientes até formar uma massa homogênea. (Essa mistura também pode ser realizada em um liquidificador.)

3. Leve para gelar por 30 minutos e, depois, a massa estará pronta para uso.

4. Aqueça a frigideira para crepe em fogo baixo. Com um pincel, passe um pouco de manteiga sobre ela.

5. Despeje a massa na frigideira e faça movimentos de rotação até cobrir todo o fundo, retornando o excesso para a tigela. Leve a frigideira ao fogo novamente.

6. Quando a massa estiver levemente dourada, vire-a com o auxílio de uma espátula e deixe dourar do outro lado por alguns instantes.

7. Transfira o crepe pronto para um prato e repita o mesmo processo com o restante da massa, fazendo várias unidades.

8. Sirva cada crepe recheado com frutas, geleias ou ganaches. Também pode ser acompanhado de creme inglês ou de caldas à base de frutas.

:: MODO DE PREPARO – MASSAS LÍQUIDAS

Pancake ou waffle

1. Separe os ingredientes que serão utilizados na receita, bem como os seguintes utensílios e equipamentos: batedeira com batedor tipo globo, fouet, bowl, frigideira para crepe, concha, espátula de silicone, prato de apoio, pincel e máquina de waffle.
2. Na batedeira com o batedor tipo globo, bata as claras em velocidade média. No momento que ficarem bem aeradas, pare de bater, levante o batedor e, se a mistura formar um pico firme, estará pronta a clara em neve. Reserve.
3. Em um bowl separado, misture os ingredientes secos com os líquidos, mexendo com o auxílio de um fouet.
4. Adicione delicadamente a mistura às claras em neve em duas etapas.
5. Para fazer a modelagem, siga o procedimento de cada preparação.

PARA A PANCAKE:
1. Esquente uma frigideira para crepe e pincele-a com manteiga.
2. Coloque uma porção de massa com o auxílio de uma concha.
3. Quando começarem a aparecer bolhas, vire a massa para terminar a cocção.
4. Sirva a pancake quente acompanhada de caldas, frutas, geleias ou manteiga.

PARA O WAFFLE:
1. Preaqueça a máquina de waffle e pincele com um pouco de manteiga.
2. Com o auxílio de uma concha, coloque uma porção de massa na máquina. Feche-a e deixe até a massa ficar dourada.
3. Sirva quente acompanhado de caldas, frutas, geleias, sorvete ou manteiga.

Blini

1. Separe os ingredientes que serão utilizados na receita, bem como os seguintes utensílios e equipamentos: batedeira com o batedor tipo globo, fouet, bowl, frigideira para crepe, concha, espátula de silicone, prato de apoio, filme plástico e pincel.
2. Em um bowl, dissolva o fermento no leite com o auxílio de um fouet.
3. Acrescente a farinha de trigo, o açúcar, as gemas e o sal à mistura de leite e mexa com o fouet até formar uma massa homogênea.
4. Cubra a massa com filme plástico e deixe levedar por 30 minutos. Reserve.
5. Na batedeira com o batedor tipo globo, bata as claras em velocidade média. No momento que ficarem bem aeradas, pare de bater, levante o batedor e, se a mistura formar um pico firme, estará pronta a clara em neve. Reserve.
6. Após os 30 minutos, retire o filme plástico e acrescente a manteiga e as claras em neve à massa em duas etapas, mexendo delicadamente com o auxílio do fouet, de baixo para cima, para manter a aeração. Mexa a massa até ficar homogênea.
7. Pincele levemente uma frigideira para crepe com manteiga e coloque a massa.
8. Quando a massa ficar dourada, vire-a com o auxílio da espátula de silicone e deixe dourar do outro lado.
9. Retire da frigideira e sirva quente acompanhado de caldas, frutas, geleias, sorvete ou manteiga. Esta receita também pode ser acompanhada de creme azedo e caviar.

:: MODO DE PREPARO – MASSAS LÍQUIDAS

Beignet

1. Separe os ingredientes que serão utilizados na receita, bem como os seguintes utensílios e equipamentos: filme plástico, batedeira com batedor tipo globo, fouet, bowl, panela, espátula e prato de apoio.
2. Em um bowl, misture os ingredientes secos com o auxílio da espátula de silicone.
3. Acrescente a cerveja, as gemas e a manteiga e misture novamente com a espátula até que a massa fique homogênea. Reserve.
4. Na batedeira com o batedor tipo globo, bata as claras em velocidade média. No momento que ficarem bem aeradas, pare de bater, levante o batedor e, se a mistura formar um pico firme, estará pronta a clara em neve.
5. Agregue a clara em neve à massa em duas etapas com o auxílio do fouet, mexendo delicadamente para não perder a aeração.
6. Passe as frutas cortadas nessa massa, que ficará com uma textura levemente mole.
7. Frite em óleo quente a 170 ºC até que a massa fique dourada.
8. Se desejar, passe os beignets no açúcar enquanto ainda estiverem quentes.

Em sentido horário, da esquerda para a direita: crepes, waffles, pancakes, blinis e beignets.

Massa de strudel (massa phyllo)

A principal característica dessa massa é sua espessura muito fina. Para conseguir esse resultado, é necessário usar uma farinha com qualidade superior em proteína (o ideal é ter entre 11% e 12%). A massa deve atingir o ponto de véu e sua composição às vezes sofre pequenas variações, podendo ser feita somente de farinha e água ou de farinha, água, gordura, ovos e ácido (como vinagre ou suco de limão).

Muitos doces alemães, portugueses e árabes costumam utilizar a massa phyllo. Dois exemplos conhecidos são:
- **Strudel:** de origem austríaca, mas também muito popular na Alemanha, inicialmente era preparado como um prato salgado, mas depois passou a receber elementos adocicados. O mais conhecido é o strudel de maçã.
- **Baklava:** doce tradicional da região da Grécia e da Turquia, contém várias camadas de massa phyllo e um recheio que pode ter nozes, pistache, amêndoas, etc.

OBSERVAÇÃO
Ponto de véu é o ponto de batimento máximo da massa. Para atingi-lo é necessário ter umidade e tempo de batimento suficientes, a fim de que o glúten se desenvolva e seja possível abrir com a mão uma massa bem fininha e resistente.

PREPARAÇÃO DA MASSA PHYLLO

Ingredientes	Quantidade
Água	100 g
Farinha de trigo para panificação	300 g
Óleo	15 g
Ovo	55 g
Sal	1 g
Rendimento	1 fôrma de 60 cm de diâmetro (aprox.)

:: MODO DE PREPARO – MASSA PHYLLO

Massa phyllo

1. Separe os ingredientes que serão utilizados na receita, bem como os seguintes utensílios e equipamentos: batedeira com o batedor tipo gancho, pincel, pano para abrir a massa, rolo de abrir massa.

2. Na batedeira com o batedor tipo gancho, bata a farinha de trigo, o óleo, os ovos e o sal em velocidade média.

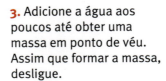

3. Adicione a água aos poucos até obter uma massa em ponto de véu. Assim que formar a massa, desligue.
4. Fora da batedeira, mas no mesmo recipiente, pincele a massa com bastante óleo. Transfira-a para um bowl, cubra com filme plástico e reserve.
5. Coloque um pano sobre uma bancada e polvilhe farinha para fechar bem a trama do pano.
6. Coloque a massa no centro do pano e abra-a com o auxílio de um rolo até ficar com uma espessura fina.

7. Continue abrindo a massa delicadamente com a ajuda das mãos até atingir a espessura desejada. Cuidado para não furar a massa.
8. A massa estará pronta quando tiver a espessura de um papel (quase transparente).

RECEITAS COM MASSA PHYLLO

Ingredientes	Strudel de maçã (Apfelstrudel)	Baklava tradicional (recheio de nozes e pistache)
Açúcar mascavo		Quantidade 1: 100 g Quantidade 2: 100 g
Açúcar refinado	50 g	500 g
Água		150 g
Água de flor de laranjeira		10 g
Canela em pó	5 g	0,5 g
Farinha de rosca	50 g	
Maçã verde	1.000 g	
Macis		Quantidade 1: 0,5 g Quantidade 2: 0,5 g
Manteiga sem sal	50 g	100 g
Massa phyllo	470 g (1 receita)	200 g
Nozes moídas		150 g
Pistache moído		150 g
Raspas de limão-taiti		¼ de um limão
Uva-passa branca	100 g	
Xarope de glucose		75 g
Rendimento	1 unidade de 50 cm de comprimento (aprox.)	1 unidade de 20 cm

Da esquerda para a direita: strudel de maçã e baklava.

:: MODO DE PREPARO – MASSA PHYLLO

Baklava

1. Separe os ingredientes que serão utilizados na receita, bem como os seguintes utensílios: bowl, panela, espátula de silicone, faca, assadeira, pincel.
2. Preaqueça o forno a 160 °C.
3. Unte a assadeira: com um pincel, espalhe manteiga sobre o fundo e as laterais, depois polvilhe com farinha de trigo.

PARA O RECHEIO DE NOZES
1. Em um bowl, misture com o auxílio de uma espátula 100 g de açúcar mascavo, as nozes, 0,5 g de macis e, se necessário, acrescente aproximadamente 15 g de água para unir a mistura. Reserve.

PARA O RECHEIO DE PISTACHE
1. Em um bowl, misture com o auxílio de uma espátula 100 g de açúcar mascavo, os pistaches e 0,5 g de macis, e, se necessário, acrescente aproximadamente 15 g de água para unir a mistura. Reserve.

PARA A CALDA
1. Em uma panela, misture o açúcar refinado, a água e as raspas de limão e ferva por 3 minutos. Desligue e espere esfriar.
2. Depois de fria, coloque a água de flor de laranjeira e o xarope de glucose (para dar brilho) na calda e misture. Reserve.

MONTAGEM
1. Corte a massa phyllo no formato desejado.

2. Disponha as camadas de massa na assadeira untada.

3. Pincele manteiga sobre as folhas de massa phyllo.

4. Sobreponha cinco folhas em camadas.
5. Coloque o recheio de nozes.
6. Sobreponha mais cinco folhas em camadas.

7. Coloque o recheio de pistache.
8. Finalize com mais cinco folhas em camadas.

9. Corte a baklava e monte de acordo com o formato desejado.
10. Leve para assar a 160 °C até a massa ficar dourada e crocante.
11. Ao retirar do forno, regue imediatamente com a calda em temperatura ambiente. Depois, corte novamente as baklavas (durante a cocção, por causa do recheio, elas tendem a se juntar) e sirva.

:: MODO DE PREPARO – MASSA PHYLLO

Strudel de maçã (Apfelstrudel)

1. Separe os ingredientes que serão utilizados na receita, bem como os seguintes utensílios: faca, bowl, descascador de legumes, pincel, espátula de silicone, assadeira e silpat.
2. Preaqueça o forno a 170 °C.
3. Disponha o silpat sobre a assadeira e reserve.
4. Descasque as maçãs, corte-as em fatias finas e coloque-as em um bowl.
5. Acrescente o açúcar e as uvas-passas brancas à maçã e misture com a espátula de silicone apenas para incorporar os ingredientes.

8. Coloque a massa sobre o silpat ou uma assadeira untada e pincele com manteiga derretida. Depois, leve para assar a 170 °C por aproximadamente 30 minutos ou até o strudel ficar crocante e dourado.

7. Enrole a massa recheada com a ajuda de um pano, fazendo o formato igual ao de um rocambole.

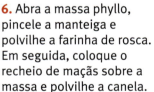
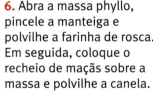

6. Abra a massa phyllo, pincele a manteiga e polvilhe a farinha de rosca. Em seguida, coloque o recheio de maçãs sobre a massa e polvilhe a canela.

OBSERVAÇÃO
Pincele o strudel com manteiga líquida diversas vezes durante a cocção, para ter uma massa mais crocante.

Massa folhada

Produção clássica da confeitaria francesa, consiste em uma massa básica composta de farinha de trigo, água e sal, que é laminada com gordura, tradicionalmente a manteiga.

Por causa do clima, dos maquinários e da qualidade técnica exigidos para o preparo dessa massa, no Brasil, é comum substituir a manteiga por gordura para folhados (gordura vegetal hidrogenada com 83% de lipídios). Apesar da praticidade de utilizar esse tipo de produto, a substituição acaba gerando grande perda na qualidade final, principalmente em relação ao sabor.

No que diz respeito à farinha, o ideal é utilizar uma com baixo teor de proteína para facilitar a laminação (as dobras) da massa. A quantidade de dobras feitas pode variar dependendo da textura desejada. O tradicional são cinco dobras simples, e é aconselhável realizar no máximo seis para não alterar a caraterística da massa.

Temos quatro tipos de massa folhada: blitz, tradicional, italiana e invertida. Cada uma possui vantagens e desvantagens, como especificado a seguir:

- **Blitz:** também é conhecida como folhada rápida, por seu processo de trabalho ser mais reduzido se comparado aos demais. Adicionam-se todos os ingredientes ao mesmo tempo, sendo que a manteiga entra em pedaços grandes. O importante é apenas incorporar os ingredientes sem misturá-los em excesso. Depois, deixa-se a massa descansar por 20 minutos antes de realizar quatro dobras simples, com um intervalo de 20 minutos entre elas. Durante esse intervalo, é aconselhável manter a massa na geladeira.
- **Tradicional ou clássica (pâte feuilletée):** é a técnica francesa de produção, também conhecida como classic puff pastry, que consiste em acrescentar manteiga a uma massa básica feita de farinha, sal e água, fazendo etapas de dobras.
- **Italiana:** também conhecida como sfoglia, a massa é acrescida de vinho branco e ovos. No processo de mistura, sova-se bem a massa e depois realiza-se o processo de laminação igual ao da massa folhada tradicional.
- **Invertida:** para a produção dessa massa, é imprescindível ter um ambiente refrigerado e um cilindro para abrir a massa. A diferença é que, no processo de laminação, a manteiga fica do lado de fora da massa – é o inverso da massa tradicional. Para facilitar o processo, adiciona-se farinha à manteiga para torná-la menos úmida.

Quanto aos tipos de dobras, temos:
- **Simples:** marca-se a massa em três partes iguais. Um dos lados da massa deve ser dobrado até cobrir a parte do meio; depois, dobra-se o outro lado também até cobrir a parte do meio, formando um envelope.

- **Duplo:** a massa é marcada em quatro partes iguais. Um lado da massa é dobrado até chegar ao meio; depois, dobra-se o outro lado também até chegar ao meio. Em seguida é feita mais uma dobra, virando a massa ao meio.

Exemplos de sobremesas clássicas que utilizam massa folhada:
- **Mil-folhas:** composto de várias camadas finas de massa intercaladas com recheios cremosos. Geralmente tem formato retangular.
- **Palmier:** biscoito feito de massa folhada, geralmente em formato de caracol, que pode ser doce ou salgado.
- **Chausson:** pastel de massa folhada feito com recheios diversos, tradicionalmente de maçãs ou amêndoas.
- **Vol-au-vent:** massa folhada com um furo no centro, podendo ter vários tipos de recheio.
- **Pastel de nata:** também conhecido como pastel de Belém, é um doce tradicional português criado por monges no século XIX.
- **Tarte Tatin:** famosa torta de origem francesa, tradicionalmente feita com maçãs e invertida na hora da montagem.

PREPARAÇÃO DA MASSA FOLHADA TRADICIONAL

Ingredientes	Quantidade
Açúcar refinado	20 g
Água	250 g-300 g
Farinha de trigo	500 g
Manteiga sem sal	50 g
Margarina com 83% de lipídios ou manteiga sem sal (para folhear)	375 g
Sal	5 g

:: MODO DE PREPARO – MASSA FOLHADA

Massa folhada

PARA A MASSA (DÉTREMPE)

1. Separe os ingredientes que serão utilizados na receita, bem como os seguintes utensílios e equipamentos: batedeira com os batedores tipo gancho e raquete, bowl, filme plástico, rolo de abrir massa, assadeira.
2. Preaqueça o forno a 180 °C.

1. Na batedeira com o batedor tipo gancho, bata a farinha, o sal, 50 g de manteiga e o açúcar em velocidade média.

2. Acrescente a água e continue batendo até formar uma massa homogênea.
3. Desligue a batedeira e deixe a massa descansar por, no mínimo, 30 minutos, coberta por um filme plástico para não ressecar.

PARA A LAMINAÇÃO

1. Na batedeira com o batedor tipo raquete, bata a margarina (ou manteiga sem sal) até que fique maleável. Coloque-a no filme plástico e, com o auxílio de um rolo de abrir massa, modele no formato de um cubo.

2. Abra a massa que estava reservada com o auxílio do rolo, deixando-a em um formato quadrado com aproximadamente o dobro do tamanho da margarina (ou manteiga).

4. Abra a massa com o auxílio do rolo formando um retângulo e dobre em três partes (dobra simples). Repita esse processo cinco vezes, deixando a massa descansar no refrigerador por pelo menos 20 minutos entre as dobras – isso ajudará o processo evitando que o glúten fique muito ativo.

5. Com o rolo, abra a massa novamente e modele-a nos formatos a seguir.

6. Coloque a massa sobre uma assadeira e leve para assar. A cocção deve ocorrer em forno alto no início (180 °C) e médio (160 °C) ao final. O tempo de cocção será de 20 a 25 minutos. É importante que a massa cresça e fique levemente dourada e crocante.

3. Coloque a margarina (ou manteiga) no centro da massa e dobre as pontas do quadrado para dentro, formando um envelope. É importante não deixar nenhuma parte aberta para a manteiga não escapar. Deixe descansar por 10 minutos.

MASSAS

RECEITAS COM MASSA FOLHADA

Ingredientes	Mil-folhas	Palmier	Chausson	Vol-au-vent	Tarte Tatin	Pastel de nata
Açúcar cristal		200 g				
Açúcar de confeiteiro	50 g					
Açúcar refinado	50 g		50 g		150 g	200 g
Água						125 g
Casca de limão						casca de 1 limão
Chantili	100 g					
Creme de confeiteiro	400 g					
Creme de leite fresco					30 g	
Farinha de trigo						15 g
Gema			50 g	50 g		80 g
Leite integral						250 g
Maçãs			200g (opcional, pode-se usar qualquer fruta)		300 g (aprox.)	
Manteiga sem sal					50 g	
Massa folhada	500 g	500 g	500 g	500 g	200 g	200 g
Ovo (para pincelar)		50 g				
Xarope de glucose					25 g	
Rendimento	1 unidade de 25 cm de diâmetro	40 unidades de 0,5 cm de espessura	20 unidades com 15 cm de diâmetro	20 unidades com 10 cm de diâmetro	1 unidade de 20 cm de diâmetro	15 unidades de aprox. 6 cm

:: MODO DE PREPARO – MASSA FOLHADA

Mil-folhas (mille-feuilles)

1. Separe os ingredientes que serão utilizados na receita, bem como os seguintes utensílios: rolo de abrir massa, faca, espátula de silicone, garfo, assadeira e saco de confeitar.

2. Preaqueça o forno a 180 ºC.
3. Abra a massa folhada com o auxílio do rolo no tamanho de uma fôrma retangular e divida-a em três retângulos. Leve para gelar apenas para ficar firme.
4. Salpique a massa com o açúcar refinado e fure toda a superfície com um garfo.
5. Leve para assar em forno alto até a massa estufar, depois reduza para forno médio e termine a cocção.
6. Retire a massa do forno e deixe esfriar.
7. Com um saco de confeitar, recheie a massa com creme de confeiteiro misturado com chantili (*crème légère* – p. 152) formando camadas. O mil-folhas deve ter três camadas de massa e duas de recheio.
8. Finalize polvilhando açúcar de confeiteiro por cima da massa.

Palmier

1. Separe os ingredientes que serão utilizados na receita, bem como os seguintes utensílios: rolo de abrir massa, faca, assadeira e pincel.
2. Preaqueça o forno a 180 ºC.
3. Abra a massa folhada com o auxílio do rolo até que fique com 0,5 cm de espessura.

4. Corte-a no formato de um retângulo, depois pincele ovo e polvilhe o açúcar cristal por cima.

5. Enrole o retângulo como dois rocamboles, em sentidos opostos.
6. Coloque a massa na assadeira e leve para gelar por aproximadamente 3 horas, até ficar firme.
7. Retire da geladeira e corte a massa em fatias de 0,5 cm. Leve para assar a 180 ºC até ficar dourada e crocante.

:: MODO DE PREPARO – MASSA FOLHADA

Chausson

1. Separe os ingredientes que serão utilizados na receita, bem como os seguintes utensílios: rolo de abrir massa folhada, espátula de silicone, faca, cortador redondo, garfo, assadeira, silpat e pincel.
2. Preaqueça o forno a 180 °C.
3. Disponha o silpat sobre a assadeira.
4. Abra a massa folhada com o auxílio do rolo até que fique com 0,5 cm de espessura.

5. Corte-a em círculos com o auxílio do cortador.

6. Adicione o recheio de frutas, pincele com um pouco de gema e feche os chaussons.
7. Coloque-os sobre o silpat.

8. Faça marcas decorativas com o auxílio de uma faca afiada.

9. Finalize pincelando os chaussons com uma mistura de gema e um pouco de água (egg wash).
10. Leve para assar a 180 °C até ficarem dourados e crocantes.
11. Retire do forno e recheie os chaussons com creme de confeiteiro ou geleias, frutas frescas, etc.

OBSERVAÇÃO
Egg wash é um termo muito usado na panificação profissional para designar uma mistura de ovos com água com a qual se costuma pincelar os pães. Essa mistura confere um brilho controlado ao produto, diferentemente de quando se usam apenas ovos ou gemas, pois, dependendo da característica da massa, ela ficará muito escura por fora e crua por dentro.

:: MODO DE PREPARO – MASSA FOLHADA

Vol-au-vent

1. Separe os ingredientes que serão utilizados na receita, bem como os seguintes utensílios: rolo de abrir massa, faca, cortador redondo ou quadrado, garfo, assadeira, pincel, silpat.
2. Preaqueça o forno a 180 °C.
3. Disponha o silpat sobre uma assadeira e reserve.

4. Abra a massa com o auxílio do rolo até que fique com 0,5 cm de espessura.

5. Corte-a em círculos ou quadrados e, na metade de cada um, vaze-os com um aro um pouco menor.
6. Pincele gema na base de cada vol-au-vent e coloque o aro vazado em cima (pode-se colocar outra camada vazada em cima).
7. Coloque-os sobre o silpat.

8. Pincele os vol-au-vent com uma mistura de gemas e um pouco de água (egg wash).
9. Leve-os para assar a 180 °C até ficarem dourados e crocantes.
10. Se desejar, depois de retirar do forno, recheie com creme de confeiteiro, ganaches, geleias, etc.

Da esquerda para a direita: chaussons, palmiers, vol-au-vent, placas de massa, mil-folhas.

:: MODO DE PREPARO – MASSA FOLHADA

Tarte Tatin

1. Separe os ingredientes que serão utilizados na receita, bem como os seguintes utensílios: panela, rolo de abrir massa, espátula de silicone, faca, cortador redondo, fôrma redonda, assadeira, pincel e prato de apoio.
2. Preaqueça o forno a 180 ºC.
3. Corte as maçãs em oito pedaços.
4. Em uma panela, aqueça o açúcar com a glucose e mexa com a espátula de silicone até caramelizar.
5. Adicione a manteiga e o creme de leite e mexa com a espátula apenas para incorporar os ingredientes. Reserve.
6. Com o auxílio de um cortador redondo, corte a massa em círculos de 20 cm.
7. Coloque a calda em uma fôrma de 20 cm e disponha as maçãs sobre ela.
8. Coloque a massa folhada por cima das maçãs.
9. Leve para assar a 180 ºC até a massa ficar dourada.
10. Depois de sair do forno, deixe a torta descansar por, no mínimo, 2 horas.
11. Vire a torta sobre um prato ou suporte para que a parte das maçãs fique por cima.

Pastel de nata

1. Separe os ingredientes que serão utilizados na receita, bem como os seguintes utensílios e equipamentos: panela, termômetro, batedeira com o batedor tipo globo, rolo de abrir massa, espátula de silicone, faca, forminhas de 6 cm de diâmetro, saco de confeitar.
2. Preaqueça o forno a 170 ºC.

PARA O RECHEIO
1. Em uma panela, leve o açúcar ao fogo com a água e a casca do limão. Deixe chegar até 120 ºC (ponto de fio).
2. Na batedeira com o batedor tipo globo, bata a farinha, o leite e as gemas em velocidade média. Acrescente a calda fervendo, batendo sempre.
3. Bata até espumar. Coloque a mistura em uma panela e leve ao fogo para engrossar, mexendo sempre com uma espátula de silicone.

PARA A MONTAGEM
1. Enrole a massa folhada no formato de um rocambole com o mesmo diâmetro da forminha que será utilizada.
2. Corte pedaços de 1,5 cm de espessura.
3. Coloque a massa nas forminhas e forre-as por completo com a ajuda dos dedos.
4. Com uma espátula de silicone ou um saco de confeitar, coloque o recheio nas forminhas forradas com a massa e leve para assar a 170 ºC até a massa ficar dourada.

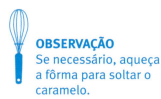

OBSERVAÇÃO
Se necessário, aqueça a fôrma para soltar o caramelo.

Pastel de nata.

Massas fermentadas doces

São preparações que utilizam fermento biológico em sua composição, apresentando uma massa com textura macia e alveolada.

É importante utilizar farinha específica para panificação, com teor de proteína aproximado de 12%, para garantir um miolo mais aberto e estruturado.

As massas podem ser feitas por meio de dois métodos de preparo: direto e indireto. O modo indireto constitui um preparo mais artesanal.

Algumas preparações que utilizam este tipo de massa são:
- **Brioche:** massa fermentada doce de origem francesa, com alto teor de manteiga e ovos. Pode ter várias modelagens, como nanterre (possui de 350 g a 500 g), mousseline (60 g) e à tête (50 g + 15 g).
- **Sonho:** massa fermentada de origem portuguesa. No Brasil, costuma ser recheada de creme de confeiteiro e passada no açúcar.
- **Panetone:** especialidade italiana com origem em Milão, antigamente chamava-se Pan di Toni, produto criado por um aristocrata aprendiz de panificação para cortejar a filha do padeiro. É uma massa enriquecida com frutas cristalizadas.
- **Colomba pascal:** variação da massa do panetone com uma cobertura de claras, castanhas e açúcar.
- **Babá ao rum (baba au rhum):** de origem eslava, foi adaptada na França como uma massa fermentada com uvas-passas umedecida com uma calda de rum.
- **Savarin:** criado por confeiteiros como uma variação do babá ao rum, que deram o nome ao doce em homenagem ao grande gastrônomo francês Brillat-Savarin.

OBSERVAÇÃO
Os pães de 50 g demoram aproximadamente 10 minutos para assar em forno a 170 °C, e os pães de 300 g, 25 minutos.

RENDIMENTOS
Para saber os rendimentos dos produtos, basta somar a quantidade de todos os ingredientes utilizados e dividir pelo peso escolhido por porção.

Por exemplo:
- Peso total dos ingredientes usados: **500 g**.
- Tamanho escolhido: **50 g cada produto**.
- Rendimento: **500 dividido por 50 = 10 unidades**.

:: **MODO DE PREPARO – MASSAS FERMENTADAS DOCES**

Preparo direto

1. Separe os ingredientes que serão utilizados na receita, bem como os seguintes utensílios e equipamentos: batedeira com gancho, pincel, assadeira.
2. Preaqueça o forno a 170 °C.
3. Unte a assadeira: com um pincel, espalhe óleo sobre o fundo e as laterais, depois polvilhe com farinha de trigo.

4. Na batedeira com o batedor tipo gancho, acrescente os ingredientes secos e metade da gordura.

5. Comece a bater em velocidade média e agregue o líquido aos poucos até atingir uma consistência macia e lisa.
6. Quando atingir a consistência desejada, acrescente o restante da gordura e bata até a massa ficar lisa novamente.
7. Retire a massa da batedeira e deixe descansar por 20 minutos, coberta com filme plástico ou pano úmido para não ressecar.
8. Modele a massa no formato escolhido (bolinhas, tranças, roscas, etc.) e coloque-a na assadeira untada. Deixe fermentar, protegida por um pano úmido ou por filme plástico para não ressecar, até dobrar de volume.
9. Após a fermentação, pincele a massa com uma mistura de ovos e água (egg wash) e leve para assar a 170 °C até a massa ficar firme e dourada.

Preparo indireto

1. Separe os ingredientes que serão utilizados na receita, bem como os seguintes utensílios: bowl, espátula de silicone, pincel e assadeira.
2. Preaqueça o forno a 170 °C.
3. Unte a assadeira: com um pincel, espalhe óleo sobre o fundo e as laterais, depois polvilhe com farinha de trigo.

4. Em um bowl, prepare uma esponja com metade do líquido da receita, todo o peso do fermento e a farinha no mesmo peso do líquido que foi adicionado nesta etapa (pegue a quantidade de farinha que já foi pesada para a receita). Mexa com uma espátula de silicone até a mistura ficar homogênea.

5. Cubra a mistura com filme plástico e deixe fermentar por 30 minutos.

6. Após a formação da esponja, adicione o restante dos ingredientes e coloque a massa sobre uma superfície limpa. Sove com as mãos até a massa ficar lisa e homogênea.
7. Deixe a massa descansar coberta com filme plástico ou pano úmido até dobrar de volume.
8. Modele a massa no formato desejado e coloque-a sobre a assadeira untada. Deixe-a descansar coberta até dobrar de tamanho novamente, depois pincele com uma mistura de ovos com água (egg wash).
9. Leve a massa para assar a 170 °C até ficar firme e dourada.

MASSAS

RECEITAS COM MASSAS FERMENTADAS DOCES

Ingredientes	Brioche	Sonho	Panetone	Colomba pascal	Savarin	Babá ao rum
Açúcar de confeiteiro sem amido				160 g		
Açúcar refinado	70 g	20 g	50 g	50 g	7 g	15 g
Água			250 g-300 g	250 g-300 g		84 g
Amêndoas picadas ou em lascas				100 g		
Claras				80 g		
Essência de panetone			3 g	3 g		
Farinha de trigo para panificação	500 g	500 g	500 g	500 g	100 g	200 g
Fermento biológico fresco	35 g	20 g	33 g	33 g	5 g	12 g
Frutas cristalizadas			150 g	150 g		
Gemas			60 g	60 g		
Leite integral	50 g-100 g	250 g-300 g			25 g	
Manteiga sem sal	250 g	20 g	75 g	75 g	100 g	60 g
Ovos	250 g	110 g			100 g	60 g
Sal	10 g	5 g	2 g	2 g	0,5 g	2 g
Uva-passa escura			80 g	80 g		60 g
Xarope de glucose			10 g	10 g		
Rendimento (aproximado da massa assada)	1.000 g	850 g	1.000 g	1.250 g	300 g	450 g

CALDAS

| Ingredientes | Quantidades ||
	Savarin	Bába ao rum
Água	200 g	200 g
Açúcar refinado	100 g	100 g
Canela em pau	1 unid.	
Raspas de laranja	1 g	
Raspas de limão		1 g
Rum	25 g	25 g

:: MODO DE PREPARO – MASSAS FERMENTADAS DOCES

Brioche

1. Separe os ingredientes que serão utilizados na receita, bem como os seguintes utensílios e equipamentos: batedeira com o batedor tipo gancho, pincel, assadeira.
2. Preaqueça o forno a 170 °C.
3. Unte a assadeira: com um pincel, espalhe óleo sobre o fundo e as laterais, depois polvilhe com farinha de trigo.
4. Na batedeira com o batedor tipo gancho, coloque os ingredientes secos, o fermento e metade da gordura. Comece a bater em velocidade média e acrescente os ovos. Por último, agregue o leite aos poucos até atingir uma textura lisa e macia.
5. Quando atingir a textura desejada, adicione o restante da manteiga e bata até que a massa fique lisa novamente.
6. Retire da batedeira e deixe a massa descansar por 20 minutos coberta por filme plástico para não ressecar.
7. Divida a massa e modele no formato escolhido, depois pincele com ovos e um pouco de água (egg wash).
8. Deixe a massa fermentar, novamente protegida por filme plástico ou por um pano úmido, até dobrar de volume.
9. Pincele novamente com ovos e um pouco de água (egg wash).
10. Coloque a massa sobre a assadeira untada e leve para assar a 170 °C até que fique dourada.

OBSERVAÇÃO

No caso específico de uma massa com muita gordura, costuma-se pincelar egg wash duas vezes, uma após a modelagem e outra antes de colocar a massa no forno. Esse processo é feito para evitar que a gordura saia da massa e o produto fique seco. Produtos que pesam 50 g normalmente demoram 12 minutos, e produtos de 550 g geralmente levam de 30 a 40 minutos para assar.

Da esquerda para a direita: brioche nanterre, brioche mousseline e brioche à tête.

:: MODO DE PREPARO – MASSAS FERMENTADAS DOCES

Sonho

1. Separe os ingredientes que serão utilizados na receita, bem como os seguintes utensílios e equipamentos: batedeira com o batedor tipo gancho, espátula de silicone, pincel, assadeira, panela.
2. Esquente o óleo para fritar a 170 ºC.
3. Polvilhe a assadeira com farinha de trigo e reserve. (Esse processo evitará que o sonho grude ou perca a leveza quando for retirado da assadeira após a fermentação.)
4. Na batedeira com o batedor tipo gancho, coloque os ingredientes secos, os ovos, o fermento e a gordura. Comece a bater em velocidade média e agregue o líquido aos poucos até atingir uma textura macia e lisa. Depois, desligue a batedeira.
5. Deixe a massa descansar por 20 minutos coberta por filme plástico ou pano úmido para não ressecar.
6. Divida a massa e modele-a no formato escolhido. (Os sonhos de modelagem tradicional costumam ter em torno de 60 g, e os minisonhos, 25 g.)
7. Recheie os sonhos. Os recheios podem ser de doce de leite, goiabada ou, mais tradicionalmente, de creme de confeiteiro. (O recheio tem que ter textura firme, pois, se for cremoso, a massa pode abrir durante a fritura.)

8. Coloque os sonhos modelados sobre a assadeira e deixe a massa fermentar, novamente coberta por filme plástico ou um pano úmido, até dobrar de volume.
9. Após a fermentação final, frite a massa em óleo quente a 170 ºC: coloque os sonhos no óleo, espere 2 minutos e vire-os do outro lado, para obter um padrão de cocção. Dependendo do tamanho, esse tempo de cocção aumentará ou diminuirá.

OBSERVAÇÃO
O sonho pode ser frito já recheado ou pode ser recheado após a fritura, cortando-o ao meio. O importante é não rechear o sonho com recheios de textura mole antes da fritura.

:: MODO DE PREPARO – MASSAS FERMENTADAS DOCES

Panetone

1. Separe os ingredientes que serão utilizados na receita, bem como os seguintes utensílios e equipamentos: batedeira com o batedor tipo gancho, pincel, espátula de silicone, assadeira, fôrma de panetone, tesoura, faca ou bisturi para pães.

2. Preaqueça o forno a 160 ºC.

3. Na batedeira com o batedor tipo gancho, coloque os ingredientes secos, o fermento e metade da manteiga. Comece a bater em velocidade média e agregue o líquido aos poucos até a massa atingir uma textura lisa e macia. Depois, desligue a batedeira.

4. Coloque a massa sobre uma superfície limpa, adicione o restante da manteiga e sove com as mãos até que a massa fique lisa novamente.

5. Acrescente o recheio (normalmente são frutas cristalizadas e uvas-passas), apenas incorporando-o à massa. A mistura em excesso vai danificar a cadeia de glúten gerada durante a sova.

6. Deixe a massa descansar por 20 minutos coberta por filme plástico ou um pano úmido, para não ressecar.

7. Divida a massa e modele no formato escolhido. Um panetone de modelagem grande costuma ter em torno de 550 g, e o pequeno, 90 g.

8. Deixe a massa fermentar, novamente coberta por filme plástico ou um pano úmido, até dobrar de volume.

9. Com o auxílio de uma tesoura, de uma faca ou do bisturi para pães, faça uma incisão em formato de cruz na parte superior do panetone. Coloque 10 g de manteiga no corte.

10. Coloque a massa na fôrma de panetone e leve para assar a 160 ºC até que fique dourado. O formato de 550 g leva em média 40 minutos de cocção.

:: MODO DE PREPARO – MASSAS FERMENTADAS DOCES

Colomba pascal

1. Separe os ingredientes que serão utilizados na receita, bem como os seguintes utensílios e equipamentos: batedeira com o batedor tipo gancho, pincel, espátula de silicone, assadeira, fôrma de colomba pascal.
2. Preaqueça o forno a 160 ºC.
3. Disponha a fôrma de colomba pascal sobre a assadeira e reserve.
4. Na batedeira com o batedor tipo gancho, coloque todos os ingredientes secos, exceto as amêndoas, as claras e o açúcar de confeiteiro sem amido. Acrescente o fermento e metade da manteiga. Comece a bater em velocidade média e agregue o líquido aos poucos até atingir uma textura lisa e macia. Depois, desligue a batedeira.
5. Coloque a massa sobre uma superfície limpa, adicione o restante da manteiga e sove com as mãos até que a massa fique lisa novamente.
6. Acrescente o recheio (tradicionalmente, de chocolate ou frutas secas), apenas incorporando-o à massa. A mistura em excesso vai danificar a cadeia de glúten gerada durante a sova.
7. Deixe a massa descansar por 20 minutos coberta por filme plástico ou um pano úmido, para não ressecar.
8. Divida a massa e modele em formato de cruz dentro das fôrmas de papel. Uma colomba pascal de modelagem grande costuma ter em torno de 550 g, dividida em duas porções de 90 g para as laterais e o restante no meio.
9. Deixe a massa fermentar, novamente coberta por um filme plástico ou pano úmido, até dobrar de volume.

PARA A COBERTURA
1. Em um bowl, misture as claras, as amêndoas e o açúcar de confeiteiro sem amido com a espátula de silicone. Mexa apenas para incorporar os ingredientes.
2. Aplique a cobertura sobre as colombas com o auxílio de um pincel ou da espátula de silicone.
3. Leve para assar a 160 ºC até que a massa fique dourada. O formato de 550 g leva em média 40 minutos de cocção.

:: MODO DE PREPARO – MASSAS FERMENTADAS DOCES

Savarin

1. Separe os ingredientes que serão utilizados na receita, bem como os seguintes utensílios e equipamentos: batedeira com o batedor tipo gancho, espátula de silicone, pincel, assadeira, fôrma de savarin, panela.
2. Preaqueça o forno a 170 °C.
3. Caso a fôrma de savarin seja de alumínio, será necessário untar com manteiga e farinha. Se optar pelas de silicone, não é necessário untar.

PARA A MASSA
1. Na batedeira com o batedor tipo gancho, coloque o açúcar, a farinha, o sal, os ovos, o fermento e metade da manteiga. Comece a bater em velocidade média e agregue o líquido aos poucos até atingir uma textura lisa e macia. Depois, desligue a batedeira.
2. Coloque a massa sobre uma superfície limpa, adicione o restante da manteiga e sove com as mãos até que fique lisa novamente.
3. Deixe a massa descansar por 20 minutos, coberta por filme plástico ou um pano úmido para não ressecar.
4. Divida a massa e coloque-a em fôrmas próprias para savarin. (Um savarin costuma ter em torno de 50 g.)
5. Deixe a massa fermentar, novamente coberta por filme plástico ou pano úmido, até dobrar de volume.
6. Leve os savarins para assar a 170 °C até que fiquem dourados e firmes.

PARA A CALDA
1. Em uma panela, misture a água, o açúcar refinado, a canela em pau e as raspas de laranja. Ferva até 105 °C. Retire a calda do fogo e acrescente o rum.

MONTAGEM
1. Quando saírem do forno, passe os savarins na calda morna. Deixe esfriar antes de servir.

OBSERVAÇÃO
Para fazer o savarin tradicional, uma sugestão é pincelar geleia de damasco (para dar brilho), rechear o centro dos savarins com chantili e decorar com framboesas frescas e açúcar de confeiteiro.

Babá ao rum

1. Separe os ingredientes que serão utilizados na receita, bem como os seguintes utensílios e equipamentos: batedeira com o batedor tipo gancho, espátula de silicone, pincel, assadeira, forminhas tipo muffins ou redondas de 6 cm, panela.
2. Preaqueça o forno a 170 °C.

PARA A MASSA
1. Na batedeira com o batedor tipo gancho, coloque o açúcar, a farinha, os ovos, o sal, o fermento e metade da manteiga. Comece a bater em velocidade média e adicione aos poucos a água até atingir uma textura lisa e macia. Assim que atingir, desligue a batedeira.
2. Fora da batedeira, mas no mesmo recipiente, adicione o restante da manteiga e misture com a espátula até que a massa fique lisa novamente.
3. Acrescente as uvas-passas, apenas incorporando-as à massa. A mistura em excesso vai danificar a cadeia de glúten gerada anteriormente.
4. Deixe a massa descansar por 20 minutos, coberta por filme plástico ou um pano úmido para não ressecar.
5. Divida a massa e coloque-a nas forminhas. Os babás ao rum costumam ter em torno de 50 g.
6. Deixe a massa fermentar, novamente coberta por filme plástico ou um pano úmido, até dobrar de volume.
7. Leve para assar a 170 °C até que fiquem dourados e firmes.

PARA A CALDA
1. Em uma panela, misture a água, o açúcar refinado e as raspas de limão. Ferva os ingredientes até 105 °C. Desligue o fogo e acrescente o rum.

MONTAGEM
1. Quando saírem do forno, passe os babás ao rum na calda morna. Deixe esfriar.

OBSERVAÇÃO
Como sugestão, os babás podem ser pincelados com geleia de damasco (para dar brilho) e decorados com chantili.

Babá ao rum (à esquerda) e savarin (à direita).

CAPÍTULO 5
Cremes

Os cremes são produções utilizadas como recheios e molhos, além de servirem para a montagem de sobremesas, para a decoração ou para a criação de outras produções.

Em geral, as matérias-primas de um creme são, basicamente, leite, creme de leite, ovos, espessantes, gordura e aromatizantes, as quais são unidas em combinações e dosagens diferentes.

Os cremes estão divididos nas seguintes categorias:

- **Cremes a frio:** não precisam de cocção. Normalmente são batidos para criar volume.
- **Cremes cozidos:** são as bases da confeitaria. Passam pelo processo de *liaison*, que consiste na pré-cocção das gemas com o leite quente. Esses cremes podem ou não utilizar amido como espessante.
- **Cremes assados:** terminam sua cocção no forno.
- **Cremes gelatinizados:** contêm gelatina em sua composição. A textura deve ser leve.
- **Cremes compostos:** criados com a mistura de dois ou mais cremes.

Cremes a frio

Os cremes a frio podem ser divididos entre o crème fouettée e o chantili, dependendo da porcentagem de ingredientes e da sua utilização:

- **Crème fouettée:** é feito à base de creme de leite fresco com pelo menos 35% de gordura, gelado e batido em ponto de pico. É utilizado como ingrediente de aeração nas sobremesas.
- **Creme chantili:** é feito à base de creme de leite fresco com pelo menos 35% de gordura e açúcar, cuja quantidade pode variar de 10% a 25% em relação ao peso do creme de leite. É utilizado em recheios e coberturas de bolos e tortas e como acompanhamento de sobremesas, além de ser ingrediente de diversas outras preparações.

CRÈME FOUETTÉE E CHANTILI

Ingredientes	Crème fouettée	Chantili
Açúcar refinado ou de confeiteiro sem amido		50 g
Creme de leite fresco gelado	200 g	200 g
Rendimento	200 g	250 g

:: MODO DE PREPARO – CREMES A FRIO

Crème fouettée e chantili

1. Separe os ingredientes que serão utilizados na receita, bem como os seguintes utensílios e equipamentos: batedeira com o batedor tipo globo ou fouet, bowl e espátula de silicone.

2. Tanto para o chantili quanto para o fouettée, coloque os ingredientes no bowl ou na batedeira e bata em velocidade média até atingir o ponto de pico (quando, levantando o batedor ou o fouet, é possível perceber que forma-se um pico na ponta).

3. No caso do chantili, o açúcar deve ser incorporado no momento de bater o creme.

CREMES 135

Cremes cozidos

Dependendo da consistência e dos ingredientes utilizados, os cremes cozidos são divididos entre creme de confeiteiro (crème pâtissière), creme inglês (crème anglaise) e zabaione (sabayon):

- **Creme de confeiteiro:** é composto de gemas, leite, açúcar e espessante, sendo variável a utilização de manteiga e de aromáticos (tradicionalmente usa-se a baunilha). É utilizado para rechear bolos, tortas e sobremesas, além de ser a base de várias outras preparações ou de cremes derivados.
- **Creme inglês:** é composto de gemas, leite, creme de leite, açúcar e aromáticos (tradicionalmente usa-se a baunilha). É utilizado como molho para sobremesas e como base de várias outras preparações ou cremes derivados. Deve ser cozido a uma temperatura mínima de 74 °C, não podendo ultrapassar a máxima de 82 °C.
- **Zabaione:** foi criado no século XVI, na Itália. É uma preparação espumosa composta de gemas, açúcar e vinho Marsala, os quais são cozidos lentamente em banho-maria. Costuma ser usado como acompanhamento para frutas ou sobremesas.

TIPOS DE CREMES COZIDOS E MODOS DE PREPARO

Ingredientes	Creme de confeiteiro (crème pâtissière)	Creme inglês (crème anglaise)	Zabaione (sabayon)
Açúcar refinado	40 g	50 g	60 g
Amido de milho	15 g		
Creme de leite fresco		150 g	
Gema	40 g	50 g	80 g
Leite integral	250 g	150 g	
Manteiga sem sal	10 g		
Vinho Marsala seco			75 g
Rendimento	350 g	350 g (aprox.)	160 g

OPÇÕES DE AROMÁTICOS

Ingredientes	Creme de confeiteiro	Creme inglês
	Quantidade	
Baunilha em fava	1 unidade	1 unidade
Baunilha em extrato	5 g	5 g
Chocolate amargo derretido	180 g	100 g
Cacau em pó	80 g-100 g	50 g-60 g
Café solúvel	15 g	15 g
Doces em pastas ou geleias	120 g-200 g	150 g-170 g
Licor ou aguardente	40 g-60 g	40 g-60 g
Especiarias	q.b.	q.b.

:: MODO DE PREPARO – CREMES COZIDOS

Creme de confeiteiro (crème pâtissière)

1. Separe os ingredientes que serão utilizados na receita, bem como os seguintes utensílios: panela, bowl, fouet e espátula de silicone.

2. Em uma panela, leve o leite e metade do açúcar ao fogo, mexendo com a espátula até ferver.

3. Em um bowl, coloque as gemas, a outra metade do açúcar e o amido de milho. Misture bem com o auxílio de um fouet.

4. Misture aos poucos o líquido quente à mistura de gemas no bowl, com o auxílio de um fouet (método liaison).

5. Volte a mistura para a panela e retorne ao fogo, mexendo com a espátula de silicone até ficar cremosa (2ª cocção).

6. Acrescente a manteiga e mexa com a espátula de silicone apenas para incorporar o ingrediente.
7. Desligue o fogo e deixe o creme esfriar coberto com filme plástico (em contato com o creme para evitar a formação de uma película seca após o resfriamento).
8. Para utilizar como recheio ou como base para outras preparações, bata o creme na batedeira com o auxílio do batedor raquete até atingir uma textura cremosa e brilhante.

CREMES 137

:: MODO DE PREPARO – CREMES COZIDOS

Creme inglês (crème anglaise)

1. Separe os ingredientes que serão utilizados na receita, bem como os seguintes utensílios: panela, bowl, fouet, espátula de silicone e bowl com gelo.

3. Em um bowl, coloque as gemas e a outra metade do açúcar e misture bem com o auxílio de um fouet.

2. Em uma panela, leve o leite integral, o creme de leite e metade do açúcar ao fogo até ferver (método liaison).

4. Acrescente o líquido quente à mistura de gemas.

5. Volte a mistura para a panela e faça uma segunda cocção até atingir o ponto nappé (82 °C), mexendo sempre com a espátula de silicone.

6. Quando alcançar o ponto nappé, coe o creme sobre um bowl em contato com gelo, para parar a cocção.
7. Adicione a essência desejada e misture.
8. Sirva quente ou frio.

OBSERVAÇÃO
O ponto nappé é atingido a uma temperatura máxima de cocção de 82 °C. Para verificar se ele foi obtido, introduza uma colher na preparação e em seguida remova-a. Passe o dedo na parte posterior da colher e assegure-se de que houve a formação de uma linha de textura fina e bem delimitada.
A textura deve cobrir a parte inferior da colher sem escorrer.

:: MODO DE PREPARO – CREMES COZIDOS

Zabaione (sabayon)

1. Separe os ingredientes que serão utilizados na receita, bem como os seguintes utensílios: panela, bowl, fouet, espátula de silicone e termômetro.

2. Em um bowl, misture as gemas e o açúcar com o auxílio de um fouet.

3. Coloque o bowl em banho-maria e bata vigorosamente utilizando o fouet por aproximadamente 10 minutos, ou até que a mistura fique espumosa e esbranquiçada e atinja a temperatura de 82 °C.

4. Acrescente o vinho Marsala e mexa com o fouet até incorporar bem.
5. Sirva imediatamente acompanhando frutas ou sobremesas.

Cremes assados

Algumas sobremesas que utilizam como base os cremes assados são:

- **Pudim (crème caramel):** o pudim à base de leite é o mais clássico. É composto de leite, ovos e açúcar, com uma calda de caramelo por cima.
- **Crème brûlée:** uma das sobremesas mais conhecidas no mundo ocidental. É composto de um creme rico e sedoso, coberto por uma camada fina e crocante de açúcar na superfície. Quando levado à mesa, o creme deve estar levemente resfriado e a casquinha, levemente aquecida.
- **Petit pot de crème:** creme assado servido em pequenos potes que podem ser de vidro, cerâmica ou barro.
- **Flan francês:** diferente do flan brasileiro, essa produção é composta de uma base de torta com um creme assado dentro.

RECEITAS COM CREMES ASSADOS

Ingredientes	Pudim (crème caramel)	Crème brûlée	Petit pot de crème	Flan francês
Açúcar refinado	Qtde. 1: 120 g Qtde. 2: 20 g Qtde. 3: 40 g	40 g	30 g	60 g
Açúcar impalpável				60 g
Água	40 g			
Cacau em pó			3 g	
Chocolate 60%			36 g	
Creme de leite fresco		140 g	150 g	
Essência de baunilha	2 g			
Farinha de trigo				125 g
Fava de baunilha		¼ de unidade		2 g
Gemas	20 g	40 g		30 g
Leite integral	200 g	100 g		300 g
Manteiga sem sal				63 g
Ovos	55 g		30 g	Qtde. 1: 30 g Qtde. 2: 83 g
Rendimento	5 fôrmas de 5 cm de diâmetro	5 unidades de 5 cm de diâmetro (aprox.)	3 potes de 5 cm de diâmetro (aprox.)	1 fôrma de 20 cm de diâmetro

OPÇÕES DE AROMÁTICOS

Ingredientes	Quantidade por litro
Baunilha em extrato	5 g
Baunilha em fava	1 unidade
Cacau em pó	80 g-100 g
Café solúvel	15 g
Chocolate amargo derretido	180 g
Doces em pastas ou geleias	120 g-200 g
Especiarias	q.b.
Licor ou aguardente	40 g-60 g

:: MODO DE PREPARO – CREMES ASSADOS

Pudim (crème caramel)

1. Separe os ingredientes que serão utilizados na receita, bem como os seguintes utensílios: panela, bowl, fouet, assadeira, espátula de silicone, termômetro, forminhas redondas de 6 cm, papel-alumínio.
2. Preaqueça o forno a 160 °C.

PARA O CARAMELO:
1. Em uma panela, misture 120 g de açúcar com a água e leve ao fogo, mexendo com a espátula até obter o ponto de caramelo (de 145 °C a 150 °C).
2. Despeje o caramelo nas forminhas e reserve.

PARA O CREME (MÉTODO LIAISON):
1. Em uma panela, leve o leite e 20 g do açúcar ao fogo até ferver, mexendo com a espátula.
2. Em um bowl, coloque as gemas, os ovos inteiros e o restante do açúcar e misture com o auxílio de um fouet.
3. Misture aos poucos o líquido quente à mistura de gemas com o auxílio do fouet.
4. Adicione a essência de baunilha e misture com o auxílio do fouet até ficar homogêneo.
5. Coloque o creme nas forminhas carameladas e cubra-as com papel-alumínio.
6. Coloque as forminhas em uma assadeira com água quente.
7. Faça uma segunda cocção, assando em banho-maria a 160 °C até que o creme coagule.
8. Retire do forno e deixe esfriar para desenformar.

Crème brûlée

1. Separe os ingredientes que serão utilizados na receita, bem como os seguintes utensílios: panela, bowl, fouet, assadeira, espátula de silicone, ramequins e maçarico.
2. Preaqueça o forno a 160 °C.
3. Para o creme (método liaison): em uma panela, leve o leite, o creme leite, a fava de baunilha e metade do açúcar ao fogo, mexendo com uma espátula até ferver.
4. Em um bowl, coloque as gemas e a outra metade do açúcar e misture com o auxílio de um fouet.
5. Misture aos poucos o líquido quente à mistura de gemas com o auxílio de um fouet.
6. Coloque o creme nos ramequins e cubra-os com papel-alumínio.
7. Coloque os ramequins em uma assadeira com água quente e leve para assar em banho-maria a 160 °C até coagular o creme.
8. Tire do forno e deixe o creme esfriar na geladeira por 4 horas.
9. Retire da geladeira e cubra cada ramequim com um pouco de açúcar, depois "queime" rapidamente a superfície com o maçarico para fazer uma casquinha crocante.

OBSERVAÇÃO
Na França, quando o creme do pudim é assado em calor seco em uma massa de torta ele é chamado de flan, diferentemente do que se chama de flan no Brasil.

:: MODO DE PREPARO – CREMES ASSADOS

Petit pot de crème

1. Separe os ingredientes que serão utilizados na receita, bem como os seguintes utensílios e equipamentos: panela, bowl, fouet, espátula de silicone, assadeira, potinhos ou ramequins, mixer, papel-alumínio.
2. Preaqueça o forno a 160 °C.
3. Em uma panela, leve o creme de leite com metade do açúcar ao fogo, mexendo com a espátula até ferver.
4. Em um bowl, misture os ovos com a outra metade do açúcar com o auxílio de um fouet.
5. Acrescente o creme de leite quente sobre os ovos e mexa bem com o auxílio da espátula de silicone (método liaison).
6. Acrescente o cacau em pó e o chocolate 60% e misture.
7. Bata a mistura com um mixer para emulsificar, tomando cuidado para não agregar muito ar (apenas até misturar bem os ingredientes).
8. Coloque o creme em potinhos e cubra-os com papel-alumínio.
9. Coloque os potinhos sobre uma assadeira com água quente e leve para assar em banho-maria a 160 °C por, aproximadamente, 30 minutos, ou até que o creme esteja coagulado.
10. Retire do fogo e leve para gelar. Sirva com chantili.

Flan francês

1. Separe os ingredientes que serão utilizados na receita, bem como os seguintes utensílios: panela, bowl, fouet, fôrma de torta, garfo, espátula de silicone, filme plástico, rolo de abrir massa.
2. Preaqueça o forno a 160 °C.
3. Para a massa: em um bowl, misture com as pontas dos dedos os cubos de manteiga fria com a farinha de trigo até obter uma mistura arenosa (farofa fina).
4. Acrescente o açúcar impalpável e 30 g de ovos e mexa com as mãos até obter uma massa homogênea.
5. Embrulhe a massa em um filme plástico e leve à geladeira por 30 minutos.
6. Abra a massa com o auxílio do rolo entre duas folhas plásticas até atingir a espessura de 2 mm.
7. Forre uma fôrma de torta com a massa, faça furinhos em toda a superfície com o garfo e leve-a para pré-assar (deve ficar seca, porém não dourada), colocando um peso sobre a massa (por exemplo, grãos secos). Reserve.
8. Para o creme (método liaison): em uma panela, leve os líquidos (leite e creme de leite), a fava de baunilha e metade do açúcar refinado ao fogo e mexa com uma espátula até ferver.
9. Em um bowl, coloque as gemas e a outra metade do açúcar refinado e misture com o auxílio de um fouet.
10. Misture aos poucos o líquido quente à mistura de gemas com o auxílio de um fouet.
11. Coloque o creme sobre a massa pré-assada e leve para assar a 160 °C.
12. Deixe assar até que o creme fique firme e dourado por cima. Sirva gelado.

CREMES

Cremes gelatinizados

Algumas sobremesas compostas de cremes que levam gelatina em suas composições são:

- **Flan brasileiro:** esse creme para flan é uma criação brasileira com base na textura lisa e compacta do flan tradicional francês. É composto de leite condensado, creme de leite, gelatina (ou pó para maria-mole) e/ou frutas, e é levado à geladeira para ficar firme. Pode ser acompanhado de diferentes molhos ou caldas.
- **Panna cotta:** sobremesa clássica italiana de textura delicada e sabor único.

RECEITAS COM CREMES GELATINIZADOS

Ingredientes	Flan brasileiro	Panna cotta
Açúcar refinado		20 g
Água	75 g	7 g
Casca de limão-siciliano ralada		¼ casca de 1 limão
Creme de leite fresco		225 g
Creme de leite UHT ou polpa de fruta	240 g	
Gelatina em pó	12 g	1,5 g
Leite condensado	395 g	
Leite integral		25 g
Rendimento	6 unidades	5 unidades

:: MODO DE PREPARO – CREMES GELATINIZADOS

Flan brasileiro

1. Separe os ingredientes que serão utilizados na receita, bem como os seguintes utensílios e equipamentos: bowl, panela ou micro-ondas, espátula de silicone, molde, fouet.
2. Em um bowl, hidrate e dissolva a gelatina na água (p. 41).
3. Depois de pronta, misture a gelatina aos demais ingredientes com o auxílio de um fouet, formando um creme.
4. Coloque o creme em um molde e leve para gelar por 4 horas.
5. Retire da geladeira e sirva com molho de caramelo, chocolate ou frutas.

OBSERVAÇÃO
O flan feito com maria-mole no lugar da gelatina é composto de creme de leite, leite condensado e pó para maria-mole hidratada com água, conforme as orientações do fabricante. Esse creme pode ser desenformado e servido com diferentes molhos ou com calda de caramelo.

Panna cotta

1. Separe os ingredientes que serão utilizados na receita, bem como os seguintes utensílios: panela, bowl, espátula de silicone, molde ou forminhas.
2. Em um bowl, hidrate e dissolva a gelatina na água (p. 41). Reserve.
3. Em uma panela, misture o creme de leite fresco, o leite integral, o açúcar e a casca do limão com o auxílio da espátula.
4. Retire do fogo, acrescente a gelatina hidratada e mexa bem com o auxílio da espátula.
5. Coloque a mistura nas forminhas adequadas e leve para refrigerar por cerca de 4 horas.
6. Retire da geladeira e sirva acompanhado de molho de caramelo, frutas vermelhas ou chocolate.

Da esquerda para a direita: pudim, flan francês, panna cotta, flan brasileiro, crème brûlée, petit pot de crème.

Cremes compostos

CREME DE MANTEIGA (CRÈME AU BEURRE)

Preparação fina e leve que pode ser composta de ovos, açúcar e manteiga sem sal. Existem inúmeras técnicas de preparo, tais como:

- **Creme de manteiga frio ou básico:** é a técnica mais antiga de preparo, mas pouco utilizada hoje em dia em virtude do pouco tempo de conservação.
- **Creme de manteiga à francesa:** utiliza como base a pâte à bombe.
- **Creme de manteiga à inglesa:** utiliza o creme inglês como base, acrescido de merengue italiano.
- **Creme de manteiga à base de merengue italiano:** utiliza como base o merengue italiano.

TIPOS DE CREME DE MANTEIGA

Ingredientes	Creme de manteiga frio ou básico	Creme de manteiga à francesa	Creme de manteiga à inglesa	Creme de manteiga à base de merengue italiano
Açúcar impalpável	360 g			
Açúcar refinado		200 g	50 g	250 g
Água		50 g		100 g
Claras				105 g
Gemas		100 g	150 g	
Gordura vegetal hidrogenada	200 g			
Leite integral			120 g	
Manteiga sem sal	50 g	250 g	250 g	250 g
Merengue italiano			100 g	
Ovos				
Rendimento	610 g	600 g	670 g	705 g

OPÇÕES DE AROMÁTICOS

Ingredientes	Quantidade por litro/kg
Baunilha em extrato	5 g
Baunilha em fava	1 unidade
Cacau em pó	50 g-60 g
Café solúvel diluído	15 g
Chocolate amargo derretido	100 g-200 g
Doces em pastas ou geleias	150 g-170 g
Especiarias	q.b.
Licor ou aguardente	40 g-60 g
Pastas concentradas (avelãs, pistache, amendoim, etc.)	40 g-60 g

:: MODO DE PREPARO – CREME DE MANTEIGA

Creme de manteiga frio ou básico

1. Separe os ingredientes que serão utilizados na receita, bem como os seguintes utensílios e equipamentos: batedeira com o batedor tipo globo, fouet e espátula de silicone.
2. Na batedeira com o batedor tipo globo, bata todos os ingredientes em velocidade média até formar um creme com textura leve.
3. Finalize acrescentando o aromatizante escolhido, misturando delicadamente com o fouet ou a espátula de silicone.

Creme de manteiga à francesa

1. Separe os ingredientes que serão utilizados na receita, bem como os seguintes utensílios e equipamentos: panela, termômetro, batedeira com o batedor tipo globo, espátula de silicone.
2. Em uma panela, faça uma calda com o açúcar e a água até atingir a temperatura de 120 °C (ponto de fio – p. 170).
3. Na batedeira com o batedor tipo globo, bata as gemas em velocidade média apenas para se misturarem.
4. Adicione a calda aos poucos às gemas sem parar de bater. Bata até o creme ficar frio.
5. Adicione aos poucos a manteiga em temperatura ambiente (20 °C) em cubos pequenos e bata até o creme ficar com brilho e textura cremosa.

Creme de manteiga à inglesa

1. Separe os ingredientes que serão utilizados na receita, bem como os seguintes utensílios e equipamentos: panela, bowl, fouet, espátula de silicone, termômetro, batedeira com os batedores tipo raquete e globo.
2. Na batedeira com o batedor tipo raquete, bata a manteiga em velocidade média até atingir a textura de pomada.
3. Em uma panela, faça um creme inglês com as gemas, o leite e o açúcar (p. 138).
4. Deixe o creme inglês esfriar e acrescente-o à manteiga batida aos poucos com o merengue, misturando com o fouet até ficar homogêneo.

Creme de manteiga à base de merengue italiano

1. Separe os ingredientes que serão utilizados na receita, bem como os seguintes utensílios e equipamentos: panela, bowl, fouet, termômetro, espátula de silicone, batedeira com o batedor tipo globo.
2. Na batedeira com o batedor tipo globo, faça um merengue italiano com as claras, o açúcar e a água (p. 174).
3. Quando o merengue estiver morno, adicione a manteiga em cubos e misture com o fouet até o creme ficar homogêneo.

DERIVADOS DE CREME DE CONFEITEIRO OU CREME INGLÊS

- **Crème légère e diplomate:** o crème légère é um "creme leve" (em tradução literal) que tem origem no pudim francês do século XIX. É um creme derivado composto de creme de confeiteiro e creme de leite fresco batido. Caso haja adição de gelatina, ele passa a receber o nome de *diplomate* (diplomata). Normalmente é usado como recheio em outras preparações.
- **Creme de amêndoas e crème frangipane:** o creme de amêndoas é feito com creme de manteiga e amêndoas, e o frangipane é composto da mistura de creme de confeiteiro com creme de amêndoas.
- **Crème mousseline:** é composto de creme de confeiteiro, manteiga em pomada e algum ingrediente de aeração (o mais utilizado é o merengue). A utilização de gelatina é opcional e depende da textura desejada para o creme e de sua utilização. Normalmente é usado como recheio em outras preparações.
- **Creme bavarois:** desenvolvido por Carême, célebre chef francês do século XIX, é composto de creme inglês, gelatina e crème fouettée. Tradicionalmente é aromatizado com baunilha, mas podem ser usados outros aromáticos.
- **Crème Chiboust ou crème Saint-Honoré:** foi desenvolvido no século XIX pelo confeiteiro francês Chiboust para homenagear a si mesmo. É composto tradicionalmente de creme de confeiteiro, fava de baunilha e merengue francês. Atualmente, por conta do baixo tempo de conservação, o merengue francês pode ser substituído pelo merengue suíço ou pelo italiano. Pode-se ainda adicionar gelatina para conferir estabilidade. É tradicionalmente servido na torta Saint-Honoré (p. 279).
- **Crème Paris-Brest:** é o recheio clássico para a sobremesa de mesmo nome, que tradicionalmente leva creme de confeiteiro, manteiga e pasta de praliné.
- **Cremoso ou crémeux:** creme de textura untuosa, diferente do creme de confeiteiro, que é mais leve, e da ganache, que tem textura mais marcante. Leva como produto principal o creme inglês tradicionalmente aromatizado com chocolate, porém também é possível encontrar o cremoso de frutas, no qual o líquido do creme inglês é substituído por sucos de frutas e acrescido de uma pequena quantidade de gelatina. Pode ser usado como recheio de tortas e bolos ou em outras montagens.

Ingredientes	Crème légère
Açúcar refinado	
Água	
Amido de milho	
Aromáticos (frutas em conserva, frutas secas ou chocolate picado)	
Chocolate 70% cacau	
Creme de confeiteiro	250 g
Creme de leite fresco	
Crème fouettée	70 g
Farinha de amêndoas	
Fava de baunilha	
Gelatina em pó	
Gemas	
Leite integral	
Manteiga sem sal	
Merengue italiano	
Merengue suíço	
Ovos	
Praliné (pasta de avelã com açúcar)	
Rum	
Rendimento	330 g

Crème diplomate	Creme de amêndoas	Crème frangipane	Crème mousseline	Creme bavarois	Crème Chiboust/ Saint--Honoré	Crème Paris-Brest	Cremoso ou crémeux
	80 g	80 g		100 g			25 g
10 g			50 g	90 g	10 g		
	8 g	8 g					
			150 g				
							80 g
250 g		220 g	190 g		500 g	200 g	
							125 g
70 g				260 g			
	80 g	80 g					
				¼			
2 g			10 g	10 g	2 g (opcional)		
				80 g			50 g
				200 g			125 g
	80 g	80 g	150 g (em pomada)			100 g (em pomada)	
			140 g				
						150 g	
	40 g	40 g					
						50 g	
	12 g	12 g					
330 g	520 g	520 g	640 g	740 g	650 g	350 g	300 g

OPÇÕES DE AROMÁTICOS – CREMOSO

Ingredientes	Quantidade	Alterações na receita
Chocolate 50% cacau	110 g	Substituir o chocolate 70% cacau
Chocolate 30% cacau	125 g	Substituir o chocolate 70% cacau
Chocolate branco	115 g	Substituir o chocolate 70% cacau Acrescentar 10 g de gelatina em pó hidratada em 20 g de água

:: MODO DE PREPARO – CREMES DERIVADOS

Crème légère e diplomate

PARA O CRÈME LÉGÈRE　　**PARA O CRÈME DIPLOMATE**

1. Separe os ingredientes que serão utilizados na receita, bem como os seguintes utensílios e equipamentos: panela, bowl, fouet, espátula de silicone, batedeira com os batedores tipo globo e raquete.

1. Na batedeira com o batedor tipo raquete, bata o creme de confeiteiro frio em velocidade média até ficar liso. Reserve.
2. Com o batedor tipo globo, bata o creme de leite fresco gelado até formar picos (crème fouettée – p. 135).
3. Em um bowl, adicione metade do crème fouettée ao creme de confeiteiro e mexa delicadamente com o fouet de baixo para cima.

1. Na batedeira com o batedor tipo raquete, bata o creme de confeiteiro frio em velocidade média até ficar liso.
2. Em um bowl, hidrate e dissolva a gelatina na água (p. 41).

3. Misture a gelatina no creme de confeiteiro, mexendo com o auxílio da espátula até incorporar bem.
4. Na batedeira com o batedor tipo globo, bata o creme de leite fresco gelado até formar picos (crème fouettée – p. 135).
5. Adicione metade do crème fouettée ao creme de confeiteiro e mexa delicadamente com o fouet, de baixo para cima.

4. Quando o creme estiver totalmente incorporado, repita o processo com o restante do crème fouettée.

6. Quando o creme estiver totalmente incorporado, repita o processo com o restante do crème fouettée.
7. Aplique no produto como recheio.

:: MODO DE PREPARO – CREMES DERIVADOS

Creme de amêndoas e crème frangipane

PARA O CREME DE AMÊNDOAS

1. Separe os ingredientes que serão utilizados na receita, bem como os seguintes utensílios: bowl, espátula de silicone e fouet.

2. Em um bowl, bata a manteiga e o açúcar com o auxílio do fouet.

3. Acrescente a farinha de amêndoas, os ovos, o amido de milho e o rum. Mexa com o fouet até ficar homogêneo. Nesse ponto o creme de amêndoas está pronto.

PARA O CRÈME FRANGIPANE

1. Separe os ingredientes que serão utilizados na receita, bem como os seguintes utensílios e equipamentos: batedeira com o batedor tipo raquete e espátula de silicone.
2. Na batedeira com o batedor tipo raquete, bata o creme de confeiteiro frio em velocidade média até ficar liso.

3. Adicione o creme de amêndoas e mexa com o fouet até ficar homogêneo.
4. O frangipane é normalmente utilizado como recheio.

CREMES 153

:: MODO DE PREPARO – CREMES DERIVADOS

Crème mousseline

1. Separe os ingredientes que serão utilizados na receita, bem como os seguintes utensílios e equipamentos: panela, bowl, fouet, espátula de silicone e batedeira com o batedor tipo raquete.
2. Prepare um merengue italiano (p. 174) e reserve.

3. Em um bowl, hidrate e dissolva a gelatina na água (p. 41). Reserve.
4. Na batedeira com o batedor tipo raquete, bata o creme de confeiteiro frio em velocidade média até ficar liso.

5. Em um bowl, misture, com o auxílio de um fouet, o creme de confeiteiro batido com a manteiga em pomada.

6. Adicione a gelatina hidratada e derretida.

7. Depois, acrescente o merengue em duas etapas, misturando delicadamente com o fouet apenas para incorporar os ingredientes.
8. Se desejar, finalize acrescentando o aromático e misturando até incorporar.

:: MODO DE PREPARO – CREMES DERIVADOS

Creme bavarois

1. Separe os ingredientes que serão utilizados na receita, bem como os seguintes utensílios e equipamentos: panela, bowl, fouet, batedeira com o batedor tipo globo, espátula de silicone.
2. Em uma panela, faça um creme inglês (p. 138) com o leite, a fava de baunilha, o açúcar e as gemas. Reserve.

3. Em um bowl, hidrate e dissolva a gelatina na água (p. 41).

4. Coloque a gelatina no creme inglês pronto e quente. Mexa com a espátula até incorporar e reserve.
5. Na batedeira com o batedor tipo globo, bata o creme de leite fresco gelado em velocidade média até atingir o ponto de pico (crème fouettée – p. 135). Reserve.
6. Esfrie o creme inglês sem parar de mexer (pode ser sobre um bowl com gelo) até que atinja a consistência de creme de confeiteiro.

7. Misture delicadamente com o fouet o crème fouettèe no creme inglês. Esse creme normalmente é utilizado como recheio ou cobertura.

CREMES

:: MODO DE PREPARO – CREMES DERIVADOS

Crème Chiboust ou crème Saint-Honoré

1. Separe os ingredientes que serão utilizados na receita, bem como os seguintes utensílios e equipamentos: batedeira com o batedor tipo raquete, panela, bowl, espátula de silicone, fouet, saco de confeitar.

2. Prepare um merengue suíço (p. 173) e reserve.
3. Na batedeira com o batedor tipo raquete, bata o creme de confeiteiro frio em velocidade média até ficar liso.

4. Se for preciso, hidrate e dissolva a gelatina (p. 41) e acrescente-a ao creme para dar estabilidade.

5. Agregue o merengue suíço ao creme com gelatina e mexa delicadamente com o fouet apenas para incorporar.
6. Com o auxílio de uma espátula de silicone ou de um saco de confeitar, aplique o creme na torta Saint-Honoré.

Crème Paris-Brest

1. Separe os ingredientes que serão utilizados na receita, bem como os seguintes utensílios e equipamentos: batedeira com o batedor tipo raquete, espátula de silicone e bowl.
2. Na batedeira com o batedor tipo raquete, bata o creme de confeiteiro frio em velocidade média até ficar liso. Reserve.

3. Em um bowl, misture o praliné (deve estar em temperatura ambiente) com a manteiga.

4. Acrescente o praliné ao creme de confeiteiro, mexendo até formar um creme macio.
5. Aplique sobre a produção.

:: **MODO DE PREPARO – CREMES DERIVADOS**

Cremoso ou crémeux

1. Separe os ingredientes que serão utilizados na receita, bem como os seguintes utensílios: panela, bowl, espátula de silicone, fouet e termômetro.
2. Em uma panela, faça um creme inglês (p. 138) com as gemas, o açúcar, o leite integral e o creme de leite fresco.

3. Adicione o creme inglês ainda quente ao chocolate.

4. Misture com o auxílio de um fouet até ficar homogêneo (no caso do chocolate branco, adicione gelatina hidratada primeiro).
5. Cubra o creme com filme plástico e leve para gelar.

CREMES

Da esquerda para a direita: creme bavarois, crème Paris-Brest, cremoso (ao fundo), creme de confeiteiro, crème Chiboust (ao fundo), frangipane e crème légère.

Mousses

As mousses são produções aeradas e leves usadas como sobremesa ou aplicadas na montagem de variadas preparações. Podem ter diferentes bases, como ovos e creme de leite, e ingredientes de aeração, como o merengue. A gelatina, quando utilizada, desempenha o papel de dar estrutura e sustentação às moléculas da mousse, tornando possível que esta seja fatiada.

O tipo de base aromática utilizado e a composição da mousse influenciarão a escolha do tipo de espuma e a quantidade de gelatina adequada (quando esta for utilizada). Por exemplo, para mousses de frutas, normalmente usa-se merengue italiano para conferir uma textura mais leve e sabor adocicado, além de a cor branca do merengue ajudar na coloração final do produto. Nesse caso, utiliza-se a gelatina como agente de gelificação. Para mousses de chocolate, costuma-se usar a pâte à bombe, já que a lecitina natural da gema ajuda a manter a emulsão ao eliminar a água da gordura, além de contribuir para a textura final. Nesse caso, quase nunca utilizamos gelatina, pois o próprio chocolate já gelifica a mousse.

- **Opções de bases:** purê de frutas, cremes cozidos (creme inglês, zabaione), ganache, geleias, doces cremosos, etc.
- **Opções de bases de aeração:** merengue italiano, pâte à bombe, crème fouettée ou zabaione.

TIPOS DE MOUSSES E MODOS DE PREPARO

Ingredientes	Mousse com merengue italiano	Mousse de chocolate com pâte à bombe	Mousse com zabaione
Açúcar refinado		45 g	
Água	35 g	30 g	35 g
Aromatizante	200 g (doce de leite, geleia ou polpa de fruta)		95 g (polpa de frutas, bebidas alcoólicas, etc.)
Chocolate 70% cacau		150 g	
Creme de leite fresco	160 g	200 g	300 g
Gelatina em pó	7 g		7 g
Gemas		60 g	
Merengue italiano	85 g		
Ovos		50 g	
Zabaione			200 g
Rendimento (aproximado)	480 g	500 g	610 g

OPÇÕES DE AROMÁTICOS – MOUSSE DE CHOCOLATE COM PÂTE À BOMBE

Ingredientes	Quantidade	Alterações na receita
Chocolate 50% cacau	170 g	Substituir o chocolate 70% cacau
Chocolate 30 % cacau	230 g	Substituir o chocolate 70% cacau Acrescentar 1,5 g de gelatina em pó hidratada em 8 g de água
Chocolate branco	250 g	Substituir o chocolate 70% cacau Acrescentar 3 g de gelatina em pó hidratada em 15 g de água

:: MODO DE PREPARO – MOUSSES

Mousse com merengue italiano

1. Separe os ingredientes que serão utilizados na receita, bem como os seguintes utensílios e equipamentos: bowl, espátula de silicone, fouet, batedeira com batedor tipo globo.
2. Em um bowl, bata o creme de leite fresco com o auxílio do fouet até formar picos (crème fouettée – p. 135).

3. Separadamente, em outro bowl, hidrate e dissolva a gelatina na água (p. 41). Reserve.

4. Em um bowl, misture o aromatizante e a gelatina, mexendo com o fouet para ficar homogêneo.

5. Adicione o merengue ao aromatizante e depois acrescente o crème fouettée em duas etapas, misturando delicadamente com o fouet de baixo para cima para manter a aeração.

CREMES

:: MODO DE PREPARO – MOUSSES

Mousse de chocolate com pâte à bombe

PARA A PÂTE À BOMBE **PARA A MOUSSE**

1. Separe os ingredientes que serão utilizados na receita, bem como os seguintes utensílios e equipamentos: panela, bowl, espátula de silicone, fouet, batedeira com batedor tipo globo, termômetro, micro-ondas.

1. Em um bowl, derreta o chocolate em banho-maria ou no micro-ondas.
2. Adicione o chocolate derretido à massa de pâte à bombe.
3. Na batedeira com o batedor tipo globo, bata o creme de leite em velocidade média até atingir ponto de pico (crème fouettée – p. 135).

4. Por último, acrescente o crème fouettée delicadamente com o fouet em duas etapas, misturando de baixo para cima, para manter a aeração.
5. Aplique como recheio ou coloque em taças e leve para gelar.

1. Em um bowl, misture as gemas, os ovos, a água e o açúcar e leve ao banho-maria, batendo com o auxílio de um fouet até atingir a temperatura de 82 °C.
2. Leve a mistura à batedeira e bata com o batedor tipo globo, em velocidade média, até que fique esbranquiçada e fria.

OBSERVAÇÃO
A pâte à bombe pode ser feita com uma calda de água e açúcar a 123 °C, em vez de ser feita em banho-maria. Nesse caso, bata somente as gemas e os ovos na batedeira e despeje a calda quente na mistura. Bata até esfriar.
Para as mousses que precisam de gelatina, hidrate a gelatina na água, derreta em banho-maria e adicione à pâte à bombe.

:: MODO DE PREPARO – MOUSSES

Mousse com zabaione

1. Separe os ingredientes que serão utilizados na receita, bem como os seguintes utensílios e equipamentos: bowl, espátula de silicone, fouet e batedeira com o batedor tipo globo.

2. Em um bowl, hidrate e dissolva a gelatina na água (p. 41). Reserve.

3. Junte a gelatina ao zabaione e ao aromatizante, mexendo com a espátula até incorporar. Reserve.
4. Na batedeira com o batedor tipo globo, bata o creme de leite fresco em velocidade média até atingir o ponto de pico (crème fouettée – p. 135).

5. Acrescente o crème fouettée delicadamente à mistura de zabaione em duas etapas, misturando com um fouet de baixo para cima, para manter a aeração.

CREMES 163

À frente: mousse de pistache à base de zabaione.
Ao fundo: mousse de framboesa à base de merengue italiano, mousse de chocolate à base de pâte à bombe.

Suflê de chocolate.

Suflês (soufflés)

São preparações aeradas que podem ser servidas quentes ou geladas. As produções quentes têm como base um produto cremoso (geralmente geleias, doce de leite, ganaches ou cremes) que é aerado com merengue francês e depois assado. Os suflês quentes devem ser consumidos imediatamente após a cocção e podem ser acompanhados de caldas quentes ou frias.

Para as produções geladas, há também uma base aromatizada, e sua aeração normalmente é composta de creme de leite fresco batido e merengue italiano (ver p. 174).

BASE DE SUFLÊS

Ingredientes	Creme de confeiteiro (crème pâtissière)	Merengue francês
Açúcar refinado	35 g	30 g
Claras		105 g
Farinha de trigo	15 g	
Gemas	30 g	
Leite	100 g	
Manteiga sem sal	10 g	
Rendimento	170 g	135 g

OPÇÕES DE AROMÁTICOS

Ingredientes	Quantidade
Cacau em pó	8 g-10 g
Chocolate 70% derretido	10 g-30 g
Pastas concentradas	10 g-20 g
Especiarias	1 g

:: MODO DE PREPARO

Suflês

1. Separe os ingredientes que serão utilizados na receita, bem como os seguintes utensílios e equipamentos: panela, bowl, espátula de silicone, fouet, batedeira com batedor tipo globo, pincel e ramequins.
2. Preaqueça o forno a 180 °C.
3. Unte os ramequins pincelando manteiga em seu interior e polvilhando um pouco de açúcar.
4. Em uma panela, faça um creme de confeiteiro (p. 137) com o açúcar, a farinha, as gemas, o leite e a manteiga, e aromatize como desejar. Reserve.
5. Na batedeira com o batedor tipo globo, acrescente as claras e bata em velocidade média. No momento que ficarem bem aeradas, pare de bater, levante o batedor e, se a mistura formar um pico firme, estará pronta a clara em neve.
6. Ligue a batedeira novamente e adicione o açúcar refinado às claras em neve aos poucos, sem parar de bater. Bata até ficar firme e brilhante. Nesse ponto a mistura formou um merengue francês.
7. Com o auxílio de um fouet, misture o merengue francês delicadamente ao creme de confeiteiro frio.
8. Disponha a mistura nos ramequins untados.
9. Leve-os para assar a 180 °C por 15 minutos, ou até que o suflê fique firme.

CAPÍTULO 6

Açúcar

Pontos de calda de açúcar

O açúcar, em suas diferentes formas, pode ser a base para muitas preparações. Quando é utilizado como calda, pode adquirir diferentes consistências dependendo da temperatura utilizada.

Nome popular		Temperatura (°C)	Exemplos de utilização
Ponto de fio		101 °C-110 °C (xarope)	Babá ao rum, frutas em calda, savarin, frutas cristalizadas, caldas de bolo.
Ponto de fio grosso ou bala mole		114 °C-120 °C	Creme amanteigado, caramelos moles, geleias, merengue italiano, fondant, nougat.
Ponto de bala dura		122 °C-127 °C	Balas de caramelo, geleias, etc.
Ponto de quebrar ou caramelo		146 °C-156 °C	Algodão doce, balas, enfeite de fios de açúcar, enfeites de açúcar soprado.
Ponto de caramelo		160 °C (decoração)	Caramelização de fôrmas, cabelos de anjo, balas e nougatines, caramelo puxado, caramelo soprado, rocher.

Fonte: adaptado de Suas (2011, p. 257).

Merengues

O merengue é uma espuma feita de claras, produzida pela introdução de ar que ocorre no batimento, com a adição de açúcar para dar estabilidade à mistura. Para que a aeração seja plena, é importante que as claras não contenham nenhum tipo de gordura.

Alguns ingredientes adicionais também podem ser utilizados nos merengues, como o cremor de tártaro, que é usado em uma dosagem de 0,05% do peso das claras, para facilitar sua coagulação por meio de uma leve acidificação. Ele não interfere no volume da espuma. O sal também costuma ser utilizado, mas não é indicado, pois, mesmo em pequenas quantidades, ele diminui o tempo de batida das claras, comprometendo o volume e a estabilidade da espuma.

A técnica de preparo é o que diferencia os tipos de merengue, que se dividem entre francês, suíço e italiano:

- **Merengue francês:** para esse tipo de merengue o preparo é feito a frio, mas necessita passar por cocção antes de ser utilizado. É muito indicado para a produção de suspiros e outras preparações que serão colocadas no forno.
- **Merengue suíço:** preparado a quente, esse tipo de merengue tem consistência mais firme e é a técnica mais estável. Pode ser usado como ingrediente de tortas e mousses (atualmente, o merengue italiano é o mais utilizado) e para produzir suspiros.
- **Merengue italiano:** preparado com uma calda, é muito utilizado para cobrir tortas e bolos, além de ser utilizado como ingrediente de aeração em mousses.

TIPOS DE MERENGUES E MODOS DE PREPARO

Ingredientes	Merengue francês	Merengue suíço	Merengue italiano
Açúcar refinado	250 g	140 g	200 g
Água			60 g
Claras	125 g	70 g	100 g
Essência de baunilha ou raspas de limão	Opcional	Opcional	Opcional
Rendimento	325 g	210 g	310 g

:: MODO DE PREPARO – MERENGUES

Merengue francês

1. Separe os ingredientes que serão utilizados na receita, bem como os seguintes utensílios e equipamentos: batedeira com o batedor tipo globo, espátula de silicone, assadeira, papel-manteiga ou silpat e saco de confeitar com bico.
2. Preaqueça o forno a 100 ºC.
3. Disponha um silpat ou papel-manteiga sobre a assadeira e reserve.
4. Na batedeira com o batedor tipo globo, acrescente as claras e bata em velocidade média. No momento que ficarem bem aeradas, pare de bater, levante o batedor e, se a mistura formar um pico firme, estará pronta a clara em neve.
5. Ligue a batedeira novamente e acrescente o açúcar aos poucos na clara em neve sem parar de bater.
6. Bata até ficarem firmes.
7. Adicione as raspas de limão ou a essência, se forem utilizados, e misture com o auxílio de uma batedeira ou da espátula de silicone.
8. Coloque o merengue no saco de confeitar com bico e dê o formato desejado sobre o papel-manteiga ou silpat.
9. Leve ao forno em temperatura baixa (100 ºC) para secar.
10. O tempo de cocção dependerá do tamanho do produto. Se os merengues forem de 3 cm, por exemplo, o tempo de cocção será de aproximadamente 1 hora. A textura final deve ser seca e crocante.

OBSERVAÇÃO
Para facilitar a cocção, pode-se retirar 50% do peso total de açúcar refinado e acrescentar 25% de açúcar impalpável.

:: MODO DE PREPARO – MERENGUES

Merengue suíço

1. Separe os ingredientes que serão utilizados na receita, bem como os seguintes utensílios e equipamentos: panela, espátula de silicone, batedeira com o batedor tipo globo, termômetro, assadeira, papel-manteiga ou silpat e saco de confeitar com bico.
2. Preaqueça o forno a 100 ºC.
3. Disponha um silpat ou papel-manteiga sobre a assadeira e reserve.

4. Em uma panela, misture bem as claras e o açúcar com o auxílio de uma espátula.

5. Leve ao fogo, misturando sempre, até atingir a temperatura de 60 ºC.

6. Coloque a mistura na batedeira com o batedor tipo globo, acrescente a essência e bata em velocidade média até esfriar e obter um ponto de pico firme.
7. Coloque o merengue no saco de confeitar com bico e dê o formato desejado sobre o papel-manteiga ou silpat.
8. Leve ao forno em temperatura baixa (100 ºC) para secar.
9. O tempo de cocção dependerá do tamanho do produto. A textura deve ser seca e crocante.

AÇÚCAR

173

:: **MODO DE PREPARO – MERENGUES**

Merengue italiano

1. Separe os ingredientes que serão utilizados na receita, bem como os seguintes utensílios e equipamentos: panela, termômetro, espátula de silicone, batedeira com o batedor tipo globo, assadeira, papel-manteiga ou silpat e saco de confeitar com bico.

2. Em uma panela, coloque a água e o açúcar para fazer uma calda. Limpe as laterais da panela com pincel umedecido e leve ao fogo médio até atingir aproximadamente 115 °C.

3. Separadamente, na batedeira com o batedor tipo globo, acrescente as claras e bata em velocidade média. No momento que ficarem bem aeradas, pare de bater, levante o batedor e, se a mistura formar um pico firme, estará pronta a clara em neve.

4. Aqueça a calda de açúcar até 120 °C. Abaixe a velocidade da batedeira e acrescente a calda aos poucos às claras em neve, sem parar de bater.
5. Adicione a essência e bata em velocidade alta até esfriar.
6. Depois de frio, aplique o merengue em tortas, bolos ou sobremesas.

OBSERVAÇÃO
Alguns cuidados devem ser tomados ao bater as claras em neve para os merengues:
- Os utensílios devem estar limpos.
- As claras não podem ter resíduos de gemas.
- Não deve haver qualquer gordura em contato com as claras, pois ela inibe a formação de uma espuma estável.
- A temperatura da clara deve estar entre 15 °C e 20 °C para obter seu volume máximo.
- Claras batidas insuficientemente vão sustentar poucas conexões de albumina e as bolhas de ar serão grandes e irregulares.
- Claras batidas em excesso deixam a espuma seca, pois a albumina terá uma coagulação extra, podendo quebrar e verter água.
- O ponto de batimento dos merengues deve ser em ponto de pico firme, conferindo às preparações uma textura homogênea.

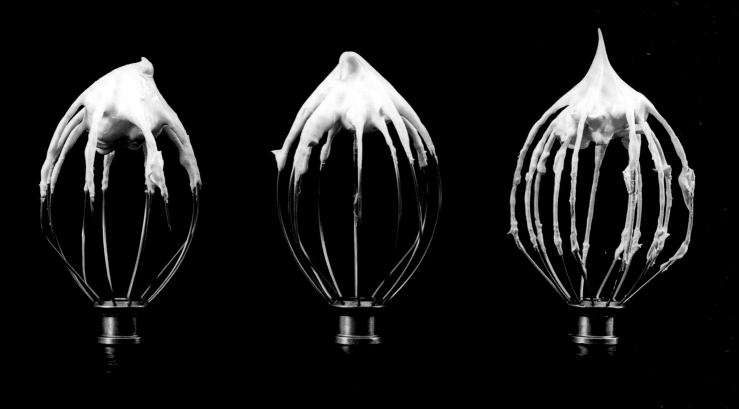
Da esquerda para a direita: merengue francês, merengue suíço e merengue italiano.

Confeitos de açúcar

Assim como os petits fours, os confeitos de açúcar podem ser consumidos como tira-gosto ou servidos após as refeições. O componente comum entre os diferentes tipos de confeito é a calda.

Quando o açúcar é dissolvido na água, a proporção entre esses dois elementos, bem como a temperatura da calda, determinam o ponto de saturação. A agitação ou a introdução de poeira, de açúcar granulado ou de qualquer outro material podem criar caroços na calda, gerando a reação de cristalização. Em virtude desse processo, os confeitos são divididos em quatro categorias: cristalizados, não cristalizados, aerados e geleias.

CRISTALIZAÇÃO

Os cristais geralmente são formados quando várias moléculas de açúcar se reúnem ao mesmo tempo em um mesmo espaço, ou quando aquecemos uma solução saturada de açúcar (xarope) e forçamos uma variação de temperatura muito rápida, formando os cristais – por exemplo, quando uma calda quente toca a superfície fria de uma assadeira ou de uma pedra de mármore.

Esse processo de cristalização, quando controlado, confere texturas importantes ao produto, sejam elas uniformes, sejam cremosas ou não cristalizadas (caramelos, balas e toffees). A consistência pode variar de dura e quebradiça até a de "puxa", dependendo do grau em que a calda for cozida.

Alguns ingredientes adicionados à calda têm função anticristalizante. Os mais usados são o xarope de glucose, o açúcar invertido e o ácido tartárico. Normalmente esses produtos são adicionados após a fervura, graças à facilidade de diluição.

CARAMELIZAÇÃO × REAÇÃO DE MAILLARD

Duas reações podem ocorrer quando o açúcar é submetido a temperaturas altas em meio a um líquido.

A primeira delas é a caramelização, uma complexa sequência de reações que ocorre quando aquecemos açúcares ou xaropes de açúcar em presença de água acima de 160 °C. Quando aquecemos esses elementos na presença de um ácido ou de um meio básico, a caramelização acontece em velocidade maior e a temperaturas menores que 160 °C. Esse processo gera cores pardas e douradas e agrega aroma e sabor à calda de açúcar.

A reação de Maillard, por sua vez, acontece quando aminoácidos ou proteínas entram em contato com açúcares redutores, como a glicose, a frutose e a lactose. Ela ocorre à temperatura ambiente em alimentos que foram armazenados por muito tempo, como o leite em pó e os pescados, e na presença de calor, quando a reação é acelerada e intensificada. Cada aminoácido, na presença do açúcar, oferece aromas e sabores distintos em temperaturas diferentes.

A reação de Maillard é o que dá origem, por exemplo, ao aroma de carne assada no churrasco, bem como ao aroma de pão assado, de queijo derretido e de pipoca. Nos confeitos, ela acontece no preparo dos toffees.

CONFEITOS CRISTALIZADOS

Apresentam a formação de cristais durante a cocção. Os confeitos cristalizados mais encontrados são:
- **Fondant:** é uma calda de açúcar resfriada e mexida para cristalizar o açúcar e produzir uma cobertura macia, branca e cremosa. Geralmente é utilizado para banhar docinhos, bombas, carolinas, pães, etc.
- **Gotas de licor:** são confeitos cristalizados tradicionalmente em moldes de amido com base de licor e calda de açúcar.
- **Dragées ou confetti:** são produtos feitos com castanhas assadas que passam por dois processos, o de cristalização e o de cobertura (panning). Tradicionalmente, esses produtos são associados a casamentos e ocasiões especiais.
- **Fudge:** é baseado na fórmula do fondant, mas contém ingredientes adicionais, como laticínios, gordura, castanhas e chocolate. Cada um deles altera a textura, a aparência e a durabilidade do fudge. É importante embalar após o corte para não ressecar.

Ingredientes	Fondant	Gotas de licor	Dragées ou confetti	Fudge tradicional (chocolate e frutas secas)	Fudge americano
Açúcar cristal	500 g	500 g			
Açúcar invertido				32 g	
Açúcar refinado		250 g		315 g	
Água	125 g	Qtde. 1: 125 g Qtde. 2: 200 g			
Amêndoas torradas sem sal			200 g		
Amido de milho			2.000 g		
Bebida alcoólica		Teor 40°: 75 g Teor 60°: 60 g			
Cacau em pó			50 g		
Calda de caramelo					50 g
Chocolate amargo cristalizado			400 g (aprox.)		
Chocolate branco		1.000 g			
Chocolate 70% cacau				115 g	300 g
Creme de leite fresco				125 g	
Cremor de tártaro	0,5 g				
Essência de baunilha				8 g	
Fondant pronto				100 g	
Frutas secas				125 g	50 g
Lecitina em pó				1 g	
Leite condensado					200 g
Leite integral				200 g	
Manteiga com sal				Qtde. 1: 80 g Qtde. 2: 35 g	
Manteiga sem sal					50 g
Xarope de glucose	40 g			115 g	
Rendimento	600 g	40 cápsulas médias	600 g	950 g	15 unidades médias ou 1 aro de 15 cm

OPÇÕES DE AROMÁTICOS

Ingredientes	Fudge americano	Dragée	Alterações na receita
	Quantidade		
Creme de leite fresco	50 g		Substituir a calda de caramelo
Chocolate 30%	350 g		Substituir o chocolate 70% cacau Acrescentar 5 g de manteiga sem sal
Chocolate branco	450 g		Substituir o chocolate 70% cacau Acrescentar 5 g de manteiga sem sal
Açúcar impalpável		50 g	Substituir o cacau em pó

:: MODO DE PREPARO – CONFEITOS CRISTALIZADOS

Fondant

1. Separe os ingredientes que serão utilizados na receita, bem como os seguintes utensílios e equipamentos: panela, termômetro, fouet, batedeira com o batedor tipo raquete, espátula de silicone.

2. Em uma panela, misture o açúcar e a água com o auxílio de uma espátula. Leve ao fogo e deixe que ferva até 108 °C.
3. Adicione o xarope de glucose e o cremor de tártaro e continue mexendo. Deixe que ferva até 117 °C.
4. Retire do fogo e bata a mistura manualmente com um fouet para abaixar a temperatura até 45 °C.

5. Coloque na batedeira com o batedor tipo raquete e bata em velocidade baixa até ficar com uma aparência branca e fosca.
6. Para aplicar nos doces, leve o fondant ao banho-maria, mexendo de vez em quando com a espátula, até atingir uma temperatura de 38 °C-50 °C. (Sua temperatura ideal dependerá da sua finalidade.) Se estiver muito espesso, pode-se acrescentar líquido para atingir a textura desejada.
7. Mantenha o fondant em banho-maria enquanto banhar os produtos para não endurecer.

:: MODO DE PREPARO – CONFEITOS CRISTALIZADOS

Fudge tradicional (chocolate e frutas secas)

1. Separe os ingredientes que serão utilizados na receita, bem como os seguintes utensílios: panela, termômetro, silpat, faca, espátula de silicone e papel-celofane.
2. Em uma panela, misture o açúcar invertido, o leite, o açúcar refinado, o xarope de glucose, a lecitina e 80 g de manteiga. Leve ao fogo até atingir a temperatura de 121 °C.
3. Acrescente o creme de leite, misture com a espátula e deixe ferver até 116 °C.
4. Retire do fogo e adicione 35 g de manteiga, mexendo novamente até incorporar.
5. Adicione o chocolate e as frutas secas, misture com o auxílio da espátula e deixe abaixar a temperatura.
6. Quando estiver a 82 °C, adicione o fondant e a essência de baunilha. Misture até incorporar.
7. Despeje a mistura sobre o silpat ou sobre uma superfície de mármore untada e deixe cristalizar.
8. Depois de cristalizados, corte os fudges e embale em papel-celofane.

Fudge americano

1. Separe os ingredientes que serão utilizados na receita, bem como os seguintes utensílios: panela, termômetro, faca, aro e espátula de silicone.
2. Em uma panela, leve ao fogo baixo o leite condensado, o caramelo (ou creme de leite fresco) e a manteiga, misturando com a espátula até que atinja 85 °C.
3. Cristalize o chocolate (p. 217) e misture-o no leite condensado.
4. Acrescente as frutas secas torradas e mexa para ficar homogêneo.
5. Coloque no aro com filme plástico e nivele a superfície com o auxílio de uma espátula de silicone. Deixe descansar por 6 horas.
6. Desenforme e corte no formato desejado.

:: MODO DE PREPARO – CONFEITOS CRISTALIZADOS

Gotas de licor

1. Separe os ingredientes que serão utilizados na receita, bem como os seguintes utensílios: panela, termômetro, espátula de silicone, molde e caixa para fazer gotas de licor, peneira, funil com pistão, pincel, assadeira, papel-manteiga.
2. Preaqueça o forno a 80 °C.

PARA O MOLDE

1. Coloque o amido de milho em uma assadeira e leve ao forno até ficar seco. Esse processo pode demorar de 4 a 10 horas – no contato com os dedos é possível verificar se já está seco. É importante retirar toda a umidade do amido.

2. Com o auxílio de uma peneira, preencha a caixa para fazer gotas de licor com o amido seco e ainda quente (80 °C).

3. Marque o amido com o molde e mantenha a caixa no forno a 80 °C até a hora de colocar o licor.

PARA O LICOR

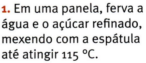

1. Em uma panela, ferva a água e o açúcar refinado, mexendo com a espátula até atingir 115 °C.

2. Despeje aos poucos a bebida alcoólica aquecida (utilizar apenas uma das quantidades indicadas de licor). Caso deseje, pode-se utilizar corante para conferir cor às gotas de licor.
3. Para misturar melhor, troque o licor de um recipiente para outro, repetindo o processo três vezes.

PARA A CALDA (74° BX)
1. Em uma panela, dissolva o açúcar cristal na água e leve ao fogo para ferver. Se necessário, retire a espuma que se formará em cima do líquido.
2. Tire a panela do fogo para interromper a cocção. Deixe esfriar.

PARA FINALIZAR
1. Com as mãos, retire cuidadosamente as gotas de licor do amido.
2. Limpe o excesso de amido com o auxílio de um pincel.
3. Em um bowl, derreta o chocolate branco em banho-maria ou micro-ondas e depois coloque-o em um saco de confeitar.
4. Disponha cada gota de licor na assadeira, "colando" com um pouco de chocolate branco derretido.
5. Assim que os licores estiverem bem presos, adicione a calda (74° Bx) por cima e coloque uma folha de papel-manteiga em contato com ela. Essa etapa é importante para que a calda não cristalize na superfície.
6. Deixe descansar em temperatura ambiente por 10 horas.
7. Retire o papel com cuidado e, depois, retire a calda da assadeira, virando-a sobre um bowl para a calda escorrer. (As gotinhas estarão firmes e grudadas na assadeira.)
8. Esquente levemente o fundo da assadeira para soltar o licor e coloque as gotas em uma grade para secar. Deixe secando por 1 hora.
9. As gotas podem ser conservadas apenas banhadas na calda ou banhadas no chocolate cristalizado.

4. Tire a caixa com o amido do forno e, com o auxílio de um funil com pistão, adicione o licor ainda quente aos moldes.

5. Polvilhe o amido aquecido e peneirado em cima das marcas com licor (com espessura de aproximadamente 0,5 cm).
6. Deixe descansar por 4 horas. Coloque a tampa e vire.
7. Deixe cristalizar por 16 horas.

OBSERVAÇÕES
- As caixas para fazer gotas são pequenas caixas de madeira que podem ir ao forno, compostas de uma base e uma tampa que se encaixam. Como nem sempre são encontradas no Brasil, podemos substituí-las por duas assadeiras de alumínio que se encaixam. O importante é que tenham a altura de no mínimo 5 cm.
- Os moldes para gotas de licor são uma espécie de régua perfurada com os desenhos de gota, que tornam possível marcar a caixa e fazer as gotas de licor nesse formato. Porém, assim como a caixa, eles nem sempre são encontrados no Brasil com facilidade. Como alternativa, é possível fazer as cavidades na caixa de amido utilizando a parte de trás de um pincel grosso, por exemplo.
- Quanto mais seco estiver o seu amido, mais fina será a película cristalizada da gota de licor.

Da esquerda para a direita: fudge tradicional, fudge americano e gotas de licor.

:: MODO DE PREPARO – CONFEITOS CRISTALIZADOS

Dragée

1. Separe os ingredientes que serão utilizados na receita, bem como os seguintes utensílios: bowl e espátula de silicone.
2. Em um bowl redondo, fique mexendo as amêndoas com uma espátula de silicone rapidamente e em movimento circular.

3. Derreta o chocolate e adicione-o em fio ao bowl até cobrir todas as amêndoas.
4. Quando as amêndoas estiverem cobertas, espalhe-as no próprio bowl e espere o chocolate cristalizar.
5. Repita o processo até ter certeza de que todas as amêndoas estão cobertas de chocolate (normalmente de três a quatro vezes).

6. Na última vez, após adicionar o chocolate e antes de cristalizar, adicione o cacau em pó ou o açúcar impalpável para deixar cristalizar novamente. Guarde em um recipiente fechado.

OBSERVAÇÃO
Todo o processo de produção do dragée deve ser feito em um ambiente climatizado.

CONFEITOS NÃO CRISTALIZADOS

São caracterizados pela ausência de cristais durante a cocção. A textura é definida pelos ingredientes da receita (como o creme de leite fresco e a manteiga) e pela quantidade de água que evapora durante a cocção.

Na produção dessa categoria de confeitos, temos de seguir algumas regras e ter alguns cuidados para conseguir um resultado final de qualidade. Por exemplo:

- É importante misturar bem todos os ingredientes.
- Recomenda-se limpar a lateral da panela com um pincel e água antes de levar ao fogo, garantindo que não haja açúcar nas laterais.
- Para as preparações sem laticínios, não se deve mexer depois da fervura (pois isso acarreta a cristalização da calda).
- É necessário tirar as impurezas do açúcar durante a fervura. Para isso, passe uma escumadeira levemente pela superfície da calda e retire a espuma. Lave a escumadeira e repita o processo até ficar sem espuma ou impurezas.
- Pode-se adicionar algum tipo de açúcar invertido ou algum ácido para bloquear a formação de cristais.

Exemplos de confeitos não cristalizados:

- **Bala (hard candy):** é um dos mais antigos confeitos. Tem uma textura rígida em função da quantidade mínima de água em sua composição. Os ingredientes básicos são açúcar, xarope de glucose e aromatizantes. Normalmente a proporção entre o açúcar e o xarope de glucose é de 7 para 3. Além de prevenir a cristalização, o xarope auxilia a retardar a degradação da bala.
- **Decorações de açúcar (fillé/cheveux d'ange/fios ou boullé/bolhas):** os ingredientes são os mesmos que os utilizados na bala, mudando apenas a concentração e a temperatura de cocção.
- **Nougatine:** é um confeito crocante com base feita de calda de açúcar com castanhas ou sementes. Os demais ingredientes são similares aos utilizados nas balas, cozidos em alta temperatura para eliminar o máximo de água.
- **Pé de moleque nacional:** é similar ao nougatine, mas tradicionalmente é feito com amendoim e acrescido de bicarbonato após o cozimento, para obter mais leveza na textura.
- **Balas de caramelo e toffees:** utilizam os mesmos ingredientes em suas produções, porém com texturas diferentes – o caramelo é mais macio e cremoso ("puxa") enquanto os toffees têm uma textura mais firme e sólida.

Ingredientes	Balas (hard candy)	Decorações de açúcar (fillé/cheveux d'ange/fios ou boullé/bolhas)	Nougatine	Pé de moleque	Bala de caramelo de leite	Bala tipo toffee
Açúcar cristal	100 g	500 g (também pode ser refinado)				
Açúcar refinado			75 g	210 g	100 g	125 g
Água	22 g	170 g		25 g		
Álcool de cereais		15 g-30 g				
Amendoim cru sem casca				325 g		
Bicarbonato				2 g		
Creme de leite fresco					125 g	
Frutas secas picadas (coco, amêndoas, avelãs, pistaches, etc.)			75 g			
Glicose de milho				100 g		
Leite condensado						125 g
Leite integral			25 g			
Manteiga sem sal			55 g		5 g	40 g
Pectina			1,5 g			
Sal						0,5 g
Xarope de glucose	34 g	170 g	25 g		80 g	125 g
Rendimento	120 g (aprox.)	650 g (aprox.)	230 g	1 aro de 25 cm de diâmetro	1 aro de 20 cm (dependendo da espessura)	1 aro de 20 cm (dependendo da espessura)

OPÇÕES DE AROMÁTICOS

Ingredientes	Bala de caramelo	Bala toffee
	Quantidades	
Cacau em pó	5 g-10 g	5 g-10 g
Café solúvel	3 g (diluído em 3 g de água fria)	5 g (diluído em 5 g de água)
Baunilha	½ fava ou 3 g de essência	½ fava ou 3 g de essência
Pastas aromatizantes	10 g-20 g	10 g-20 g

:: MODO DE PREPARO – CONFEITOS NÃO CRISTALIZADOS

Decorações de açúcar
(fillé/cheveux d'ange/fios ou boullé/bolhas)

PARA A CALDA

PARA OS FORMATOS FILLÉ/CHEVEUX D'ANGE/ FIOS

PARA OS FORMATOS BOULLÉ/BOLHAS

1. Separe os ingredientes que serão utilizados na receita, bem como os seguintes utensílios: panela, termômetro, fouet, silpat, espátula de silicone, tesoura.

1. Aplique um choque térmico rapidamente na calda, colocando-a sobre uma vasilha com água e gelo. Em seguida, faça os fios usando uma colher ou um fouet.

1. Retire a calda do fogo, espalhe álcool no silpat e derrame-a sobre ele. Deixe esfriar e corte no formato que desejar.

1. Em uma panela, leve todos os ingredientes ao fogo, misturando com a espátula até atingir uma temperatura entre 146 °C e 155 °C.

188 MANUAL PRÁTICO DE CONFEITARIA SENAC

:: MODO DE PREPARO – CONFEITOS NÃO CRISTALIZADOS

Bala (hard candy)

1. Separe os ingredientes que serão utilizados na receita, bem como os seguintes utensílios: panela, termômetro, faca, tesoura, espátula de silicone, silpat, moldes de silicone.
2. Em uma panela, misture o açúcar e a água com o auxílio da espátula.
3. Adicione o xarope de glucose e cozinhe até atingir 140 ºC.
4. Caso deseje, adicione corante para conferir cor às balas, mexendo com a espátula até incorporar. Continue cozinhando até que atinja 155 ºC.
5. Adicione o aromático e mexa até incorporar.
6. Tire do fogo e coloque a calda para esfriar em moldes de silicone, se desejar balas brilhantes. Se preferir balas acetinadas, despeje a calda em cima de um silpat.
7. Para a finalização das balas acetinadas: utilizando luvas de silicone, puxe e dobre a massa ainda quente com as mãos – processo conhecido como "acetinar a massa", para deixar o produto perlado e opaco – e corte no formato desejado com a faca ou a tesoura. Embrulhe imediatamente.

Nougatine

1. Separe os ingredientes que serão utilizados na receita, bem como os seguintes utensílios: panela, termômetro, assadeira, espátula de silicone, silpat e tesoura.
2. Preaqueça o forno a 170 ºC.
3. Disponha o silpat sobre a assadeira e reserve.
4. Em uma panela, coloque todos os ingredientes juntos (exceto as frutas secas) e leve ao fogo, mexendo até que atinjam 110 ºC.
5. Quando estiver na temperatura ideal, acrescente as frutas secas e misture com uma espátula de silicone para ficar homogêneo.
6. Espalhe a mistura sobre o silpat e leve para assar a 170 ºC por 8 minutos ou até ficar dourada.
7. Retire do forno, solte do silpat e corte enquanto o nougatine ainda estiver morno. Caso esfrie e endureça, retorne-o ao forno por alguns segundos para voltar a ficar maleável.

Pé de moleque nacional

1. Separe os ingredientes que serão utilizados na receita, bem como os seguintes utensílios: panela, termômetro, espátula de silicone, silpat e faca.
2. Em uma panela, leve todos os ingredientes ao fogo (exceto o bicarbonato) e misture com a espátula até a mistura ficar dourada.
3. Adicione o bicarbonato, misture rapidamente com a espátula e coloque sobre o silpat ou sobre uma superfície de mármore untada.
4. Corte no formato desejado enquanto o pé de moleque ainda estiver quente.

Bala tipo toffee

1. Separe os ingredientes que serão utilizados na receita, bem como os seguintes utensílios: panela, termômetro, silpat, aro, picel, faca e espátula de silicone.
2. Unte o aro pincelando óleo por toda a superfície.
3. Em uma panela, adicione o leite condensado e o sal e leve ao fogo, mexendo com a espátula até ferver.
4. Adicione o açúcar, o xarope de glucose e o aromatizante (se necessário). Continue mexendo com a espátula até ferver.
5. Quando a mistura atingir uma temperatura entre 115 ºC e 118 ºC, adicione a manteiga e mexa com a espátula até ficar homogêneo.
6. Coloque a mistura sobre o aro untado ou então sobre um silpat.
7. Espere esfriar e retire do aro ou silpat.
8. Corte as balas no formato desejado e embale em papel-celofane.

Bala de caramelo de leite

1. Separe os ingredientes que serão utilizados na receita, bem como os seguintes utensílios: panela, termômetro, silpat, aro, pincel, faca e espátula de silicone.
2. Unte o aro pincelando óleo por toda a superfície.
3. Em uma panela, leve o creme de leite ao fogo, mexendo com a espátula até ferver.
4. Adicione o açúcar, o xarope de glucose e os aromatizantes (se necessário). Continue mexendo com a espátula até ferver.
5. Quando atingir uma temperatura entre 115 °C e 118 °C, adicione a manteiga e misture até ficar homogêneo.
6. Coloque a mistura sobre o aro untado ou então sobre um silpat.
7. Espere esfriar e retire o aro ou silpat.
8. Corte as balas no formato desejado e embale em papel-celofane.

Da esquerda para a direita, de cima para baixo: decorações de açúcar, bala de caramelo de leite, bala tipo toffee de chocolate, bala (hard candy), nougatine.

CONFEITOS AERADOS

Estes confeitos consistem em uma espuma estável, criada com claras ou um agente gelificante (normalmente gelatina) batido para que o ar incorporado produza uma textura leve.

Alguns exemplos mais conhecidos são:
- **Nougat:** espuma firme e consistente que varia de uma textura macia a uma mais firme dependendo do grau de cocção da calda e dos ingredientes usados. O nougat europeu é branco e firme, enquanto o norte-americano é mais macio e leve. Pode apresentar diferentes combinações de aromáticos.
- **Marshmallow:** espuma leve e macia, podendo ter ou não as claras como base. Nos dois casos, os ingredientes principais são açúcar, xarope de glucose, gelatina e aromatizantes. O marshmallow que conhecemos atualmente teve origem na França, no século XIX.
- **Bala de goma ou jujuba:** contém calda de açúcar com agentes estabilizantes (como gelatina, pectina, ágar-ágar e amido). Para que se torne estável, a quantidade de sólidos da calda deve ser de ao menos 75%.
- **Pâte de fruit:** docinho de especialidade francesa. É feito com uma base de polpa de frutas, açúcar, xarope de glucose, pectina e um ácido. A quantidade de ingredientes varia conforme a fruta escolhida, assim como o aspecto da pâte de fruit, que pode ser opaco ou translúcido. A parte externa apresenta uma leve crosta de açúcar granulado, e seu interior contém uma textura macia e gelatinosa.
- **Macarons:** são preparações clássicas francesas, em princípio redondas e levemente abauladas, feitas de uma mistura de farinha de amêndoas, açúcar e clara de ovos. As técnicas de preparo podem ser frias ou quentes e podem variar segundo o tipo de merengue utilizado na massa.

CONFEITOS AERADOS*

Ingredientes	Nougat blanc	Marshmallow	Bala de goma ou jujuba
Açúcar cristal			100 g
Açúcar refinado	Qtde. 1: 70 g Qtde. 2: 130 g Qtde. 3: 15 g	350 g	215 g
Água	Qtde. 1: 30 g Qtde. 2: 50 g	Qtde. 1: 185 g (para hidratar a gelatina) Qtde. 2: 125 g	Qtde. 1: 80 g Qtde. 2: 90 g
Amido de milho			± 1.000 g (depende do tamanho da caixa)
Claras	40 g		
Corante			q.b. (até atingir a cor desejada)
Essência de baunilha	1 g		
Frutas secas ou cristalizadas	200 g		
Gelatina em pó		45 g	30 g
Glucose de milho		85 g	
Xarope de glucose	Qtde. 1: 70 g Qtde. 2: 130 g	185 g	180 g
Rendimento	700 g	50 unidades pequenas	400 g (aprox.)

*As receitas da pâte de fruit e dos macarons serão vistas à parte, pois os ingredientes e suas quantidades variam de acordo com os métodos de preparo e com o resultado final desejado.

OPÇÕES DE AROMÁTICOS – MARSHMALLOW

Ingredientes	Quantidades	Alterações na receita
Cacau em pó	15 g-30 g	
Café solúvel	10 g (diluído em 10 g de água)	
Fava de baunilha	½ unidade	
Leite de coco	30 g	Retirar a mesma quantidade da segunda medida de água
Pasta de aromatizantes	20 g-35 g	

:: MODO DE PREPARO – CONFEITOS AERADOS

Nougat blanc

1. Separe os ingredientes que serão utilizados na receita, bem como os seguintes utensílios e equipamentos: panelas, termômetro, silpat, espátula de silicone, assadeira, faca, rolo de abrir massa, batedeira com os batedores tipo globo e raquete, folha de arroz.

2. Em duas panelas separadas, faça duas caldas com o açúcar, a glucose e a água utilizando as seguintes quantidades:
- **Calda 1:** 70 g de açúcar, 70 g de xarope de glucose e 30 g de água.
- **Calda 2:** 130 g de açúcar, 130 g de xarope de glucose e 50 g de água.

3. Leve-as ao fogo ao mesmo tempo para formar pontos diferentes: a calda 1 deve chegar a 122 °C e a calda 2, a 145 °C.

4. No forno ou em uma panela, aqueça as frutas secas.

5. Quando a primeira calda atingir a temperatura de 122 °C, retire a panela do fogo e reserve.

6. Na batedeira com o batedor tipo globo, acrescente as claras e bata em velocidade média. No momento que ficarem bem aeradas, pare de bater, levante o batedor e, se a mistura formar um pico firme, estará pronta a clara em neve.

7. Ligue a batedeira novamente, acrescente 15 g de açúcar e a essência de baunilha nas claras em neve e bata em velocidade alta até ficar com brilho.

8. Acrescente a calda 1 em fio às claras sem parar de bater.

9. Assim que a segunda calda atingir a temperatura de 145 °C, acrescente-a em fio às claras sem parar de bater.

10. Desligue a batedeira, troque o globo pelo batedor tipo raquete e acrescente as frutas secas ainda quentes à mistura. Bata rapidamente. (Este processo também pode ser feito de forma manual usando uma colher firme).

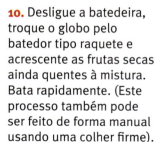

11. Retire a massa da batedeira e coloque-a sobre um silpat. Abra a massa com o auxílio de um rolo até a espessura de 1 cm.

12. Espere esfriar, cubra as duas partes com uma folha de arroz e depois corte no formato desejado.

:: MODO DE PREPARO – CONFEITOS AERADOS

Marshmallow

1. Separe os ingredientes que serão utilizados na receita, bem como os seguintes utensílios e equipamentos: bowl, panela, termômetro, batedeira com o batedor tipo globo, silpat, aro ou moldes de silicone, faca, tesoura, espátula de silicone.
2. Em um bowl, hidrate e dissolva a gelatina na água (p. 41). Reserve.
3. Em uma panela, misture os demais ingredientes (açúcar, água, glucose de milho e xarope de glucose) com o auxílio da espátula e cozinhe até a temperatura de 120 °C.
4. Na batedeira com o batedor tipo globo, coloque a mistura e bata em velocidade média até ficar levemente morna.
5. Acrescente a gelatina e bata até a mistura ficar leve.
6. Coloque em moldes ou em cima de um silpat enquanto ainda estiver morna.
7. Deixe gelificar por 24 horas em temperatura ambiente.
8. Desenforme dos moldes ou corte com uma tesoura ou com uma faca untada com óleo (para evitar que o marshmallow cole nos utensílios).

Bala de goma ou jujuba

1. Separe os ingredientes que serão utilizados na receita, bem como os seguintes utensílios e equipamentos: caixa para fazer balas de goma, espátula de silicone, panela, termômetro, bowl, micro-ondas, jarrinha ou funil de pistão, pincel e grade de banhar bombons.
2. Para o molde: polvilhe o amido de milho sobre a caixa até que esteja completa e retire o excesso com uma espátula para nivelar.
3. Faça pequenas cavidades no amido no formato em que deseja moldar sua bala de goma. Reserve.
4. Para as balas: em uma panela, leve o açúcar refinado e 80 g de água ao fogo, mexendo com a espátula até formar uma calda e atingir a temperatura de 130 °C.
5. Adicione o xarope de glucose e mexa até incorporar. Tire do fogo e coloque a panela sobre um bowl com água e gelo para esfriar rapidamente (deve atingir a temperatura de 100 °C).
6. Separadamente, em um bowl, hidrate e dissolva a gelatina na água (p. 41) e adicione-a à calda já preparada.
7. Adicione corante e/ou aromáticos e mexa com a espátula para incorporar.
8. Coloque a calda em um recipiente para pingar (como o funil de pistão ou uma jarrinha) e adicione-a aos moldes criados na caixa de amido.
9. Peneire amido por cima e deixe secar por 24 horas.
10. Retire as balas do amido, limpe bem com um pincel e lave rapidamente na água fria.
11. Coloque as balas em uma grade e deixe secar.
12. Passe-as no açúcar cristal ou refinado para finalizar.

OBSERVAÇÃO
Industrialmente, os marshmallows são cortados em segmentos em uma máquina extrusora do tipo cilindro.

OBSERVAÇÃO
As caixas para fazer balas de goma são pequenas caixas de madeira, compostas de uma base e uma tampa que se encaixam. Como nem sempre são encontradas no Brasil, podemos substituí-las por duas assadeiras de alumínio que se encaixem. O importante é que tenham a altura de, no mínimo, 5 cm.

Da esquerda para a direita: marshmallow de maracujá e bala de goma de menta.

:: MODO DE PREPARO – CONFEITOS AERADOS

Pâte de fruit

Ingredientes	Cupuaçu	Manga	Banana	Goiaba	Limão	Frutas vermelhas
Ácido cítrico diluído em uma proporção de 1:1 (1 g de ácido em 1 g de água)	8 g	8 g	8 g	8 g	4 g	7 g
Açúcar refinado	550 g	575 g	450 g	675 g	675 g	550 g
Glucose em pó	60 g	100 g	60 g	100 g	100 g	75 g
Pectina	13 g	12,5 g	12 g	12 g	14 g	11 g
Polpa fresca ou congelada	500 g	500 g	500 g	500 g	500 g	500 g
Rendimento	\multicolumn{6}{c}{1 aro de 20 cm}

1. Separe os ingredientes que serão utilizados na receita, bem como os seguintes utensílios: bowl, panela, termômetro, silpat, aro, pincel, faca, espátula de silicone e filme plástico.
2. Disponha o silpat sobre uma assadeira e reserve.
3. Unte o aro pincelando óleo por toda sua superfície.

4. Em um bowl, misture a pectina com o açúcar em uma proporção de 10 g de pectina para cada 30 g de açúcar. Reserve.
5. Em uma panela, esquente a polpa de fruta até atingir a temperatura de 50 °C. Adicione aos poucos a glucose em pó, o restante do açúcar e a pectina reservada e misture com o auxílio da espátula. Cozinhe até atingir a temperatura de 105 °C.

6. Retire a panela do fogo. Dilua o ácido cítrico na água e acrescente à mistura, mexendo rapidamente com uma espátula de silicone.
7. Coloque imediatamente a mistura no aro untado sobre o silpat na assadeira – a temperatura e o ácido aceleram a gelificação. Cubra com filme plástico e reserve por 24 horas.

8. Para finalizar, polvilhe açúcar cristal ou refinado por cima da pâte de fruit e corte-a em pedaços.

:: MODO DE PREPARO – CONFEITOS AERADOS

Macaron

Ingredientes	Método do merengue francês	Método do merengue suíço	Método do merengue italiano
Açúcar de confeiteiro sem amido	125 g	240 g	160 g
Açúcar refinado	75 g	220 g	125 g
Água			40 g
Claras	100 g	110 g	80 g
Corante	q.b. (até atingir a cor desejada)	q.b. (até atingir a cor desejada)	q.b. (até atingir a cor desejada)
Cremor de tártaro	0,5 g		
Farinha de amêndoas	125 g	140 g	85 g
Polpa de damasco (opcional, para dar mais umidade aos macarons)	5 g		
Rendimento	35 unidades de 2 cm de diâmetro		

COM MERENGUE FRANCÊS

1. Separe os ingredientes que serão utilizados na receita, bem como os seguintes utensílios e equipamentos: processador, peneira, batedeira com o batedor tipo globo, panela, termômetro, silpat, espátula de silicone, saco de confeitar e bico perlê nº 10, assadeira dupla (ou uma assadeira grossa, para não entortar com a temperatura do forno).
2. Preaqueça o forno a 150 °C.
3. Disponha o silpat sobre uma assadeira e reserve.
4. Separe a clara em dois recipientes, um com 70 g e outro com 30 g.

5. Em um processador, bata a farinha de amêndoas e o açúcar de confeiteiro até obter uma farinha fina (tant pour tant).

6. Peneire e reserve.

7. Na batedeira com o batedor tipo globo, coloque 70 g das claras e bata em velocidade média. No momento que ficarem bem aeradas, pare de bater, levante o batedor e, se a mistura formar um pico firme, estará pronta a clara em neve.

8. Ligue a batedeira novamente, acrescente o cremor de tártaro e 25 g de açúcar refinado às claras em neve e bata em velocidade média.

9. Acrescente o restante do açúcar refinado às claras em neve e continue batendo até ficar firme. Neste ponto a mistura formou um merengue.

OBSERVAÇÕES
- A mistura de partes iguais de farinha de amêndoas e açúcar de confeiteiro é chamada de tant pour tant (TPT).
- Caso deseje fazer macarons de chocolate, retire 25 g de tant pour tant e substitua por cacau em pó.

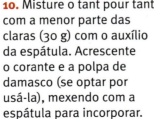

10. Misture o tant pour tant com a menor parte das claras (30 g) com o auxílio da espátula. Acrescente o corante e a polpa de damasco (se optar por usá-la), mexendo com a espátula para incorporar.

11. Acrescente o merengue à mistura de tant pour tant e mexa com a espátula para incorporar.

12. Com o auxílio de uma espátula, coloque a massa em um saco de confeiteiro com bico liso nº 10 e modele sobre o silpat na assadeira.

13. Leve para assar em forno ventilado a 150 ºC. Inicialmente, feche a ventilação e deixe assar por 4 a 5 minutos. Em seguida, baixe o fogo para 140 ºC e abra a ventilação. Deixe assar por mais 12 a 14 minutos.

14. Retire do forno, deixe esfriar para retirar do silpat e recheie a gosto.

COM MERENGUE SUÍÇO

1. Separe os ingredientes que serão utilizados na receita, bem como os seguintes utensílios e equipamentos: processador, peneira, batedeira com o batedor tipo globo, panela, bowl, termômetro, silpat, espátula de silicone, saco de confeitar e bico perlê nº 10, assadeira.
2. Preaqueça o forno a 180 °C (ou 145 °C, se for turbo).
3. Disponha o silpat sobre uma assadeira e reserve.
4. Em um processador, bata a farinha de amêndoas e o açúcar de confeiteiro até obter uma farinha fina. Peneire e reserve.
5. Na batedeira com o batedor tipo globo, faça um merengue suíço (p. 173) com as claras e o açúcar refinado, batendo até que forme picos firmes.
6. Incorpore a mistura de farinha de amêndoas ao merengue, mexendo delicadamente com a espátula até começar a brilhar.
7. Acrescente o corante e mexa com a espátula para incorporar.
8. Coloque a mistura em um saco de confeitar com bico nº 10 e pingue sobre o silpat.
9. Deixe descansar por 25 minutos para formar uma casca.
10. Leve os macarons ao forno e asse por aproximadamente 15 minutos.

COM MERENGUE ITALIANO

1. Separe os ingredientes que serão utilizados na receita, bem como os seguintes utensílios e equipamentos: processador, peneira, batedeira com o batedor tipo globo, panela, termômetro, silpat, espátula de silicone, saco de confeitar e bico perlê nº 10, assadeira.
2. Preaqueça o forno a 130 °C.
3. Disponha o silpat sobre a assadeira e reserve.
4. Em um processador, bata a farinha de amêndoas e o açúcar de confeiteiro até obter uma farinha fina. Peneire em um bowl e reserve.
5. Acrescente metade das claras à farinha feita na etapa anterior e misture com o auxílio da espátula de silicone. Reserve.
6. Em uma panela, misture a água e o açúcar refinado e leve ao fogo até atingir a temperatura de 120 °C e formar uma calda.
7. Na batedeira com o batedor tipo globo, bata o restante das claras em velocidade média. No momento que ficarem bem aeradas, pare de bater, levante o batedor e, se a mistura formar um pico firme, estará pronta a clara em neve.
8. Ligue novamente a batedeira e vá acrescentando a calda às claras em neve sem parar de bater. Bata até ficar morno e desligue. Nesse ponto a mistura terá formado um merengue italiano.
9. Misture ⅓ do merengue na massa de amêndoas e acrescente o corante. Mexa com a espátula até incorporar.
10. Acrescente o restante do merengue e mexa até obter uma mistura lisa e brilhante.
11. Coloque a mistura em um saco de confeiteiro com bico liso nº 10 e modele sobre o silpat.
12. Leve para assar a 130 °C por aproximadamente 10 minutos (o tempo dependerá do tamanho dos macarons).

OBSERVAÇÕES

- O açúcar de confeiteiro sem amido pode ser substituído por uma mistura de metade açúcar de confeiteiro sem amido e a outra metade de açúcar de confeiteiro com amido, para agilizar a secagem.
- Caso utilize cacau em pó para aromatizar a massa, retire da receita 10 g de açúcar de confeiteiro e 10 g de farinha de amêndoas, e substitua por 20 g de cacau em pó.
- A farinha de amêndoas pode ser substituída por outras frutas secas em forma de farinha (substituir 50% do peso da receita). Acima dessa quantidade, a textura pode ficar mais seca e quebradiça em virtude do excesso de gordura.

Da esquerda para a direita: nougat blanc, pâte de fruit de manga e macarons de framboesa.

Da esquerda para a direita: compota de abacaxi e compota de figo.

Compotas e geleias

Compotas são preparações constituídas de frutas cozidas com açúcar. Em francês, essa categoria é chamada de *compote*. Sua textura é espessa, com pedaços de frutas ou em purê, e a quantidade de açúcar pode variar de 300 g a 400 g para cada 1 kg de polpa utilizado.

As geleias também são preparações feitas de frutas cozidas com açúcar, com a diferença de que geralmente não apresentam pedaços de frutas, e a quantidade de açúcar pode variar de 750 g a 1 kg para cada 1 kg de polpa utilizado, dependendo do tempo de conservação escolhido. Em francês, essa categoria é chamada de *confiture*.

COMPOTAS E GELEIAS

Ingredientes	Compota de frutas	Geleia de frutas
Açúcar refinado	90 g	150 g
Água	60 g	45 g
Frutas picadas	150 g	150 g
Rendimento	240 g (aprox.)	250 g (aprox.)

Da esquerda para a direita: geleia de frutas vermelhas e geleia de manga com damasco.

:: **MODO DE PREPARO – COMPOTAS E GELEIAS**

Compota de frutas

1. Separe os ingredientes que serão utilizados na receita, bem como os seguintes utensílios: faca ou descascador, panela e espátula de silicone.
2. Lave as frutas e, com o auxílio da faca ou de um descascador, retire as cascas e as sementes.
3. Corte as frutas maiores (se forem peras, ameixas, etc.) em pedaços pequenos.
4. Em uma panela, cozinhe todos os ingredientes em fogo baixo (de 105 °C a 107 °C), mexendo com a espátula até obter a textura desejada.

Geleias

1. Separe os ingredientes que serão utilizados na receita, bem como os seguintes utensílios: faca ou descascador, panela, termômetro e espátula de silicone.
2. Lave as frutas e, com o auxílio da faca ou do descascador, retire as cascas e as sementes.
3. Corte as frutas maiores (se forem peras, ameixas, etc.) em pedaços.
4. Em uma panela, coloque o açúcar refinado e a água e mexa com uma espátula até atingir a temperatura de 105 °C (ponto nappé). Retire as impurezas com uma escumadeira (quando necessário).
5. Acrescente as frutas e cozinhe em fogo baixo (de 105 °C a 107 °C), mexendo com a espátula até atingir a textura desejada.

Caldas e molhos

São produções da confeitaria básica utilizadas para acompanhar sobremesas, decorar empratados ou umedecer bolos. Podem ser compostas de xarope básico, calda de chocolate, calda de caramelo ou calda de frutas (coulis).

CALDAS E MOLHOS

Ingredientes	Xarope aromatizante 30b	Calda de chocolate	Calda de caramelo	Calda de frutas ou coulis
Açúcar refinado	210 g	60 g	90 g	25 g
Água	150 g			25 g
Canela em pau	1 unidade			
Chocolate 50% cacau		100 g		
Cravo	1 unidade			
Creme de leite fresco		200 g	160 g (quente)	
Frutas frescas				125 g
Manteiga sem sal			20 g	
Raspas de limão	1 g			
Rum	15 g			
Xarope de glucose			60 g	
Rendimento	375 g	360 g-400 g	300 g	175 g

AROMÁTICOS PARA CALDAS DE CHOCOLATE E CARAMELO

Ingredientes	Acrescentar (Quantidade por litro/kg)	Substituir por	Alterações na receita
Baunilha em extrato	5 g		
Baunilha em fava	1 unidade		
Cacau em pó	50 g-60 g		
Café solúvel diluído	15 g		
Chocolate 50% cacau		Chocolate 30% – 150 g	Açúcar – 20 g
		Chocolate branco – 200 g	Açúcar – 10 g
Chocolate amargo derretido	100 g-200 g		
Especiarias	q.b.		
Licor ou aguardente	40 g-60 g		

:: MODO DE PREPARO – CALDAS E MOLHOS

Xarope aromatizante 30b

1. Separe os ingredientes que serão utilizados na receita, bem como os seguintes utensílios: panela, regador ou pincel, espátula de silicone.
2. Em uma panela, misture todos os ingredientes (exceto o rum) e leve ao fogo, mexendo com a espátula até ferver.
3. Coloque a bebida, mexa rapidamente com a espátula e deixe esfriar.
4. Umedeça as preparações com o xarope, com o auxílio de um regador ou de um pincel.

Calda de chocolate

1. Separe os ingredientes que serão utilizados na receita, bem como os seguintes utensílios: panela e espátula de silicone.
2. Em uma panela, aqueça o creme de leite e o açúcar, mexendo com a espátula para incorporar.
3. Adicione o chocolate picado e misture com a espátula até ficar homogêneo.
4. Retire do fogo e aplique a calda na produção desejada.

Calda de caramelo

1. Separe os ingredientes que serão utilizados na receita, bem como os seguintes utensílios: panela, espátula de silicone e colher de sopa.
2. A uma panela, adicione o açúcar e mantenha em fogo baixo, mexendo com uma espátula até ficar dourado e completamente derretido (caramelo a seco).
3. Acrescente a manteiga, o xarope de glucose e o creme de leite e mexa até incorporar.
4. Reduza a mistura até o ponto nappé. (Para verificar, afunde a colher de sopa na calda, espere esfriar e passe o dedo para fazer um risco. Se o desenho ficar definido, está no ponto nappé).
5. Retire do fogo e aplique a calda na produção desejada.

Calda de frutas ou coulis

1. Separe os ingredientes que serão utilizados na receita, bem como os seguintes utensílios: panela, espátula de silicone e colher de sopa.
2. Em uma panela, misture o açúcar e a água e leve ao fogo, mexendo com a espátula até ferver.
3. Adicione as frutas picadas, misture com a espátula e deixe cozinhar até se transformar em uma calda em ponto nappé. (Para verificar, afunde a colher na calda, espere esfriar e passe o dedo para fazer um risco. Se o desenho ficar definido, está no ponto nappé).
4. Retire do fogo e aplique a calda na produção desejada.

À frente: calda de chocolate branco (à esquerda) e calda de frutas amarelas (à direita).
Ao fundo: calda de chocolate amargo (à esquerda), calda de chocolate ao leite (ao centro) e calda de caramelo (à direita).

CAPÍTULO 7
Chocolates

Breve história do chocolate

A origem exata do chocolate é um tanto incerta, mas sabe-se que os antigos povos da América Central e do Sul, como os maias e os astecas, já o consumiam. A princípio, o cacau era transformado em uma bebida fermentada e amarga, misturada com várias especiarias. Essa bebida passou a ser oferecida aos deuses dessas antigas civilizações, e aos poucos o cacau se tornou moeda de troca entre elas.

Com a colonização do continente americano, os espanhóis entraram em contato com o fruto e, por volta de 1528, Hernán Cortez organizou sua primeira entrega de cacau à Espanha. Ao chocolate foram adicionados outros ingredientes para tornar a bebida mais doce, e esta passou a se difundir por toda a Europa, inicialmente entre as cortes e a elite.

A classificação científica da árvore com cujas sementes se faz o chocolate foi realizada por Carolus Linnaeus em 1753, que a denominou *Theobroma cacao* – palavra originada do grego, *theo* significa "deuses", e *broma*, "alimento".

Com a Revolução Industrial, novas máquinas de processamento foram desenvolvidas e o chocolate passou a ser produzido em larga escala, aos poucos adquirindo um preço mais acessível.

Variedades do cacau e produção do chocolate

O fruto do cacau possui três variedades:
- **Criollo:** fruto de cor vermelha, longo e pontiagudo. Suas sementes possuem aroma e amargor delicados. É menos resistente às pragas e doenças e é considerado o grão ideal para o chocolate de origem. Cultivado principalmente na América Central e em algumas regiões da Ásia.
- **Forastero:** fruto amarelado, com sementes mais amargas e levemente ácidas. É originário da Amazônia e cultivado principalmente na África e em países da América do Sul, como Brasil e Equador. Atualmente, corresponde a mais de 70% da produção mundial.
- **Trinitário:** fruto proveniente do cruzamento do tipo Criollo com o Forastero, contém sementes ricas em gordura e aroma similar ao do Criollo. Surgiu no século XVIII e é cultivado em alguns países da América Central, da América do Sul e da África.

O QUE SÃO CHOCOLATES DE ORIGEM?

São chocolates que têm como base o cacau vindo de uma única região e que apresentam, por isso, características específicas. Essa denominação apareceu no final do século XX, quando o consumidor passou a ser mais exigente com a qualidade da matéria-prima dos produtos que adquiria.

A seguir estão alguns exemplos de chocolate de origem e suas características:
- **Tanzânia (África):** aromático e com toque sutil de baunilha.
- **Java (Ásia):** sabor com notas de caramelo.
- **São Tomé (África):** mistura de aromas de flores e ervas.
- **Santo Domingo (Caribe):** notas de frutas.

ETAPAS DA TRANSFORMAÇÃO

Depois de colhido, o fruto do cacau passa por um longo caminho até ser processado e se transformar no chocolate que conhecemos hoje. Algumas etapas estão descritas abaixo:

- **Colheita:** os frutos são colhidos com facão conforme vão amadurecendo e, depois, são abertos e têm as sementes retiradas de dentro da polpa branca e fibrosa. Essa etapa pode durar vários meses.
- **Fermentação:** processo importante para o aprimoramento do sabor da semente. Geralmente é realizado na própria fazenda em que o cacau é colhido, e compreende duas técnicas: em uma delas, as sementes são empilhadas em montes e protegidas com folhas de bananeiras por um período de cinco a seis dias, sendo reviradas uma ou duas vezes; na outra técnica, a fermentação é feita em caixas perfuradas e resulta em uma maior acidez.
- **Secagem:** depois da fermentação, as sementes são secas em camadas finas espalhadas em grandes bandejas ou em grandes cobertas colocadas no chão, para que o teor de umidade diminua até 7% ou 8%.
- **Armazenamento:** após a secagem, as sementes são armazenadas em sacos de juta que permitem a ventilação. Devem ser estocadas em local protegido e adequado, pois podem absorver odor e umidade, diminuindo sua qualidade.
- **Embalagem e transporte para fábricas:** as sacas são empilhadas e encaminhadas para o transporte. É necessário ter cuidado para evitar que os grãos mofem.
- **Polimento das sementes:** a limpeza e o polimento dos grãos são fundamentais para a eliminação de corpos estranhos e para manter a integridade do chocolate. Várias técnicas podem ser usadas.
- **Torrefação:** processo fundamental para o desenvolvimento do sabor e da cor. O teor de líquido é reduzido para 3%.
- **Seleção:** consiste na separação da casca e do gérmen da semente antes da moagem, para garantir a pureza do chocolate.
- **Moagem:** é a fase de produção em que o cacau é transformado do estado sólido para o estado fluido, conhecido como licor de cacau.
- **Refinação:** nesse processo são usadas prensas hidráulicas para extrair a manteiga de cacau do licor e compactar o cacau em pasta.
- **Conchagem:** refino adicional para obter texturas mais finas em chocolates de qualidade, além de aprimorar o sabor, a viscosidade e a suavidade.
- **Cristalização ou tempérage:** etapa em que o chocolate se torna sólido mais rapidamente e cria uma textura firme e crocante.
- **Moldagem:** colocação do chocolate nos moldes para adquirir o formato em que será comercializado.
- **Resfriamento e desmoldagem:** após a cristalização e a moldagem, o chocolate é resfriado e endurecido, e em seguida retirado dos moldes para ser embalado.
- **Armazenamento:** estocagem do produto final, já contido em sua embalagem, para a distribuição e venda.

COMPOSIÇÃO DOS PRODUTOS DE CACAU E TIPOS DE CHOCOLATE

Alguns elementos são extraídos das sementes do cacau para concluir a produção do chocolate. Os mais significativos são:

- **Cacau em pasta ou massa de cacau:** produzida a partir da semente de cacau inteira, com adição de manteiga de cacau para melhorar a textura. Pode ser transformada em cacau em pó ou em manteiga de cacau, como também pode ser vendida como chocolate sem açúcar.
- **Cacau em pó:** é feito a partir do torrão de cacau moído. A maior parte é alcalinizada para produzir chocolates com sabores e cores mais acentuados.
- **Manteiga de cacau:** substância gordurosa extraída quando o cacau passa por forte pressão, geralmente em uma prensa hidráulica.

Esses elementos, quando combinados em diferentes proporções e, em alguns casos, misturados a outros ingredientes, resultam nos tipos de chocolate que encontramos no mercado. São eles:

- **Chocolate amargo:** composto de 56%-99% de massa de cacau, pouca manteiga de cacau e pouco açúcar. Pode conter essência e lecitina.
- **Chocolate meio amargo:** composto de 40%-55% de massa de cacau, pouca manteiga de cacau e pouco açúcar.
- **Chocolate ao leite:** composto de 20%-39% de massa de cacau, manteiga de cacau, açúcar e sólidos de leite (leite em pó ou leite condensado).
- **Chocolate branco:** composto de pelo menos 20% de manteiga de cacau, 14% de sólidos de leite, açúcar, aromatizantes e lecitina. Não contém massa de cacau em sua composição.
- **Chocolate para coberturas:** nesse tipo de chocolate usa-se outro tipo de gordura no lugar da manteiga de cacau, como gorduras hidrogenadas e fracionadas (gordura de palma). Isso acaba alterando e prejudicando o sabor, porém facilita o uso, pois elimina o processo de cristalização do chocolate.

TEMPERATURA IDEAL DE TRABALHO PARA CADA TIPO DE CHOCOLATE

A variação da temperatura ideal de acordo com o tipo de chocolate ocorre em virtude das diferenças em seus componentes.

- **Chocolate meio amargo:** 30 °C, podendo variar 1 °C para mais ou para menos.
- **Chocolate ao leite:** 29 °C, podendo variar 1 °C para mais ou para menos.
- **Chocolate branco:** 28 °C, podendo variar 1 °C para mais ou para menos.

ARMAZENAGEM E CONSERVAÇÃO DO CHOCOLATE

Para garantir a qualidade do chocolate, alguns fatores devem ser observados em sua armazenagem. Seguem alguns exemplos:

- **Temperatura:** a temperatura de conservação ideal do chocolate deve estar em torno dos 18 °C. Nessa condição, o chocolate conserva-se por, pelo menos, um ano e meio sem perder suas qualidades. Temperaturas mais altas provocam o amolecimento do chocolate e a perda de brilho.
- **Umidade:** o chocolate deve ser muito bem protegido da umidade. O ambiente de armazenamento deve ter umidade relativa em torno de 60%. Esse controle pode ser feito utilizando-se ar-condicionado.
- **Luz e ar:** sob a influência da luz e do ar, o chocolate oxida-se rapidamente e sofre alterações de sabor. Portanto, deve-se proteger o chocolate da luz (inclusive luzes artificiais) e do contato com o ar. Utilizar embalagens bem fechadas e de preferência opacas facilita a conservação.

PRINCIPAIS DEFEITOS DO CHOCOLATE

FAT BLOOM

Esse fenômeno manifesta-se como manchas acinzentadas na camada superficial do chocolate, conferindo um aspecto desagradável e perda significativa do brilho. O *fat bloom* é causado pela migração de cristais de gordura para a superfície do produto, originada por fatores como:

- cristalização incorreta do chocolate;
- método incorreto de resfriamento dos produtos;
- estocagem em ambientes quentes;
- recheio muito frio;
- temperatura muito alta durante o processo de moldagem.

SUGAR BLOOM

O *sugar bloom* caracteriza o surgimento de uma camada rugosa e irregular na superfície do chocolate, causada pela condensação da umidade, a qual dissolve o açúcar presente no chocolate e forma um xarope. Quando posteriormente a água se evapora, o açúcar permanecerá na superfície em forma de cristais grossos e irregulares. O processo destrói a textura do chocolate, que se torna cinzento e areado. As origens do fenômeno são:

- depósito de umidade, por causa do ar úmido presente em geladeiras convencionais, sem ventilação adequada;
- armazenamento em contato com paredes e/ou chão frios;
- uso de materiais e/ou de embalagens úmidas;
- passagens bruscas de zonas frias para zonas quentes.

Técnicas de utilização do chocolate

DERRETIMENTO OU FUSÃO

Derreter significa passar uma substância do estado sólido para o líquido. O ponto de fusão da manteiga de cacau é de 35 °C; em virtude da baixa condutividade do chocolate, recomenda-se derretê-lo a uma temperatura entre 40 °C e 45 °C para obter um produto com brilho, contração e de quebra perfeita.

Alguns métodos para derreter o chocolate comumente utilizados na confeitaria são:
- banho-maria;
- micro-ondas;
- derretedeira.

Todos oferecem bons resultados, dependendo do manuseio e da quantidade a ser manipulada.

CRISTALIZAÇÃO (TEMPÉRAGE)

É uma etapa de extrema importância para a manipulação do chocolate, pois é responsável pelas características básicas do produto, como brilho, dureza e contração.

O termo *temperar* está relacionado com temperatura e consiste em reorganizar os cristais na manteiga de cacau a partir de uma temperatura ideal. Nesse processo, as moléculas de gordura que se encontram em uma estrutura desordenada começam a se organizar, permitindo o depósito de camadas umas sobre a outras, modificando, consequentemente, as características de brilho e textura. Nesse arranjo os cristais são formados de maneira regular.

OBSERVAÇÕES

Seguem algumas recomendações importantes no preparo do chocolate:
- Depois de cristalizar o chocolate, é importante mantê-lo na temperatura ideal para trabalho. Caso esquente, deve-se fazer todo o processo de cristalização novamente. Se o chocolate esfriar, mas não tiver pedaços sólidos, pode-se colocar por alguns segundos no micro-ondas, apenas para alcançar a temperatura ideal. O ideal é sempre utilizar o termômetro para garantir a qualidade do produto final.
- A temperatura ambiente ideal deve ficar entre 20 °C e 25 °C, e a umidade relativa deve ter no máximo 60%.
- Não use o fouet para cristalizar o chocolate, para que não haja incorporação de ar.
- Jamais verifique a temperatura com a mão! Recomenda-se usar um termômetro ou, se utilizar uma colher, nunca ponha em contato com a boca e coloque de volta no recipiente.
- Todos os utensílios devem estar secos e limpos na manipulação do chocolate.

Alguns métodos de cristalização/tempérage são:

- **Semeadura:** consiste em derreter ¾ do chocolate e acrescentar ¼ em callets (pequenas gotas de chocolate).

- **Tablage ou marmorização:** consiste em derreter todo o chocolate a 40 °C-45 °C. Coloca-se ⅔ do chocolate no mármore e em seguida a temperatura é abaixada até 25 °C-28 °C. Ao atingir essa temperatura, acrescenta-se o ⅓ reservado. Se a temperatura ideal de trabalho não for atingida, é necessário repetir o processo de tablage.

- **Banho-maria quente e frio:** consiste em derreter todo o chocolate e, em seguida, passar por um banho-maria frio até atingir 35 °C. Depois é preciso retirar o chocolate e mexer em temperatura ambiente até atingir a temperatura ideal de trabalho.

- **Adição de manteiga de cacau:** consiste em adicionar 1% de manteiga de cacau estável ao chocolate derretido a 35 °C. Deve-se mexer até atingir a temperatura ideal de trabalho.

Ganache

É uma mistura cremosa, uma emulsão, obtida pela junção de chocolate derretido e um líquido, geralmente creme de leite. Atualmente, adiciona-se também xarope de glucose ou açúcar invertido para retardar o movimento molecular da cadeia da emulsão e ajudar a reter a umidade da ganache, evitando seu ressecamento.

Não se deve agitar em excesso a ganache para não gerar uma textura talhada. Para aumentar sua durabilidade, adicionamos:

- **Açúcar invertido:** retém umidade e mantém a textura cremosa. Usa-se entre 7% e 10% do peso total do recheio.
- **Manteiga sem sabor:** acrescenta textura e corpo à ganache. Deve ser acrescentada em textura de pomada e à temperatura de 35 °C.
- **Álcool:** atua como conservante e realça o sabor. Normalmente usa-se de 5% a 10% do peso total da ganache, mas a quantidade pode variar. Adiciona-se após a emulsão.

TIPOS DE GANACHE E MODOS DE PREPARO

Ingredientes	Ganache de corte	Ganache para moldes (macia)	Ganache de pingar (trufa)
Cacau em pó			q.b.
Chocolate 70% cacau	335 g	170 g	180 g
Creme de leite fresco ou polpa de fruta	250 g	160 g	100 g
Manteiga sem sal em pomada	70 g	30 g	
Mel ou xarope de glucose	40 g (exceto no chocolate branco)	30 g	20 g
Rendimento	1 aro de 20 cm × 5 cm	Dependerá do tamanho da cavidade da fôrma do bombom	Dependerá do formato escolhido para a massa pingada

OPÇÕES DE AROMÁTICOS

Ingredientes	Ganache de corte	Ganache para moldes (macia)	Ganache de pingar (trufa)	Alterações na receita
	Quantidades			
Bebida alcoólica			20 g	Substituir 20 g de creme de leite
Chocolate 50% ou 60%	370 g-390 g	200 g		Substituir o chocolate 70% cacau
Chocolate 30%	500 g	230 g	250 g	Substituir o chocolate 70% cacau
Chocolate branco	750 g	340 g	300 g	Substituir o chocolate 70% cacau

:: MODO DE PREPARO – GANACHE

Ganache de corte

1. Separe os ingredientes que serão utilizados na receita, bem como os seguintes utensílios e equipamentos: bowl, panela, termômetro, espátula de silicone, espátula angular para bolo, faca, micro-ondas, mixer, garfo para bombons, assadeira e papel-manteiga.
2. Forre uma assadeira com papel-manteiga e reserve.
3. Em um bowl, coloque o chocolate e leve para derreter no micro-ondas ou em banho-maria a uma temperatura entre 40 °C e 45 °C. Reserve.
4. Separadamente, em uma panela, leve ao fogo o creme de leite e o mel e mexa com a espátula até ferver.

5. Retire a panela do fogo e misture ⅓ do creme de leite quente no chocolate, mexendo com a espátula até ficar elástico e brilhante.
6. Acrescente mais ⅓ do creme de leite ao chocolate e repita o processo. Depois, adicione a última parte. Reserve em temperatura ambiente.

7. Quando a ganache estiver entre 35 °C e 40 °C, adicione a manteiga em textura de pomada e mexa com um mixer para garantir a correta emulsão.
8. Deixe a ganache cristalizar por aproximadamente 12 horas em uma temperatura ambiente de 20 °C a 30 °C.
9. Faça a chablonnage na ganache, aplicando uma camada fina de chocolate com o auxílio de uma espátula angular para bolo. Em seguida, corte em pedaços e deixe cristalizar por mais 24 horas.

10. Banhe os pedaços no chocolate derretido e cristalizado utilizando um garfo para bombons.
11. Retire o excesso de chocolate e coloque sobre a assadeira forrada com papel-manteiga. Deixe cristalizar novamente e depois embale.

OBSERVAÇÃO
O processo de chablonnage consiste em aplicar uma camada fina de chocolate cristalizado por cima de alguma preparação, para facilitar o corte do produto. É utilizado principalmente em ganaches.

:: MODO DE PREPARO – GANACHE

Ganache para moldes (macia)

1. Separe os ingredientes que serão utilizados na receita, bem como os seguintes utensílios e equipamentos: bowl, panela, termômetro, espátula de silicone, micro-ondas, mixer, molde para bombons, saco de confeitar com bico.
2. Preencha os moldes para bombons com chocolate cristalizado e reserve.
3. Em um bowl, coloque o chocolate e leve para derreter no micro-ondas ou em banho-maria a uma temperatura entre 40 ºC e 45 ºC. Reserve.
4. Separadamente, em uma panela, leve ao fogo o creme de leite e o mel e mexa com a espátula até ferver.

5. Retire a panela do fogo e misture ⅓ do creme de leite quente no chocolate, mexendo com uma espátula até ficar elástico e brilhante.
6. Acrescente mais ⅓ do creme de leite ao chocolate e repita o processo. Depois, adicione a última parte. Reserve em temperatura ambiente.
7. Quando a ganache estiver entre 35 ºC e 40 ºC, adicione a manteiga em textura de pomada e mexa com um mixer para garantir a correta emulsão.

8. Deixe esfriar até atingir entre 27 ºC e 28 ºC, então coloque a ganache no saco de confeitar e preencha os moldes de bombons.
9. Deixe cristalizar por aproximadamente 12 horas a uma temperatura ambiente entre 20 ºC e 30 ºC.

10. Com uma espátula de silicone, passe chocolate cristalizado na superfície dos moldes, fechando o bombom, e deixe cristalizar. Depois, os bombons já podem ser embalados.

:: MODO DE PREPARO – GANACHE

Ganache de pingar (trufa)

1. Separe os ingredientes que serão utilizados na receita, bem como os seguintes utensílios e equipamentos: panela, termômetro, espátula de silicone, micro-ondas, mixer, saco de confeitar, bico perlê, luva, papel--manteiga ou folha plástica.
2. Coloque cacau em pó em um bowl e reserve.
3. Em outro bowl, coloque o chocolate e leve para derreter no micro-ondas ou em banho-maria a uma temperatura entre 40 °C e 45 °C.
4. Separadamente, em uma panela, leve o creme de leite e o mel ao fogo, mexendo com uma espátula até ferver.
5. Retire a panela do fogo e misture ⅓ do creme de leite quente no chocolate, mexendo com a espátula até ficar elástico e brilhante.
6. Acrescente mais ⅓ de creme de leite ao chocolate e repita o processo.
7. Adicione a última parte de creme de leite e mexa com um mixer para garantir a correta emulsão.

8. Deixe esfriar até atingir entre 27 °C e 28 °C, então coloque a ganache no saco de confeitar com o bico perlê e pingue em cima de um papel-manteiga ou de uma folha plástica.
9. Deixe cristalizar por aproximadamente 12 horas a uma temperatura ambiente entre 20 °C e 30 °C.
10. Utilizando luvas descartáveis, modele delicadamente cada trufa fazendo movimentos circulares (processo conhecido como bolear).

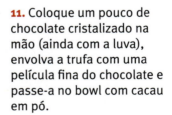

11. Coloque um pouco de chocolate cristalizado na mão (ainda com a luva), envolva a trufa com uma película fina do chocolate e passe-a no bowl com cacau em pó.

12. Quando o chocolate começar a endurecer, role a trufa no cacau novamente e retire do bowl. Deixe cristalizar e embale.

CHOCOLATES   221

Fabricação de bombons

Para produzir bombons, é possível utilizar várias técnicas de preparo e, dependendo da técnica escolhida, todos os tipos de chocolate podem ser usados. A quantidade de ingredientes na receita pode mudar em virtude da composição de cada tipo de chocolate. As maneiras de preparar e de modelar os bombons são descritas a seguir.

:: **MODO DE PREPARO – BOMBONS MACIÇOS**

Bombons maciços

1. Separe os ingredientes que serão utilizados na receita, bem como os seguintes utensílios e equipamentos: bowl, panela, termômetro, espátula de silicone, espátula angular para bolo ou chocolate, micro-ondas e moldes para bombons de acetato, pvc ou policarbonato.
2. Em um bowl, faça o processo de cristalização do chocolate (p. 217) e reserve.
3. Higienize os moldes com um pano macio ou algodão antes de utilizá-los.

4. Coloque o chocolate cristalizado em um saco de confeitar e preencha os moldes.

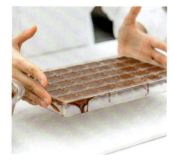

5. Retire o excesso de chocolate passando uma espátula angular para bolo por cima, depois bata o molde no mármore para retirar o ar.
6. Leve à geladeira para que o chocolate endureça. Depois, retire dos moldes e embale.

OBSERVAÇÃO
Dependendo do molde de chocolate escolhido, após colocar na geladeira a parte de baixo pode ficar opaca. Nesse momento é possível desenformar os bombons virando o molde de cabeça para baixo e batendo delicadamente sobre uma superfície.

EXEMPLOS DE FORMATOS DOS BOMBONS MACIÇOS:
- Barras.
- Pastilhas (gotas de chocolates feitas com saco de confeitar ou na fôrma).
- Mendiants (gotas de chocolate decorada com frutas secas).

:: MODO DE PREPARO – BOMBONS BANHADOS

Bombons banhados

1. Separe os ingredientes que serão utilizados na receita, bem como os seguintes utensílios e equipamentos: bowl, panela, faca, termômetro, espátula de silicone, espátula angular para bolo ou chocolate, micro-ondas, garfo de banhar bombons, papel-manteiga, assadeira

2. Disponha o papel-manteiga sobre uma assadeira e reserve.

3. Prepare a ganache de corte (p. 219).

4. Em um bowl, faça o processo de cristalização do chocolate (p. 217).

5. Com o auxílio de uma faca, corte a ganache no formato desejado para os bombons e banhe-os no chocolate cristalizado com o auxílio de um garfo de banhar.

6. Retire os bombons do bowl com chocolate. Remova o excesso de chocolate fazendo movimentos de cima para baixo com o garfo de banhar, depois coloque-os sobre o papel-manteiga.

7. Leve os produtos à geladeira para o chocolate endurecer.

8. Depois de retirar da geladeira é possível decorar os bombons de diferentes maneiras: fazendo risquinhos ou arabescos com chocolate cristalizado (dentro de um saco de confeitar), pincelando pós perolados por cima dos bombons ou colando arabescos ou plaquinhas de chocolate em cima.

Trufas

1. Separe os ingredientes que serão utilizados na receita, bem como os seguintes utensílios e equipamentos: bowl, saco de confeitar com bico perlê, panela, termômetro, espátula de silicone, espátula angular para bolo ou chocolate, micro-ondas, luva descartável e assadeira.

2. Disponha o papel-manteiga sobre uma assadeira e reserve.

3. Prepare a ganache de pingar (p. 221).

4. Em um bowl, faça o processo de cristalização do chocolate (p. 217).

5. Com a espátula de silicone, coloque a ganache dentro do saco de confeitar com bico perlê. Pingue sobre o papel-manteiga e deixe cristalizar.

6. Coloque a luva descartável, passe um pouco de chocolate nos dedos e modele os bombons.

7. Passe as trufas pelo cacau em pó, espere cristalizar, retire o excesso e coloque-as sobre o papel-manteiga para endurecer.

:: MODO DE PREPARO – BOMBONS MOLDADOS

Bombons moldados

1. Separe os ingredientes que serão utilizados na receita, bem como os seguintes utensílios e equipamentos: bowl, panela, termômetro, espátula de silicone, espátula angular para bolo ou chocolate, micro-ondas e moldes para bombons de acetato, PVC ou policarbonato.
2. Em um bowl, faça o processo de cristalização do chocolate (p. 217).
3. Higienize os moldes com o auxílio de um pano macio ou algodão antes de utilizá-los.

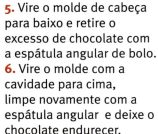

4. Preencha os moldes com o chocolate cristalizado. Retire o excesso usando a espátula angular e bata os moldes no mármore para retirar o ar.

5. Vire o molde de cabeça para baixo e retire o excesso de chocolate com a espátula angular de bolo.
6. Vire o molde com a cavidade para cima, limpe novamente com a espátula angular e deixe o chocolate endurecer.

7. Coloque o recheio escolhido no saco de confeitar e preencha os bombons. Espere cristalizar e feche-os com chocolate.
8. Retire o excesso do chocolate com uma espátula angular e leve os bombons à geladeira para o chocolate contrair.
9. Desmolde os bombons virando o molde de cabeça para baixo em cima de uma superfície e bata delicadamente.
10. Após esse processo é possível decorar os bombons de diferentes maneiras: fazendo risquinhos ou arabescos com chocolate cristalizado (dentro de um saco de confeitar), pincelando pós perolados por cima dos bombons ou colando arabescos ou plaquinhas de chocolate em cima.

:: **MODO DE PREPARO – MENDIANTS**

Mendiants

1. Separe os ingredientes que serão utilizados na receita, bem como os seguintes utensílios e equipamentos: bowl, panela, termômetro, espátula de silicone, espátula para chocolate, micro-ondas, assadeira, silpat ou papel-manteiga, saco de confeitar com bico e tesoura.

2. Disponha o papel-manteiga ou silpat sobre uma assadeira e reserve.

3. Em um bowl, faça o processo de cristalização do chocolate (p. 217).

4. Coloque o chocolate cristalizado em um saco de confeitar com bico e pingue círculos sobre o papel-manteiga ou silpat.

5. Imediatamente, coloque pedaços das frutas secas escolhidas em cima de cada círculo e deixe endurecer.

6. Se preferir, leve os mendiants à geladeira para o chocolate contrair com mais facilidade.

7. Retire da geladeira e desmolde os bombons soltando-os do papel-manteiga com as mãos.

CHOCOLATES

:: MODO DE PREPARO – FIGURAS OCAS

Figuras ocas

1. Separe os ingredientes que serão utilizados na receita, bem como os seguintes utensílios e equipamentos: bowl, panela, termômetro, espátula de silicone, espátula angular para bolo ou chocolate, micro-ondas, moldes de figuras ocas, papel-manteiga e assadeira.
2. Disponha o papel-manteiga sobre uma assadeira e reserve.
3. Em um bowl, faça o processo de cristalização do chocolate (p. 217).
4. Higienize os moldes com um pano macio ou algodão antes de utilizá-los.
5. Com a espátula de silicone, preencha os moldes com o chocolate cristalizado e retire o excesso com a espátula angular.
6. Bata os moldes no mármore para retirar o ar.
7. Vire os moldes de cabeça para baixo e retire o excesso de chocolate com a espátula angular.
8. Vire o molde com a cavidade para cima e passe novamente a espátula angular para retirar o excesso.
9. Vire o molde para baixo mais uma vez e coloque-o sobre o papel-manteiga na assadeira. Deixe o chocolate endurecer.
10. Leve à geladeira para o chocolate contrair. Depois, verifique se a espessura do bombom está adequada. Caso queira mais grosso, repita o processo. Quanto maior o molde, mais camadas serão necessárias para dar firmeza à peça.
11. Retire da geladeira e desmolde as figuras ocas virando o molde de cabeça para baixo em cima de uma superfície.
12. Para unir as figuras, esquente levemente uma assadeira no fogão ou no forno, entre 35 °C e 40 °C, depois desligue ou retire do forno. Coloque as peças rapidamente sobre a assadeira até perceber que o chocolate começa a derreter e segure-as, uma virada para outra, até que a peça grude e não se mexa.

OBSERVAÇÃO
Deixar o molde endurecer virado para baixo sobre uma assadeira com papel-manteiga é uma maneira de fazer o excesso de chocolate escorrer e formar uma "bordinha" no molde. Isso ajudará na hora de unir as peças, se for necessário, ou na hora de rechear o bombom, para que o recheio não escape.

De cima para baixo: bombons moldados, mendiants, bombons maciços, bombons banhados tipo trufa, bombons banhados.

Decorações básicas com chocolate

- **Arabescos com cartucho:** coloque o chocolate temperado em um saco de confeitar ou um cartucho, corte a ponta fina do saco e aplique o chocolate em cima de um papel-manteiga ou de uma folha de acetato fazendo formatos de arabescos. Preencha as linhas. Deixe cristalizar, retire do acetato e embale.
- **Gotas:** espalhe uma camada fina de chocolate em cima de um pedaço de acetato usando uma espátula angular para bolo ou chocolate. Espere perder o brilho. Una as pontas do acetato fazendo o formato de gota e prenda usando um aro ou prendedor. Espere contrair, depois retire o chocolate do acetato e embale.
- **Laços:** o laço é composto de várias gotas juntas, ou seja, o modo de preparo inicial é o mesmo: espalhe uma camada fina de chocolate em cima de um pedaço de acetato usando uma espátula angular. Espere perder o brilho. Una as pontas e prenda usando um aro ou prendedor; espere contrair, retire do acetato e embale. Para a montagem, pode-se unir dois laços ou então montar os laços intercalados com tamanhos diferentes, grudando com o chocolate cristalizado.
- **Telhas:** faça uma tira de papel-manteiga. Com um saco de confeitar, pingue bolinhas de chocolate cristalizado no papel, deixando um espaço de 5 cm entre elas. Coloque outro papel-manteiga do mesmo tamanho sobre ele e faça uma leve pressão para afinar as bolinhas. Coloque em uma assadeira ondulada ou enrole o papel. Deixe cristalizar, retire do papel-manteiga e embale.
- **Tubos e canudos:** espalhe uma camada fina de chocolate em cima de um pedaço de acetato usando uma espátula ou o saco de confeitar. Espere perder o brilho. Enrole formando um canudo, prenda com um elástico ou coloque dentro de um aro para manter o formato. Espere contrair, retire do acetato e embale.

- **Espirais:** espalhe uma camada fina de chocolate em cima de um pedaço de acetato usando uma espátula angular. Espere perder o brilho. Torça o acetato e prenda usando um aro. Espere contrair, retire do acetato e embale.
- **Plaquinhas (quadrados ou discos):** espalhe uma camada fina de chocolate em cima de um acetato ou papel-manteiga usando uma espátula angular. Espere perder o brilho. Com uma faca de legumes ou um cortador, corte o chocolate e espere contrair. Retire do acetato ou papel-manteiga e embale.
- **Cigarettes:** espalhe uma camada fina de chocolate no mármore usando uma espátula angular. Retire os excessos das laterais e espere perder o brilho. Com uma espátula flexível, apoie no chocolate de dentro para fora e faça pressão para enrolar.
- **Leques:** misture algumas gotas de óleo no chocolate cristalizado. Espalhe uma camada fina de chocolate no mármore usando uma espátula angular, mantendo um retângulo estreito e longo. Apoie o dedo indicador na ponta de uma espátula flexível sobre o chocolate e faça um movimento de 180º para formar ondulações.
- **Ramas:** misture algumas gotas de óleo no chocolate cristalizado. Espalhe uma camada fina de chocolate no mármore usando uma espátula angular, mantendo um retângulo estreito e longo. Apoie o dedo na ponta de uma espátula flexível e faça pressão empurrando-a da beirada mais próxima a você para cima, formando ondulações no chocolate.
- **Fitas:** espalhe uma camada fina de chocolate em cima de um pedaço de acetato usando uma espátula angular, formando uma fita. Espere perder o brilho. Coloque a fita em um aro ou aplique diretamente sobre a sobremesa.
- **Desenhos de preenchimento:** escolha um desenho e coloque uma folha de papel-manteiga ou de acetato em cima do desenho. Com um saco de confeitar contendo chocolate, faça os contornos do desenho e espere contrair. Aplique chocolate nos preenchimentos do desenho. O ideal é trabalhar com diferentes cores conforme a característica do desenho.

COMO FAZER UM CARTUCHO PARA DECORAÇÃO

1. Pegue uma folha de papel-manteiga em formato retangular, dobre-a na diagonal e corte na marcação para obter dois triângulos.

2. Posicione uma mão no meio da hipotenusa (linha oposta ao ângulo reto do triângulo) e, com a outra mão, vire a ponta de cima em direção ao centro, para formar um cone.

3. Enrole a folha até o final. Prenda as pontas para dentro, firmando para que o cone não abra.

CHOCOLATE PARA MOLDAR

É a combinação de chocolate, glucose e calda de açúcar. Pode ser fabricado com qualquer tipo de chocolate, mas a proporção de ingredientes irá variar de acordo com a composição do chocolate.

Ingredientes	Quantidade
Calda simples de água e açúcar na proporção 1:1 (para cada 1 g de açúcar será utilizado 1 g de água)	18 g-19 g
Chocolate 70%	100 g
Xarope de glucose	31,3 g
Rendimento	150 g

1. Separe os ingredientes que serão utilizados na receita, bem como os seguintes utensílios: bowl, panela, termômetro, espátula de silicone e filme plástico.
2. Em um bowl, derreta o chocolate no banho-maria ou no micro-ondas e reserve.
3. Em uma panela, leve a calda de água e açúcar ao fogo, mexendo com a espátula até levantar fervura.
4. Adicione a glucose à calda e mexa com a espátula para misturar.
5. Desligue o fogo e espere a calda esfriar até atingir 32 °C.
6. Misture a calda no chocolate derretido, mexendo com o auxílio da espátula até ficar homogêneo.
7. Cubra a mistura com filme plástico e deixe descansar de um dia para o outro em temperatura ambiente de 20 °C a 30 °C.
8. Retire a mistura de chocolate do bowl e amasse com as mãos até ficar maleável para poder abrir e modelar.
Se necessário, leve ao micro-ondas em potência alta por aproximadamente 20 segundos, apenas para a massa ficar morna, pois isso ajudará a amassar mais rápido.

OBSERVAÇÃO
Dependendo da marca e da composição do chocolate, será necessário acrescentar ou diminuir a quantidade de calda de açúcar para deixar a massa mais maleável.

CHOCOLATE TIPO VELUDO OU PARA PULVERIZAÇÃO

É uma decoração que confere textura de veludo aos produtos de confeitaria, formada pela combinação de chocolate e manteiga de cacau. O tipo de chocolate utilizado irá influenciar na proporção dos ingredientes.

Ingredientes	Chocolate 70%	Chocolate 30%	Branco
Chocolate	70 g	65 g	80 g
Manteiga de cacau	30 g	35 g	20 g
Rendimento	100 g	100 g	100 g

1. Separe os ingredientes que serão utilizados na receita, bem como os seguintes utensílios e equipamentos: micro-ondas, bowl, panela, termômetro, espátula de silicone e pistola de pintura para pulverização de chocolate.
2. Em um bowl, derreta o chocolate em banho-maria ou no micro-ondas.
3. Adicione a manteiga ao chocolate e misture com a espátula até ficar homogêneo.
4. Coloque o chocolate na pistola de pintura na temperatura indicada e aplique sobre a peça. (Para aplicar em sobremesas congeladas, deixe a mistura em 49 °C. Para aplicar em esculturas e chocolates, deixe a mistura em 32 °C, mas as peças devem ser congeladas rapidamente.)

OBSERVAÇÃO
Hoje em dia, encontramos no Brasil empresas ligadas à área de alimentação que vendem as pistolas de pintura exclusivas para chocolate. Caso não encontre as pistolas, pode-se substituí-las por um compressor de ar com pistola de pintura – o importante é que o corpo da pistola seja de plástico, assim é possível levar ao micro-ondas. É importante salientar que, se a pistola de pintura for utilizada, ela deverá ser separada apenas para fins alimentícios, evitando que resíduos tóxicos fiquem no equipamento.

Theobroma.

Sobremesas à base de chocolate

Diversas sobremesas à base de chocolate podem ser feitas ao combinar uma variação de ingredientes. Algumas bem conhecidas são:

- **Blondie:** variação do brownie (ver p. 84) que leva chocolate branco e baunilha em sua composição, entre outros ingredientes.
- **Petit gateau:** sobremesa composta de um pequeno bolo de chocolate com recheio cremoso no interior, acompanhado de sorvete.
- **Palha italiana:** sobremesa feita basicamente da combinação de brigadeiro e bolacha de maisena, mas pode levar outros ingredientes.
- **Salaminho:** muito semelhante à palha italiana, a diferença está em alguns ingredientes utilizados: tradicionalmente, o salaminho leva chocolate derretido e castanhas na composição, diferentemente da palha, que é feita à base de brigadeiro e bolacha maisena.

Na foto acima, da esquerda para a direita: blondie, brownie, palha italiana de chocolate, petit gateau branco, salaminho e petit gateau tradicional.

SOBREMESAS À BASE DE CHOCOLATE

Ingredientes	Blondie	Petit gateau tradicional/ collant/ fondant mi cuit	Petit gateau branco	Palha italiana	Salaminho
Achocolatado				90 g	
Açúcar impalpável					20 g
Açúcar mascavo	30 g				
Açúcar refinado	115 g	125 g	100 g	150 g	
Bolacha de maisena picada				100 g	50 g-80 g
Cacau em pó		q.b. (apenas para untar)			
Canela em pó					q.b.
Chocolate 70% cacau		125 g			
Chocolate branco	Qtde. 1: 145 g Qtde. 2: 115 g (em gotas ou picado para colocar no meio da massa)		150 g		
Chocolate 50% cacau					250 g
Chocolate em pó					
Creme de leite UHT					25 g
Essência de baunilha	1 g		1 g		
Farinha de trigo	85 g	50 g	100 g		
Frutas secas picadas (nozes, castanhas, uva-passa, etc.)					80 g
Leite condensado				400 g	
Manteiga sem sal	105 g	100 g	100 g	10 g	
Nozes picadas	25 g				
Ovos	100 g	200 g	250 g		
Pistache picado	25 g				
Raspas de limão	1 g				
Sal	1 g				
Rendimento	1 fôrma de 20 cm de diâmetro	6 unidades	6 unidades	1 fôrma de 20 cm de diâmetro	10 unidades ou 1 rolo de 15 cm (aprox.)

:: MODO DE PREPARO – SOBREMESAS À BASE DE CHOCOLATE

Blondie

1. Separe os ingredientes que serão utilizados na receita, bem como os seguintes utensílios e equipamentos: bowl, panela, espátula de silicone, batedeira com o batedor tipo globo, fôrma.
2. Preaqueça o forno a 170 °C.
3. Forre a fôrma com papel-manteiga e reserve.
4. Em um bowl, derreta 145 g de chocolate em banho-maria ou no micro-ondas.
5. Acrescente a manteiga e misture com a espátula até ficar homogêneo. Reserve.
6. Na batedeira com o batedor tipo globo, bata os ovos e o açúcar refinado em velocidade média até ficarem levemente espumosos e claros.
7. Retire o recipiente da batedeira e, com o auxílio da espátula de silicone, acrescente a mistura de chocolate e os demais ingredientes nos ovos. Mexa com a espátula apenas até ficar homogêneo.
8. Coloque a massa sobre a fôrma forrada com papel-manteiga e leve para assar a 170 °C por aproximadamente 25 minutos, até ficar sequinha por fora e levemente cremosa por dentro.

OBSERVAÇÃO
As frutas secas e o chocolate picado na massa podem ser substituídos por outras opções de aromáticos.

Petit gateau tradicional/collant/fondant mi-cuit

1. Separe os ingredientes que serão utilizados na receita, bem como os seguintes utensílios e equipamentos: bowl, panela, espátula de silicone, batedeira com o batedor tipo globo, assadeira, forminhas de petit gateau, micro-ondas e faca.
2. Preaqueça o forno a 180 °C.
3. Unte as forminhas para petit gateau pincelando-as com um pouco de manteiga e polvilhando cacau em pó.
4. Coloque as forminhas sobre uma assadeira e reserve.
5. Em um bowl, derreta o chocolate em banho-maria ou no micro-ondas.
6. Adicione a manteiga e mexa com a espátula até ficar homogêneo. Reserve.
7. Na batedeira com o batedor tipo globo, bata os ovos e o açúcar em velocidade média até ficarem levemente espumosos.
8. Incorpore o chocolate derretido à mistura de ovos, mexendo com a espátula.
9. Adicione a farinha de trigo e mexa novamente com a espátula apenas para incorporar.
10. Preencha ¾ das forminhas para petit gateau com a massa e leve para gelar até ficar bem firme.
11. Retire da geladeira e leve para assar a 180 °C por aproximadamente 10-12 minutos (dependerá do tamanho da forminha). É importante que o forno esteja devidamente preaquecido, pois a massa deve assar rápido por fora, formando uma casquinha, e ficar mole por dentro.
12. Retire do forno e passe uma faca em toda a lateral da forminha para a massa desgrudar.
13. Desenforme o petit gateau e sirva imediatamente em um prato com uma bola de sorvete. Também pode-se decorar o prato com caldas.

OBSERVAÇÃO
O petit gateau deve ser feito no tempo exato para não cozinhar muito o interior do bolo.

:: MODO DE PREPARO – SOBREMESAS À BASE DE CHOCOLATE

Petit gateau branco

1. Separe os ingredientes que serão utilizados na receita, bem como os seguintes utensílios e equipamentos: bowl, panela, espátula de silicone, batedeira com o batedor tipo globo, assadeira, forminhas para petit gateau, micro-ondas e faca.
2. Preaqueça o forno a 180 ºC.
3. Unte as forminha para petit gateau pincelando-as com um pouco de manteiga e polvilhando farinha de trigo.
4. Coloque as forminhas sobre uma assadeira e reserve.
5. Em um bowl, derreta o chocolate em banho-maria ou no micro-ondas.
6. Adicione a manteiga e mexa com a espátula até ficar homogêneo.
7. Na batedeira com o batedor tipo globo, bata os ovos e o açúcar em velocidade média até ficarem levemente espumosos.
8. Incorpore o chocolate derretido à mistura de ovos, mexendo com a espátula.
9. Adicione a farinha de trigo e a essência de baunilha e mexa com a espátula apenas até ficar homogêneo.
10. Preencha ¾ das forminhas para petit gateau com a massa e leve para gelar até ficarem firmes.
11. Retire da geladeira e leve para assar a 180 ºC por aproximadamente 10-12 minutos (dependerá do tamanho da forminha). É importante que o forno esteja devidamente preaquecido, pois a massa deve assar rápido por fora, formando uma casquinha, e ficar mole por dentro.
12. Retire do forno e passe uma faca em toda a lateral da forminha para a massa desgrudar.
13. Desenforme o petit gateau e sirva imediatamente em um prato com uma bola de sorvete. Também pode-se decorar o prato com caldas.

Palha italiana de chocolate

1. Separe os ingredientes que serão utilizados na receita, bem como os seguintes utensílios: bowl, panela, espátula de silicone, pincel, fôrma e faca.
2. Unte a fôrma: com um pincel, espalhe óleo sobre o fundo e as laterais, depois polvilhe com farinha de trigo.
3. Com o auxílio de uma faca ou das próprias mãos, corte as bolachas em pedaços e reserve.
4. Em uma panela, leve o achocolatado, a manteiga e o leite condensado ao fogo médio e faça um brigadeiro, mexendo com a espátula até soltar do fundo da panela.
5. Adicione as bolachas em pedaços e mexa com a espátula apenas até incorporar.
6. Coloque a massa na fôrma untada e deixe esfriar por 2 horas.
7. Para finalizar, corte a palha italiana em quadradinhos e passe no açúcar antes de servir.

Salaminho

1. Separe os ingredientes que serão utilizados na receita, bem como os seguintes utensílios e equipamentos: bowl, panela ou micro-ondas, espátula de silicone, papel-alumínio ou filme plástico e faca.
2. Em um bowl, derreta o chocolate em banho-maria ou no micro-ondas.
3. Adicione os demais ingredientes (menos o açúcar impalpável) e misture com o auxílio de uma espátula até incorporar os ingredientes.
4. Disponha a preparação sobre um filme plástico ou papel-alumínio e enrole, segurando as duas pontas, até atingir a espessura desejada. Cuidado para a massa não sair.
5. Leve para gelar até ficar a massa firme.
6. Para finalizar, retire o filme plástico, passe a massa no açúcar impalpável e corte em rodelas.

Sobremesas compostas à base de chocolate

Algumas sobremesas podem ser compostas de várias preparações à base de chocolate, as quais devem ser montadas em uma ordem específica.

A seguir estão alguns exemplos de montagens contemporâneas elaboradas com diferentes técnicas.

Le croquant

Ingredientes	Mousse de chocolate sem ovos	Massa crocante (pailleté feuilletine)	Crocante de chocolate (croustillant)	Breton de cacau	Ganache batida	Glaçage de chocolate
Açúcar de confeiteiro		35 g				
Açúcar refinado				80 g		
Água	5 g					
Cacau em pó				15 g		
Chocolate 70%	140 g		100 g		90 g	130 g
Claras		35 g				
Creme de leite fresco quente					110 g	
Creme de leite fresco frio	250 g				220 g	250 g
Farinha de trigo		35 g		110 g		
Fermento químico				4 g		
Gelatina em pó sem sabor	1 g					
Gemas				40 g		
Leite integral	125 g					
Manteiga sem sal		35 g (pomada)	50 g			60 g
Massa crocante (pailleté feuilletine)			50 g-100 g			
Mel						60 g
Nibs de cacau (cacau torrado e triturado)				2 g		
Rendimento	1 fôrma de 20 cm diâmetro					

OPÇÕES DE AROMÁTICOS

Ingredientes	Quantidade	Alterações na receita
Mousse de chocolate		
Chocolate 30% cacau	170 g	Substituir o chocolate 70% cacau Substituir a gelatina por 2 g Substituir a água por 10 g
Chocolate branco	235 g	Substituir o chocolate 70% cacau Substituir a gelatina por 4 g Substituir a água por 25 g
Crocante chocolate (croustillant)		
Chocolate 30% cacau	150 g	Substituir o chocolate 70% cacau
Chocolate branco	190 g	Substituir o chocolate 70% cacau
Ganache batida		
Chocolate 30% cacau	150 g	Substituir o chocolate 70% cacau Substituir o creme de leite fresco frio por 270 g
Chocolate branco	160 g	Substituir o chocolate 70% cacau Substituir o creme de leite fresco frio por 260 g
Glaçage de chocolate		
Chocolate 50% cacau	150 g	Substituir o chocolate 70% cacau
Chocolate 30% cacau	300 g	Substituir o chocolate 70% cacau
Chocolate branco	400 g	Substituir o chocolate 70% cacau Acrescentar 4 g de gelatina em pó sem sabor hidratada em 20 g de água

:: MODO DE PREPARO – LE CROQUANT

Mousse de chocolate sem ovos

1. Separe os ingredientes que serão utilizados na receita, bem como os seguintes utensílios e equipamentos: panela, bowl, espátula de silicone, fouet e batedeira com o batedor tipo globo.
2. Em um bowl, hidrate e dissolva a gelatina na água (p. 41). Reserve.
3. Em uma panela, leve o leite ao fogo, mexendo com a espátula até ferver.
4. Acrescente a gelatina hidratada ao leite e mexa até incorporar.
5. Adicione aos poucos o chocolate à mistura de leite, mexendo com a espátula para derreter e ficar homogêneo. Deixe esfriar e reserve.
6. Na batedeira com o batedor tipo globo, bata o creme de leite gelado em velocidade média até atingir o ponto de pico (crème fouettée – p. 135). Cuidado para não bater em excesso para não separar a gordura do soro. (Caso isso aconteça, escorra o soro e a parte gordurosa pode ser aproveitada em outra preparação no lugar da manteiga.)
7. Adicione o crème fouetée em duas etapas à mistura com o chocolate, mexendo com o fouet delicadamente de baixo para cima.
8. Reserve a mousse para a etapa da montagem.

Massa crocante (pailleté feuilletine)

1. Separe os ingredientes que serão utilizados na receita, bem como os seguintes utensílios: bowl, espátula de silicone, silpat, assadeira e espátula angular para bolo.
2. Preaqueça o forno a 160 ºC.
3. Disponha o silpat sobre uma assadeira e reserve.
4. Em um bowl, misture o açúcar e a manteiga com o auxílio de uma espátula até obter uma mistura esbranquiçada.
5. Junte as claras em temperatura ambiente e mexa bem com a espátula até conseguir uma mistura homogênea.
6. Acrescente a farinha e misture novamente com a espátula de silicone até formar uma massa homogênea.
7. Coloque a massa sobre o silpat e espalhe com o auxílio de uma espátula angular até atingir a espessura de uma folha de papel.
8. Leve para assar a 160 ºC até que a massa adquira um dourado uniforme.
9. Retire do forno, deixe esfriar e quebre a massa em pedaços pequenos.
10. Reserve em um recipiente hermeticamente fechado até ser utilizada.

Crocante de chocolate (croustillant)

1. Separe os ingredientes que serão utilizados na receita, bem como os seguintes utensílios: bowl, espátula de silicone, silpat, assadeira e aro de 18 cm de diâmetro.
2. Disponha o silpat sobre a assadeira e reserve.
3. Em um bowl, derreta o chocolate em banho-maria ou no micro-ondas.
4. Acrescente a manteiga e os pedaços de massa crocante. Mexa com a espátula apenas para incorporar os ingredientes.
5. Disponha no silpat com o aro de 18 cm por cima. Distribua a massa com a espátula para que fique uniforme.
6. Leve a placa crocante para gelar. Ela pode ser mais espessa ou mais fina, conforme a proposta e o objetivo da montagem: se ficar mais grossa, o ideal é colocá-la no fundo da preparação, pois fica mais fácil de cortar; se ficar mais delicada, pode ser colocada em qualquer etapa.

:: MODO DE PREPARO – LE CROQUANT

Breton de cacau

1. Separe os ingredientes que serão utilizados na receita, bem como os seguintes utensílios: bowl, rolo de abrir massa, filme plástico, assadeira, silpat, aro de 18 cm de diâmetro, garfo.
2. Preaqueça o forno a 160 ºC.
3. Disponha o silpat sobre a assadeira e reserve.
4. Em um bowl, faça uma massa seca com todos os ingredientes utilizando o processo crémage ou o sablage (pp. 74-75).
5. Com o rolo de abrir massa e um filme plástico, abra a massa até atingir uma espessura de 2 mm.
6. Com o auxílio do aro, corte um disco de 18 cm de diâmetro na massa. Fure toda a superfície da massa com o garfo.
7. Coloque a massa no silpat e leve para gelar até ficar firme.
8. Retire da geladeira e leve a massa para assar a 160 ºC até ficar crocante. Reserve até a etapa da montagem.

Ganache batida

1. Separe os ingredientes que serão utilizados na receita, bem como os seguintes utensílios e equipamentos: panela, bowl, espátula de silicone, fouet, filme plástico e batedeira com o batedor tipo globo.
2. Em uma panela, leve 110 g de creme de leite ao fogo, mexendo com a espátula até ferver. Reserve.
3. Em um bowl, coloque o chocolate e adicione o creme de leite quente aos poucos, misturando com a espátula até obter uma mistura homogênea.
4. Adicione delicadamente 220 g de creme de leite gelado à mistura, mexendo com o fouet de baixo para cima para manter a aeração.
5. Cubra a ganache com filme plástico e leve para gelar por, no mínimo, 3 horas.
6. Retire da geladeira e, na batedeira com o batedor tipo globo, bata a ganache em velocidade baixa até ficar aerada (cuidado para não ficar talhado).

Glaçage de chocolate

1. Separe os ingredientes que serão utilizados na receita, bem como os seguintes utensílios: panela, espátula de silicone e termômetro.
2. Em uma panela, leve ao fogo o creme de leite e o mel, mexendo com uma espátula até ferver.
3. Adicione o chocolate 70% à mistura e mexa com a espátula para derreter. Deixe chegar a 40 ºC.
4. Quando atingir 40 ºC, adicione a manteiga em textura de pomada e misture com a espátula até incorporar.
5. Aplique imediatamente sobre a sobremesa congelada.

OBSERVAÇÃO
Se substituir o chocolate 70% por outro tipo, hidrate e dissolva a gelatina na água (p. 41) em um bowl e acrescente ao creme de leite quente na panela, mexendo com o auxílio da espátula até incorporar.

:: MODO DE PREPARO – LE CROQUANT

Montagem do Le croquant

1. Separe os utensílios: aro com 20 cm de diâmetro, espátula de silicone, fita de acetato, fôrma de silicone.
2. Coloque a fita de acetato nas laterais do aro.

4. Retire da geladeira e coloque sobre a massa um disco de crocante de chocolate.

6. Complete o aro com a mousse de chocolate, nivele com uma espátula e leve ao congelador por mais 12 horas.

7. Desenforme a mousse da fôrma de silicone. Coloque-a sobre uma grade e aplique a glaçage de chocolate sobre ela em abundância.
8. Para finalizar, coloque a peça glaçada sobre a torta. Decore a gosto e espere descongelar para servir.

3. Acrescente a massa breton de cacau à parte interna do aro e, por cima, adicione uma camada de ganache batida. Leve para gelar até ficar firme.

5. Em uma fôrma de silicone, coloque o restante da ganache batida e leve ao congelador por 12 horas.

ESQUEMA DE MONTAGEM
- Glaçage
- Ganache batida
- Mousse
- Crocante
- Ganache batida
- Breton de cacau

Theobroma

Ingredientes	Bolo de chocolate sem farinha	Chantili de chocolate	Cremoso de chocolate amargo (crémeux au chocolat)	Creme diplomata de chocolate (crème diplomate au chocolat)	Veludo de chocolate
Açúcar refinado	20 g		25 g	40 g	
Água				5 g	
Amido de milho				4 g	
Chocolate 50%		180 g		75 g	100 g
Chocolate 70%	65 g		80 g		
Claras	125 g				
Creme de leite fresco quente		100 g			
Creme de leite fresco frio		200 g	125 g	150 g	
Gelatina em pó				1,5 g	
Gemas	15 g		50 g	45 g	
Leite integral			125 g	185 g	
Manteiga de cacau					100 g
Manteiga sem sal	15 g				
Ovos				25 g	
Rendimento	1 fôrma de 20 cm de diâmetro				

OPÇÕES DE AROMÁTICOS

Ingredientes	Quantidade	Alterações na receita
Chantili de chocolate		
Chocolate 30% cacau	200 g	Substituir o chocolate 50% cacau
Chocolate branco	225 g	Substituir o chocolate 50% cacau Acrescentar 2,5 g de gelatina em pó hidratada em 12 g de água
Cremoso de chocolate		
Chocolate 50% cacau	110 g	Substituir o chocolate 70% cacau
Chocolate 50% cacau	125 g	Substituir o chocolate 70% cacau
Chocolate branco	140 g	Substituir o chocolate 70% cacau Acrescentar 2 g de gelatina em pó hidratada em 10 g de água
Creme diplomata		
Chocolate 30% cacau	130 g	Substituir o chocolate 50% cacau
Chocolate branco	160 g	Substituir o chocolate 50% cacau
Veludo de chocolate		
Chocolate 30% cacau	100 g	Substituir o chocolate 50% cacau Substituir a manteiga de cacau por 50 g
Chocolate branco	100 g	Substituir o chocolate 50% cacau Substituir a manteiga de cacau por 25 g

:: MODO DE PREPARO – THEOBROMA

Bolo de chocolate sem farinha

1. Separe os ingredientes que serão utilizados na receita, bem como os seguintes utensílios e equipamentos: bowl, espátula de silicone, fouet, batedeira com o batedor tipo globo, pincel e fôrma.
2. Preaqueça o forno a 150 °C.
3. Unte a fôrma: com um pincel, espalhe óleo sobre o fundo e as laterais, depois polvilhe com farinha de trigo.
4. Em um bowl, derreta o chocolate em banho-maria ou no micro-ondas.
5. Adicione a manteiga e as gemas ao chocolate e mexa com a espátula até ficar homogêneo. Reserve.
6. À batedeira com o batedor tipo globo, acrescente as claras e bata em velocidade média. No momento que ficarem bem aeradas, pare de bater, levante o batedor e, se a mistura formar um pico firme, estará pronta a clara em neve.
7. Acrescente o açúcar às claras em neve e bata até ficar com brilho.
8. Incorpore as claras batidas em duas etapas à mistura de chocolate, mexendo delicadamente com o auxílio da espátula ou do fouet.
9. Coloque a massa na fôrma untada e leve para assar a 150 °C por aproximadamente 15 minutos até a massa ficar firme. (Para verificar, toque delicadamente o centro da massa com a ponta dos dedos. Se não afundar, a massa estará pronta.)

Chantili de chocolate

1. Separe os ingredientes que serão utilizados na receita, bem como os seguintes utensílios e equipamentos: batedeira com o batedor tipo globo, panela, bowl, espátula de silicone e fouet.
2. Na batedeira com o batedor tipo globo, bata 200 g do creme de leite fresco frio em velocidade média até obter picos duros (crème fouettée – p. 135). Reserve.
3. Em uma panela, leve 100 g de creme de leite ao fogo, mexendo com uma espátula até ferver. Reserve.
4. Em um bowl, coloque o chocolate e adicione o creme de leite quente, mexendo com a espátula até derreter o chocolate e ficar homogêneo.
5. Adicione o crème fouettée em duas etapas com o auxílio de um fouet. Mexa apenas até ficar homogêneo e reserve.

OBSERVAÇÃO
Se utilizar gelatina (dependendo do tipo de chocolate escolhido), ela deve ser hidratada e derretida antes de ser adicionada ao creme batido.

:: MODO DE PREPARO – THEOBROMA

Cremoso de chocolate amargo (crémeux au chocolat)

1. Separe os ingredientes que serão utilizados na receita, bem como os seguintes utensílios: bowl, panela, espátula de silicone e filme plástico.
2. Em uma panela, faça um creme inglês (p. 138) com as gemas, o açúcar, o leite e o creme de leite.
3. Em um bowl, coloque o chocolate e acrescente o creme inglês ainda quente, misturando com uma espátula até ficar homogêneo.
4. Cubra o cremoso com filme plástico e leve para gelar até o momento de utilizá-lo.

OBSERVAÇÃO
Se utilizar gelatina (dependendo do tipo de chocolate escolhido), ela deve ser hidratada e derretida antes de ser adicionada ao creme inglês.

Creme diplomata de chocolate (crème diplomate au chocolat)

1. Separe os ingredientes que serão utilizados na receita, bem como os seguintes utensílios e equipamentos: panela, espátula de silicone, batedeira com o batedor tipo globo, bowl.
2. Em um bowl, hidrate e dissolva a gelatina na água (p. 41). Reserve.
3. Em uma panela, faça um creme de confeiteiro (p. 137) com o leite, as gemas, os ovos, o açúcar e o amido de milho.
4. Acrescente o chocolate ao creme ainda quente e mexa com a espátula até incorporar.
5. Incorpore a gelatina hidratada ao creme quente e mexa com a espátula até ficar homogêneo. Leve para gelar até atingir 20 °C.
6. Na bateira com o batedor tipo globo, bata o creme de leite fresco gelado em velocidade média até atingir o ponto de pico (crème fouettée – p. 135).
7. Incorpore o creme de confeiteiro ao crème fouettée em duas etapas com o auxílio de uma espátula de silicone ou de um fouet. Reserve até ser utilizado na montagem.

Veludo de chocolate

1. Separe os ingredientes que serão utilizados na receita, bem como os seguintes utensílios e equipamentos: panela ou micro-ondas, bowl e espátula de silicone.
2. Em um bowl, derreta o chocolate em banho-maria e acrescente a manteiga de cacau, mexendo até incorporar.
3. Mantenha no micro-ondas ou em banho-maria à temperatura de 40 °C até o momento de utilizar.

:: MODO DE PREPARO – THEOBROMA

Montagem do Theobroma

1. Separe os utensílios: aro com 20 cm de diâmetro, fita de acetato, espátula de silicone, saco de confeitar, bico perlê e pulverizador de chocolate.

2. Forre a lateral do aro com a fita de acetato.
3. Coloque uma camada de bolo de chocolate sem farinha e por cima uma camada de cremoso de chocolate. Leve para gelar por 3 horas.

4. Retire da geladeira e coloque por cima do cremoso uma camada de creme diplomata de chocolate.

5. Decore com o chantili de chocolate e leve para congelar por 12 horas.
6. Retire do congelador e desenforme.
7. Aplique o veludo de chocolate com um pulverizador de chocolate.
8. Decore a gosto e espere descongelar para servir.

ESQUEMA DE MONTAGEM
Veludo
Chantili
Creme diplomata
Cremoso
Bolo de chocolate

247

CAPÍTULO 8
Bolos, tortas e sobremesas

Por meio de registros dos egípcios e dos gregos, sabemos que a confecção e o consumo de bolos e tortas existem desde a Antiguidade. Naquela época já se preparava uma massa rudimentar composta de leite, ovos, manteiga, mel e frutas secas.

Ao longo da história, várias receitas e técnicas foram criadas, adaptadas e incrementadas. Na Idade Média, bolos luxuosos eram servidos em grandes banquetes para a nobreza e, a partir do século XVI, as bases que usamos até hoje começaram a se estabelecer. Mais tarde, com a Revolução Industrial, foram surgindo maquinários e utensílios que facilitaram a produção e o surgimento de novos tipos de produtos.

Até hoje, os bolos e as tortas, desde os mais simples até os mais elaborados, estão presentes em nosso dia a dia e em ocasiões especiais, proporcionando aos confeiteiros diversas oportunidades de criação e combinação.

Montagem de bolos, tortas e sobremesas

No capítulo 4 foram apresentadas receitas de massas básicas – como a do bolo simples, bolo mármore, etc. – que podem ser utilizadas em conjunto com outros elementos, como recheios, coberturas, decoração e até outras preparações, para montar diferentes sobremesas, tortas e bolos (geralmente em camadas).

A composição equilibrada de uma montagem começa por seu planejamento e pelo desenvolvimento de um desenho. É importante que os componentes sejam harmônicos em sabor, textura, cor e apresentação.

TIPOS DE MONTAGENS

EM CAMADAS

A produção em camadas é uma das configurações mais comuns para bolos e para algumas sobremesas. Ela envolve as seguintes etapas/produções:

- **Massa:** deve-se cortar a massa do bolo em camadas, de forma que todas fiquem com a mesma espessura. É importante cortar o bolo frio com uma boa faca de serra.
- **Recheio:** o ideal, se o bolo tiver mais que um recheio, é padronizar a "altura" de cada um, pesando o recheio antes de aplicar no bolo. Sempre coloque o recheio no centro e depois espalhe para as laterais usando uma espátula ou uma colher. Também é possível utilizar um saco de confeitar com bico para manter o padrão de espessura.
- **Cobertura cremosa:** para opções com textura cremosa, deve-se colocar uma porção da cobertura no centro do bolo e espalhar com uma espátula na direção das bordas. Depois espalha-se a cobertura nas laterais para não deixar visível a massa do bolo, alisando bem no sentido vertical. A superfície deve ser corrigida cuidadosamente, removendo-se os excessos e deixando-a lisa. Pode-se também fazer decorações com bicos de confeitar ou réguas de texturas.
- **Coberturas tipo calda ou glaçage:** nesses casos é importante que o bolo esteja todo alinhado. Se a massa na lateral estiver desigual em relação ao recheio, é necessário fazer uma camada de nivelamento com algum creme para deixar a superfície reta. O bolo é colocado em uma grade, despejando-se a calda primeiro nas laterais e depois no centro. Pode-se passar a espátula de uma beirada a outra, rapidamente e apenas uma vez, para retirar o excesso da calda. Se formar bolhas, é possível usar o maçarico para retirá-las. Quando for realizar a glaçage, é ideal que o bolo esteja congelado para ter um acabamento perfeito.

DE BAIXO PARA CIMA OU CLÁSSICA

Refere-se ao método de montagem que começa da base da sobremesa e termina na superfície. Normalmente é utilizado para preparações com várias camadas. É importante a utilização de uma fôrma ou de aros para esse tipo de montagem.

Exemplo de uma montagem de baixo para cima:

1. Forre uma fôrma com acetato.
2. Coloque uma tira de bolo sobre a fôrma.

3. Preencha com ⅓ de recheio (se preferir colocar todo o recheio, feche com outra tira da massa e pule para a etapa 6).

4. Coloque outro pedaço de massa.

5. Complete com o recheio (que servirá de cobertura).
6. Alise a superfície para ficar nivelada e sirva.

OBSERVAÇÃO
A utilização de tiras de acetato é importante pois previne que o bolo cole na fôrma, além de ajudar na conservação do produto.

INVERTIDA

Neste tipo de montagem o recheio fica aparente e seus complementos ficam na parte interna. O ideal é usar fôrmas de silicone ou de acetato com desenhos.

Exemplo de uma montagem invertida:

1. Coloque o recheio na fôrma até uma altura um pouco abaixo do topo.

2. Coloque uma base (bolo, bolacha, biscoito, etc.) por cima do recheio e pressione levemente com as mãos para nivelar com a superfície.

3. Limpe a borda da fôrma com o auxílio de uma espátula e preencha os vãos com o recheio.
4. Deixe esfriar. Vire a fôrma para baixo e desenforme o bolo ou a torta sobre um prato de apoio.

BOLO DE ANDARES

Um bolo de andares pode levar dias ou semanas para ficar pronto. Para desenvolver este tipo de montagem, é importante que o confeiteiro tenha conhecimento sobre os ingredientes, as fórmulas e as técnicas de montagem utilizados. A criatividade para decidir a apresentação, o sabor e a textura também desempenha papel primordial.

Para a montagem dos bolos de andares, os passos são:

1. Colocar a base do bolo sobre uma placa de isopor.

2. Nivelar as camadas de massa para que fiquem bem retas.

4. Estruturar cada andar com palitos de madeira cortados exatamente no tamanho do bolo. Esta etapa é importante, pois são os palitos que irão sustentar o peso dos andares. A placa de isopor é o elemento de contato com cada palito e torna mais fácil desmontar o bolo na hora de cortar as fatias para o serviço.

3. Sobrepor as camadas, umedecendo cada andar e intercalando com o recheio escolhido.

BOLO DE CASAMENTO

O casamento representa a união de duas pessoas, formando uma nova família, e o bolo costuma ser um item clássico na celebração. Como tradição, ele já sofreu inúmeras alterações ao longo dos séculos: inicialmente, no Império Romano, em torno de 100 a.C., essa sobremesa comemorativa era feita basicamente de pão e frutas. Um pedaço do bolo era comido pelo noivo e o restante era esfarelado sobre a cabeça da noiva, para que ela fosse abençoada pelos deuses com a fertilidade. Esse costume posteriormente mudou para o corte do bolo pelos noivos no mesmo instante.

A cobertura de açúcar usada hoje foi inventada no século XVII e antigamente era acessível somente aos mais ricos. O fato de o bolo ser branco, assim como o vestido da noiva, simboliza sua pureza.

O estilo com pasta americana que conhecemos atualmente foi criado na Grã-Bretanha, que era um dos maiores importadores de açúcar. No século XIX, o bolo de casamento da rainha Vitória serviu como exemplo para as bases fundamentais de decoração. Cada vez mais estas foram se tornando decorações artísticas, e o desenvolvimento de novos utensílios e equipamentos foi primordial para o aprimoramento das técnicas utilizadas.

No Brasil, os bolos de casamento têm forte influência da doçaria portuguesa, com recheios e massas úmidas. Até a década de 1970, a maioria era decorada com glacê mármore, mas, quando a pasta americana foi difundida na Argentina, esse tipo de pasta também se propagou por aqui e acabou por tornar-se a preferência. Como a combinação da massa e do recheio úmido com a pasta americana não funciona muito bem no processo de montagem, também é costume fazer um bolo falso ou bolo fake, no qual bases de isopor são decoradas com pasta americana imitando um bolo. Assim, o bolo verdadeiro, que é servido aos convidados, pode ter o sabor e as características preferidas dos noivos.

Em outros países, no entanto, os bolos de casamento podem apresentar diferentes características. Por exemplo:

- **Grã-Bretanha:** a massa é sempre um bolo de frutas denso e mergulhado em licor, coberto com marzipã ou pasta americana.
- **França:** os mais tradicionais são os croque-en-bouche, normalmente pequenos profiteroles recheados com creme e banhados no caramelo. São colocados em uma base de nougatine e decorados com flores de açúcar, fitas de açúcar puxado e frutas de marzipã.
- **Estados Unidos:** são influenciados pelo estilo britânico, porém podem utilizar massa de creme azedo, creme espumoso ou de manteiga, recheada com creme de manteiga.

ETAPAS DE PLANEJAMENTO

Em uma festa de casamento, além de servir como sobremesa, o bolo é um dos itens que ajudam a compor o grande visual da cerimônia. Para desenvolvê-lo, é necessário ter muito planejamento e organização, além de manter uma boa comunicação com o cliente, compreendendo suas expectativas a fim de tornar o sonho em realidade.

Abaixo estão algumas etapas e recomendações a seguir antes da confecção do bolo:

- **Entrevista com o cliente:** tente perguntar quais são seus gostos pessoais, qual será a cor da decoração do evento, a quantidade de andares que deseja ter no bolo, os formatos desejados, etc. Todas as informações serão aproveitadas para a criação do bolo.
- **Montagem do projeto:** é importante elaborar um documento constando o que haverá no bolo. Outras informações também são essenciais, como o nome e o contato do cliente, a data e o horário do evento, o nome e o contato da pessoa responsável pela entrega, o desenho e a especificação do bolo, a forma e o endereço da entrega, a data e o horário para retirada do bolo, os utensílios (caso sejam alugados), a forma de pagamento e os valores.
- **Planejamento de produção:** é importante fazer um cronograma de produção, contando desde a compra dos ingredientes até os dias usados para a produção do bolo.

Bolos

Os bolos recheados são preparações versáteis, permitindo diversas combinações. Geralmente possuem uma massa espumosa como base e podem levar vários recheios, como creme de confeiteiro, ganache, etc.

Algumas receitas se tornaram célebres em seus países de origem e, com o tempo, acabaram se difundindo pelo mundo todo. Alguns exemplos são:
- **Bolo sacher (sachertorte):** bolo de origem austríaca criado no século XIX, que leva o nome de seu criador, Franz Sacher.
- **Floresta negra (Schwarzwälder Kirschtorte):** bolo de origem alemã cujo nome faz referência à região onde foi inventado no século XX. Leva kirsch na receita e geralmente é enfeitado com raspas de chocolate e cerejas.

Ingredientes	Bolo básico recheado	Bolo sacher (sachertorte)	Floresta negra (Schwarzwälder Kirschtorte)
Açúcar impalpável			q.b.
Açúcar refinado		140 g	110 g
Cacau em pó			35 g
Cerejas frescas			300 g
Chocolate 50% cacau em raspas			300 g
Chocolate 70% cacau		Qtde. 1: 200 g Qtde. 2: 160 g	
Claras		320 g	
Creme de confeiteiro	400 g		
Creme de leite fresco		160 g	400 g
Essência de baunilha			2 g
Farinha de trigo		125 g	120 g
Fermento químico em pó			3 g
Geleia de damasco		250 g	
Gemas		160 g	
Kirschwasser (aguardente de cereja)			50 g
Leite integral			150 g
Manteiga sem sal		Qtde. 1: 125 g Qtde. 2: 30 g	75 g
Massa espumosa	1 receita		
Merengue italiano	200 g		
Ovos			110 g
Xarope aromatizante 30b	40 g		300 g
Rendimento	1 fôrma de 20 cm de diâmetro	1 fôrma de 20 cm de diâmetro	1 fôrma de 25 cm de diâmetro

OPÇÕES DE SUBSTITUIÇÃO – BOLO BÁSICO RECHEADO

Ingredientes	Quantidade	Alterações na receita
Creme de manteiga	200 g	Substituir o merengue italiano
Creme diplomata	400 g	Substituir o creme de confeiteiro
Ganache	400 g	Substituir o creme de confeiteiro
Crème mousseline	400 g	Substituir o creme de confeiteiro

:: MODO DE PREPARO – BOLOS

Bolo básico recheado

1. Separe os ingredientes que serão utilizados na receita, bem como os seguintes utensílios: espátula de silicone, aro de 20 cm, bailarina, saco de confeitar com bico, espátula angular de bolo e faca de serra.

2. Prepare a massa espumosa escolhida (como pão de ló, génoise, etc. – ver exemplos nas páginas 52-58) e reserve.

3. Em cima de uma bailarina, divida a massa em três partes iguais com o auxílio de uma faca de serra.

4. Coloque uma parte da massa dentro de um aro e umedeça com o xarope.

5. Prepare um creme de confeiteiro (p. 137) e coloque metade em um saco de confeitar. Aplique sobre a massa e espalhe com o auxílio de uma espátula de silicone.

6. Repita o processo com a segunda parte da massa e com o restante do creme. Cubra com a última parte da massa.

7. Decore com creme de manteiga ou merengue italiano utilizando uma espátula angular de bolos ou saco de confeitar com bico.

:: MODO DE PREPARO – BOLOS

Bolo sacher (sachertorte)

1. Separe os ingredientes que serão utilizados na receita, bem como os seguintes utensílios e equipamentos: bowl, batedeira com o batedor tipo globo, espátula de silicone, espátula angular para bolo, fôrma de 20 cm, assadeira, saco de confeitar, micro-ondas, pincel e faca de serra.
2. Prepare uma ganache (p. 220) com 200 g de chocolate, 125 g de manteiga e o creme de leite. Reserve.
3. Preaqueça o forno a 160 °C.
4. Unte a fôrma: com um pincel, espalhe manteiga sobre o fundo e as laterais, depois polvilhe com farinha de trigo. Reserve.
5. Em um bowl, derreta o restante do chocolate em banho-maria ou no micro-ondas.
6. Acrescente 30 g de manteiga e as gemas ao chocolate e mexa com uma espátula apenas para incorporar os ingredientes. Reserve.
7. Separadamente, na batedeira com o batedor tipo globo, coloque as claras e bata em velocidade média. No momento que ficarem bem aeradas, pare de bater, levante o batedor e, se a mistura formar um pico firme, estará pronta a clara em neve.
8. Ligue a batedeira novamente e acrescente o açúcar aos poucos à clara em neve. Bata até ficar com brilho.
9. Retire da batedeira e adicione o chocolate derretido e a farinha às claras, misturando delicadamente com o auxílio de um fouet.
10. Coloque a massa na fôrma untada e leve para assar a 160 °C até ficar firme no centro.
11. Retire o bolo do forno e deixe esfriar.

PARA A MONTAGEM:
1. Depois que a massa esfriar, corte-a ao meio com uma faca de serra e recheie com a geleia.
2. Cubra o bolo com a ganache utilizando uma espátula angular. Escreva o nome do bolo por cima (decoração tradicional) utilizando a mesma ganache dentro de um saco de confeitar.

:: MODO DE PREPARO – BOLOS

Floresta negra (Schwarzwalder Kirschtorte)

1. Separe os ingredientes que serão utilizados na receita, bem como os seguintes utensílios e equipamentos: bowl, batedeira com o batedor tipo globo, espátula de silicone, fôrma de 20 cm, assadeira, saco de confeitar, micro-ondas, peneira, pincel e faca de serra.
2. Preaqueça o forno a 160 ºC.
3. Unte a fôrma: com um pincel, espalhe manteiga sobre o fundo e as laterais, depois polvilhe com farinha de trigo. Reserve.
4. Separe as gemas e as claras dos ovos.
5. Na batedeira com o batedor tipo globo, bata as gemas, o açúcar refinado, a manteiga e a essência de baunilha em velocidade média até formar um creme bem claro. Desligue e retire da batedeira.
6. Em um bowl, misture a farinha com o cacau e peneire sobre o creme, intercalando com o leite. Misture tudo com o auxílio de um fouet até ficar homogêneo. Reserve.

7. Separadamente, na batedeira com o batedor tipo globo, coloque as claras e bata em velocidade média. No momento que ficarem bem aeradas, pare de bater, levante o batedor e, se a mistura formar um pico firme, estará pronta a clara em neve.
8. Incorpore as claras em neve à massa reservada anteriormente utilizando um fouet.
9. Adicione fermento em pó à massa e misture com o fouet apenas até incorporar este ingrediente.
10. Coloque a massa na fôrma untada e leve para assar a 160 ºC até ficar firme no centro.

PARA A MONTAGEM:
1. Corte o bolo ao meio utilizando uma faca de serra.
2. Na batedeira com o batedor tipo globo, bata o creme de leite fresco gelado com o açúcar em velocidade média até atingir o ponto de pico (chantili). Reserve.
3. Pique algumas cerejas ao meio e reserve. (Deixe algumas inteiras para a decoração.)
4. Misture a aguardente de cereja com o xarope 30b, mexendo com a espátula de silicone para incorporar, formando uma calda.

5. Umedeça uma parte da massa com a calda utilizando um pincel e espalhe o chantili sobre ela com o auxílio da espátula.

6. Distribua as cerejas picadas sobre o creme.

7. Coloque a outra parte do bolo por cima, umedeça novamente utilizando o pincel e cubra com chantili e cerejas picadas.
8. Finalize o bolo colocando as raspas de chocolate 50% e as cerejas inteiras. Por fim, polvilhe o açúcar impalpável por cima.

Técnicas de decoração

DECORAÇÃO COM BICOS

Consiste na técnica de confeitar bolos e tortas utilizando um saco de confeitar e diferentes bicos de confeitar para conferir uma variedade de formas e estilos.

Veja alguns tipos de bico de confeitar na figura a seguir:

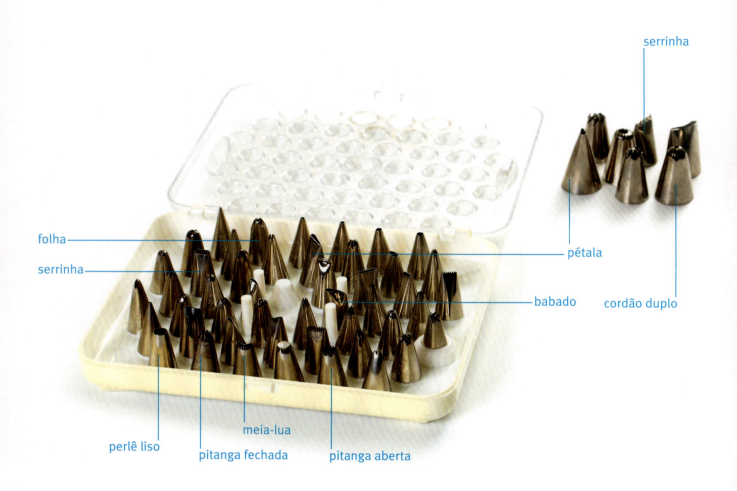

TIPOS BÁSICOS DE MODELAGEM COM BICOS

- Pontos.

- Pontos, linhas, cordões e conchas.

- Babados e conchas.

- Pontos e flores.

- Pontos e sobreposição de cordões.

260   MANUAL PRÁTICO DE CONFEITARIA SENAC

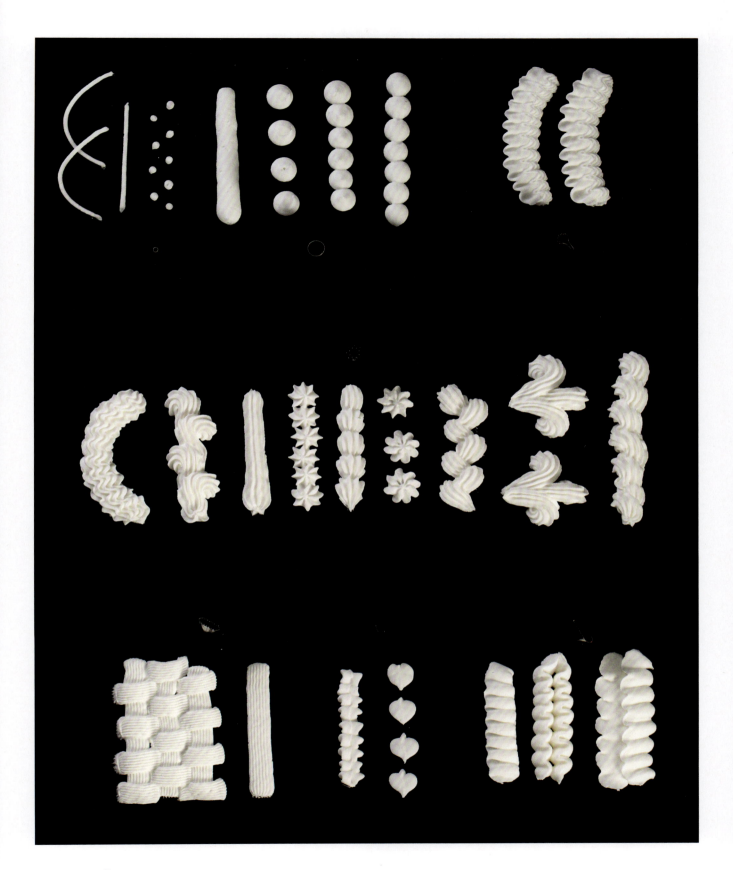

APLICAÇÕES DE CONTORNOS E PREENCHIMENTOS
É a técnica de ter como base um desenho, sobrepor um papel-manteiga ou acetato a ele e, com o glacê, fazer os contornos do desenho. Depois de secar, faz-se o preenchimento.

DECORAÇÕES COM PASTA

As pastas são usadas para decorar sobremesas ou bolos e podem ser de vários tipos. Cada um possui uma composição e um processo de preparo diferente dependendo da aplicação pretendida. São eles:

- **Pastillage ou pastilhagem:** é adequada para fazer peças decorativas em bolos e esculturas, pois resseca rapidamente e se torna muito dura depois de seca. Apesar de ser feita com ingredientes comestíveis, não é consumida.
- **Glacê real:** cobertura clássica composta de claras, água e açúcar impalpável. A proporção vai depender da textura utilizada. Sua desvantagem é ter um sabor extremamente doce. Após aplicada, ela confere uma textura rígida ao produto.
- **Glacê mármore (flat icing):** glacê de preparação rápida, feito de açúcar impalpável e líquido (leite, suco de limão ou água). É muito usado para substituir o fondant.
- **Pasta americana (rolled fondant):** é usada para cobrir bolos. Para que a aderência fique perfeita, é necessário que o bolo tenha uma camada de doce pastoso envolvendo a massa.
- **Pasta elástica (gum paste):** geralmente é usada para fazer babados e detalhes de vestimentas dos noivinhos. Muitas flores e folhas também são produzidas com esta pasta na decoração, pois ela cria um efeito mais real na produção do que a pasta de flores, que é mais fácil de ser manuseada.
- **Pasta de flores:** é usada para produzir flores e folhas, pois contém em sua composição a CMC (carboximetilcelulose), que deixa a massa maleável e com secagem rápida.

TIPOS DE PASTAS

Ingredientes	Pastillage ou pastilhagem	Glacê real	Glacê mármore	Pasta americana	Pasta de flores	Pasta elástica
Açúcar impalpável	1.000 g	1.000 g	1.000 g	± 1.250 g	± 1.050 g	± 1.000 g
Açúcar refinado						130 g
Água	75 g		140 g	125 g	135 g	Qtde. 1: 80 g / Qtde. 2: 50 g
Clara pasteurizada		170 g				30 g
CMC					Opcional	20 g
Essência				5 g	3 g	10 g
Gelatina em pó sem sabor	15 g			13 g	30 g	12 g
Glicerina				25 g (opcional)		
Gordura vegetal hidrogenada				100 g	60 g	150 g
Suco de limão		10 g	30 g			
Vinagre branco	70 g					
Xarope de glucose				100 g	150 g	60 g
Rendimento	1.150 g	1.180 g	1.170 g	1.750 g	1.435 g	1.530 g

:: MODO DE PREPARO – TIPOS DE PASTA

Pastillage ou pastilhagem

1. Separe os ingredientes que serão utilizados na receita, bem como os seguintes utensílios e equipamentos: bowls, micro-ondas, peneira, espátula de silicone e filme plástico.
2. Em um bowl, hidrate e dissolva a gelatina na água (p. 41). Reserve.
3. Em outro bowl, aqueça o vinagre no micro-ondas até atingir 49 °C, depois adicione-o à gelatina. Misture com a espátula de silicone até incorporar e derreter os ingredientes.
4. Peneire o açúcar sobre o bowl com gelatina e vinagre e misture com a espátula de silicone até ficar homogêneo.
5. Envolva a massa em filme plástico e reserve em recipiente fechado até ser utilizada.

Glacê real

1. Separe os ingredientes que serão utilizados na receita, bem como os seguintes utensílios e equipamentos: bowl, peneira, espátula de silicone, batedeira com o batedor tipo raquete e filme plástico.
2. Em um bowl, peneire o açúcar, adicione as claras e o suco de limão aos poucos e misture com o auxílio de uma espátula (ou da batedeira com o batedor tipo raquete), sem incorporar ar, até ficar homogêneo. A textura poderá ser controlada conforme a quantidade de líquido adicionado.
3. Armazene o glacê coberto, em contato com um filme plástico, dentro de um recipiente fechado até ser utilizado.

Glacê mármore

1. Separe os ingredientes que serão utilizados na receita, bem como os seguintes utensílios e equipamentos: bowl, peneira, espátula de silicone, batedeira com o batedor tipo raquete e filme plástico.
2. Em um bowl, peneire o açúcar e acrescente a água e o suco de limão. Misture cuidadosamente com uma espátula ou com a batedeira com batedor tipo raquete, sem incorporar ar, até ficar homogêneo. A textura poderá ser controlada conforme a quantidade de líquido adicionado.
3. Armazene o glacê coberto, em contato com um filme plástico, dentro de um recipiente fechado até ser utilizado.

:: MODO DE PREPARO – TIPOS DE PASTA

Pasta americana

1. Separe os ingredientes que serão utilizados na receita, bem como os seguintes utensílios e equipamentos: bowl, micro-ondas, peneira, espátula de silicone e saco plástico.
2. Em um bowl, hidrate e dissolva a gelatina na água (p. 41).
3. Acrescente o xarope de glucose e a gordura vegetal hidrogenada à gelatina, mexendo com uma espátula até incorporar. Leve os ingredientes em banho-maria e continue mexendo até que se dissolvam e se misturem por completo, tornando-se bem fluidos.
4. Retire o bowl do banho-maria e acrescente manualmente a essência e o açúcar impalpável peneirado. Mexa com a espátula de silicone até obter o ponto desejado de massa mãe (isto é, quando a pasta americana contém ⅕ do açúcar da receita, apresentando uma textura mole, que pode ser guardada na geladeira) ou então o ponto de abertura com rolo (corresponde à pasta com a totalidade do açúcar, chegando a um ponto maleável).
5. Se necessário, adicione a glicerina à massa para preservar a umidade (essa etapa não é recomendada em locais muito úmidos). A glicerina pode ser adicionada no início ou no final da mistura da pasta.
6. Retire a massa do bowl e trabalhe-a até ficar lisa, amassando com as mãos em cima de uma superfície plana.
7. Guarde a massa em um saco plástico bem fechado até utilizar.

OBSERVAÇÕES
A quantidade de açúcar impalpável na pasta americana é variável, pois cada marca apresenta uma porcentagem de amido em sua composição. Por isso, o ideal é adicionar esse ingrediente aos poucos até a pasta adquirir uma textura firme e maleável.

Pasta de flores

1. Separe os ingredientes que serão utilizados na receita, bem como os seguintes utensílios e equipamentos: bowl, micro-ondas, peneira, espátula de silicone e saco plástico.
2. Em um bowl, hidrate e dissolva a gelatina na água (p. 41).
3. Acrescente o xarope de glucose, a gordura e a essência à gelatina, mexendo com o auxílio de uma espátula até incorporar.
4. Acrescente o açúcar peneirado aos poucos e mexa com a espátula até ficar homogêneo. Se estiver muito úmido, acrescente 1 colher (chá) ou mais de CMC.
5. Retire a massa do bowl e trabalhe-a até ficar lisa, amassando com as mãos em cima de uma superfície lisa.
6. Guarde a massa em um saco plástico bem fechado até o momento de utilizar.
7. Se desejar colorir as flores, adicione pequenas porções de corante em gel com a ponta de um palito de dente.

Pasta elástica

1. Separe os ingredientes que serão utilizados na receita, bem como os seguintes utensílios e equipamentos: bowl, micro-ondas, peneira, espátula de silicone, panela, termômetro, rolo de abrir massa.
2. Em uma panela, faça uma calda em ponto de fio fraco (100 °C a 105 °C – p. 170) com o açúcar refinado e 80 g de água. Reserve.
3. Em um bowl, hidrate e dissolva a gelatina em 50 g de água (p. 41). Reserve.
4. Acrescente o xarope de glucose, a gordura, a gelatina dissolvida e a essência à calda do passo 2. Mexa com uma espátula até a mistura ficar homogênea.
5. Separadamente, em outro bowl, peneire o CMC com ⅕ do peso do açúcar impalpável e incorpore à mistura anterior, mexendo com a espátula.
6. Adicione as claras sem bater e mexa com a espátula até ficar homogêneo.
7. Cubra a pasta com filme plástico e leve à geladeira para descansar por 24 horas.
8. Após o descanso, incorpore o restante do açúcar impalpável e coloque a pasta sobre uma superfície plana, amassando com o rolo de abrir massa até formar o ponto de abertura (textura macia) para a confecção de flores ou tecidos.

ACABAMENTO GLAÇADO

É um tipo de cobertura que pode ser aplicada em sobremesas para dar um acabamento brilhante e macio. Pode ser classificada em:

- **Glaçage neutra ou nappage:** é a cobertura mais básica, que fica com aspecto transparente. Muito usada em tortas de frutas para protegê-las do ressecamento.
- **Glaçage de frutas:** tem como base a glaçage nappage com adição de frutas.
- **Glaçage de chocolate:** tem como base a água e o creme de leite, para conferir um balanceamento de transparência e maciez.
- **Glaçage espelho:** tem como base uma calda de açúcar, chocolate e leite condensado, e confere um acabamento altamente brilhoso ao produto – daí vem o nome "espelho".

TIPOS DE GLAÇAGE

Ingredientes	Glaçage neutra	Glaçage de frutas	Glaçage de chocolate	Glaçage espelho
Açúcar refinado			180 g	200 g
Água	250 g		240 g	Qtde. 1: 80 g Qtde. 2: 100 g
Cacau em pó			50 g	
Creme de leite fresco			120 g	
Gelatina em pó	24 g		24 g	14 g
Glaçage neutra		250 g		
Polpa de fruta fervida		125 g		
Xarope de glucose	100 g			200 g
Leite condensado				130 g
Chocolate branco				200 g
Corante em pó lipossolúvel				3 g
Rendimento	375 g	375 g	620 g	920 g

:: **MODO DE PREPARO – TIPOS DE GLAÇAGE**

Glaçage neutra

1. Separe os ingredientes que serão utilizados na receita, bem como os seguintes utensílios e equipamentos: panela, bowl, espátula de silicone, micro-ondas e grelha para banhar.
2. Em uma panela, faça uma calda com o xarope de glucose e metade da água, mexendo com uma espátula até ferver.
3. Em um bowl, hidrate e dissolva a gelatina (p. 41) usando a outra metade da água.
4. Misture a gelatina hidratada na calda de açúcar, mexendo com a espátula até ficar homogêneo. Evite mexer excessivamente para não criar bolhas na glaçage.
5. Aplique a glaçage ainda morna (30 °C) sobre as sobremesas em cima da grelha e guarde na geladeira até o momento de servir.

Glaçage de frutas

1. Separe os ingredientes que serão utilizados na receita, bem como os seguintes utensílios e equipamentos: panela, bowl, espátula de silicone, micro-ondas e grelha para banhar.
2. Faça uma glaçage neutra (conforme a receita anterior) e reserve.
3. Em uma panela, ferva a fruta para sua melhor conservação e coloração.
4. Incorpore a fruta quente à glaçage quente e mexa com a espátula apenas para incorporar os ingredientes. Evite mexer excessivamente para não criar bolhas.
5. Coloque a sobremesa congelada em cima da grelha, aplique a glaçage ainda morna (30 °C) sobre ela e guarde na geladeira até o momento de servir.

:: MODO DE PREPARO – TIPOS DE GLAÇAGE

Glaçage de chocolate

1. Separe os ingredientes que serão utilizados na receita, bem como os seguintes utensílios e equipamentos: panela, bowl, espátula de silicone, micro-ondas e grelha para banhar.
2. Em um bowl, hidrate e dissolva a gelatina (p. 41) usando metade da água.
3. Em uma panela, ferva a outra metade da água.
4. Acrescente o creme de leite fresco, o cacau em pó e o açúcar à água na panela. Mexa com a espátula até ficar homogêneo, depois retire do fogo.
5. Acrescente a gelatina hidratada ao líquido quente, mexendo com a espátula até incorporar. Evite mexer excessivamente para não criar bolhas.
6. Coloque a sobremesa congelada em cima da grelha. Aplique a glaçage ainda morna (30 °C) sobre a sobremesa e guarde na geladeira até o momento de servir.

Glaçage espelho

1. Separe os ingredientes que serão utilizados na receita, bem como os seguintes utensílios e equipamentos: panela, bowl, espátula de silicone, micro-ondas, peneira, mixer, filme plástico e grelha para banhar.
2. Em um bowl, hidrate a gelatina em 80 g de água (p. 41). Reserve.
3. Em uma panela, leve 100 g de água, o açúcar, o xarope de glucose e o corante ao fogo, mexendo com uma espátula até ferver.
4. Retire a panela do fogo e acrescente o leite condensado e a gelatina hidratada. Mexa com a espátula para incorporar os ingredientes.
5. Adicione o chocolate branco e bata a mistura com o mixer até ficar homogênea. Evite bater muito para não criar bolhas de ar.
6. Passe essa mistura por uma peneira e coloque em um bowl.
7. Cubra o bowl com filme plástico e leve para gelar de um dia para outro.
8. Retire da geladeira, remova o filme plástico e aqueça a glaçage no micro-ondas até atingir a temperatura de 30 °C.
9. Coloque a sobremesa congelada na grelha e aplique a glaçage a 40 °C sobre ela.

OBSERVAÇÃO
Para homogeneizar a glaçage, coloque o mixer desligado no fundo do bowl, incline e só então ligue o aparelho. Na hora de tirar o mixer do bowl, faça isso com ele desligado. Essas ações evitam a formação de bolhas.

Tortas

Como vimos, as tortas geralmente são compostas de massas secas (brisée, sucrée, etc.) assadas ou cruas e podem receber diferentes recheios e decorações. A seguir estão algumas opções de receitas.

OPÇÕES DE RECHEIOS PARA TORTAS

- **Frutas cruas:** podem-se usar frutas frescas ou congeladas misturadas com açúcar, condimentos, gordura e amido. É importante colocar mais frutas na lateral, pois haverá um preenchimento dos espaços inicialmente vazios. Não prepare essa mistura com antecedência, pois o açúcar em contato com a fruta retira seu líquido, podendo atrapalhar a cocção da base da torta.
- **Frutas cozidas:** pode-se fazer a cocção com os ingredientes escolhidos, esfriar e depois aplicar na torta.
- **Cremes (custard):** pode-se aplicar o creme escolhido na base da torta pré-assada e voltar ao forno para o creme coagular.
- **Geleias:** pode-se aplicar geleias em temperatura ambiente sobre a massa crua, decorar e assar.

RECEITAS DE TORTAS

Algumas receitas conhecidas são:
- **Torta de frutas:** composta de massa seca assada, creme de confeiteiro, frutas frescas ou em calda e gel de brilho.
- **Torta assada (crostata):** composta de massa seca crua, geleia de frutas e treliça de massa crua. Após essa montagem, é assada até ficar dourada. Também pode-se polvilhar açúcar de confeiteiro para decorar.
- **Torta com crumble:** o crumble acrescenta uma textura interessante à torta, podendo contrastar com o recheio.
- **Torta bourdaloue:** receita francesa que leva como ingredientes principais as amêndoas e, tradicionalmente, as peras (mas podem ser substituídas por maçãs, por exemplo).
- **Torta de maçã (apple pie):** embora não tenha sido criada nos Estados Unidos, a torta de maçã se tornou um símbolo do país, sendo consumida principalmente no feriado norte-americano de 4 de julho. A receita também é apreciada em muitos outros países.
- **Torta de limão (lemon curd):** torta considerada clássica em muitos lugares, apresenta o merengue como cobertura e oferece uma mistura interessante de texturas.
- **Pastiera napolitana:** receita típica de algumas regiões da Itália. Costuma ser consumida em datas comemorativas, como a Páscoa ou o Natal.

TORTAS

Ingredientes	Torta de frutas	Torta assada (crostata)	Torta com crumble	Torta bourdaloue
Açúcar de confeiteiro		15 g	15 g	
Açúcar refinado				
Amêndoas laminadas				20 g
Amido de milho				
Canela em pó				
Claras				
Creme de leite fresco				
Creme de confeiteiro	340 g			
Crumble			100 g	
Frangipane				500 g
Frutas cristalizadas				
Frutas em calda (peras ou maçãs)				400 g
Frutas frescas	200 g	400 g	400 g	
Glaçage neutra	40 g			15 g
Gemas				
Leite integral				
Maçã				
Manteiga sem sal				
Massa sucrée	200 g (assada)		200 g	
Massa brisée sucrée				200 g
Massa frolla				
Massa sablée		Qtde. 1: 200 g (base) Qtde. 2: 100 g (decoração)		
Merengue italiano				
Noz-moscada				
Ovos				
Raspas de limão				
Ricota				
Sal				
Suco de limão				
Suco de limão-siciliano				
Trigo em grãos com casca				
Uva-passa				
Rendimento	1 fôrma de 20 cm de diâmetro			

(cont.)

TORTAS (cont.)

Ingredientes	Torta de maçã (apple pie)	Torta de limão (lemon curd)	Pastiera napolitana
Açúcar de confeiteiro			30 g
Açúcar refinado	80 g	150 g	Qtde. 1: 15 g Qtde. 2: 120 g
Amêndoas laminadas			
Amido de milho	10 g		
Canela em pó	1 g		1 g
Claras			50 g
Creme de leite fresco		136 g	
Creme de confeiteiro			
Crumble			
Frangipane			
Frutas cristalizadas			100 g
Frutas em calda (peras ou maçãs)			
Frutas frescas			
Glaçage neutra		40 g	
Gemas		80 g	30 g
Leite integral			200 g
Maçã	400 g		
Manteiga sem sal	15 g		
Massa sucrée		200 g	
Massa brisée sucrée	500 g		
Massa frolla			600 g
Massa sablée			
Merengue italiano		100 g	
Noz-moscada	0,5 g		
Ovos	30 g	120 g	
Raspas de limão		1 unidade	1 g
Ricota			250 g
Sal	1 g		1 g
Suco de limão	6 g		
Suco de limão-siciliano		100 g (4 unidades aprox.)	
Trigo em grãos com casca			125 g
Uva-passa	25 g (embebida em rum)		100 g
Rendimento	1 fôrma de 20 cm de diâmetro		

OPÇÕES DE SUBSTITUIÇÃO

Ingrediente	Torta assada	Torta com crumble	Alteração na receita
	Quantidades		
Geleia	400 g	400 g	Substituir as frutas frescas

:: MODO DE PREPARO – TORTAS

Torta bourdaloue

1. Separe os ingredientes que serão utilizados na receita, bem como os seguintes utensílios: fôrma de torta, prato de apoio, espátula de silicone, saco de confeitar, faca, peneira, pincel, rolo de abrir massa.
2. Preaqueça o forno a 160 ºC.
3. Unte a fôrma: com um pincel, espalhe manteiga sobre o fundo e as laterais, depois polvilhe com farinha de trigo.
4. Prepare a massa brisée sucrée (p. 73), abra com o auxílio de um rolo e coloque-a na fôrma.
5. Leve a massa ao forno para pré-assar até ficar seca e levemente dourada.
6. Prepare o creme frangipane (p. 153).
7. Retire a massa do forno e espalhe o creme sobre ela com o auxílio de um saco de confeitar ou de uma espátula de silicone.
8. Corte as frutas em calda ao meio e retire as sementes. Em seguida, corte cada metade em fatias bem finas, sem desmanchar o seu formato.
9. Coloque as frutas em calda cortadas sobre o creme, fazendo uma leve pressão com a espátula para que as fatias deitem. Espalhe as amêndoas laminadas nos espaços sem a fruta.
10. Leve para assar a 160 ºC até a torta ficar dourada e o recheio ficar firme.
11. Finalize com a glaçage neutra, aplicando-a com um pincel sobre a torta.

BOLOS, TORTAS E SOBREMESAS

:: MODO DE PREPARO – TORTAS

Torta de frutas

1. Separe os ingredientes que serão utilizados na receita, bem como os seguintes utensílios: prato de apoio, espátula de silicone, saco de confeitar, faca, pincel.

2. Prepare uma massa sucrée (p. 73) assada. Depois de pronta, coloque-a sobre um prato.

3. Faça um creme de confeiteiro (p. 137) e, com o auxílio de um saco de confeitar ou de uma espátula de silicone, espalhe-o sobre a massa da torta.

4. Higienize e corte as frutas em pedaços. Se utilizar frutas em calda, escorra a calda antes de usar.

5. Coloque as frutas picadas sobre a torta.

6. Finalize com a glaçage neutra, aplicando-a com um pincel sobre a torta.

:: MODO DE PREPARO – TORTAS

Torta assada (crostata)

1. Separe os ingredientes que serão utilizados na receita, bem como os seguintes utensílios: fôrma, prato de apoio, espátula de silicone, saco de confeitar, faca, peneira, rolo de abrir massa.
2. Preaqueça o forno a 160 °C.
3. Prepare a massa sablée (p. 73) e coloque 200 g da massa na fôrma de torta. Separe 100 g para a decoração.
4. Faça uma geleia com as frutas (p. 205) e espalhe como recheio sobre a massa com o auxílio de um saco de confeitar ou de uma espátula de silicone.
5. Decore a torta utilizando 100 g de massa para fazer treliças (p. 280) sobre ela.
6. Leve para assar a 160 °C até ficar dourada.
7. Finalize a torta polvilhando açúcar de confeiteiro por cima com o auxílio de uma peneira.

Torta com crumble

1. Separe os ingredientes que serão utilizados na receita, bem como os seguintes utensílios: fôrma de torta, prato de apoio, espátula de silicone, saco de confeitar, faca, peneira, rolo de abrir massa.
2. Preaqueça o forno a 160 °C.
3. Prepare a massa sucrée (p. 73), abra com o auxílio de um rolo e coloque-a na fôrma.
4. Espalhe o recheio de frutas (ou outro escolhido) sobre a massa com o auxílio de um saco de confeitar ou de uma espátula de silicone.
5. Prepare a massa crumble (p. 73) e polvilhe-a por cima da torta.
6. Leve para assar a 160 °C até a torta ficar dourada.
7. Finalize polvilhando o açúcar de confeiteiro por cima da torta com o auxílio de uma peneira.

OBSERVAÇÃO
Dependendo da fruta, pode-se adicionar açúcar ao recheio.

Torta crostata e torta com crumble.

:: MODO DE PREPARO – TORTAS

Torta de maçã americana (apple pie)

1. Separe os ingredientes que serão utilizados na receita, bem como os seguintes utensílios: bowl, fôrma de torta, prato de apoio, espátula de silicone, saco de confeitar, faca, peneira, pincel, rolo de abrir massa, filme plástico.
2. Preaqueça o forno a 160 °C.
3. Unte a fôrma: com um pincel, espalhe manteiga sobre o fundo e as laterais, depois polvilhe com farinha de trigo.
4. Corte as maçãs ainda com casca em meia-lua.

PARA O RECHEIO
1. Em um bowl, coloque as maçãs, a manteiga, o suco de limão, o açúcar, o amido de milho, o sal, a canela, a noz-moscada e a uva-passa (embebida em rum), mexendo com uma espátula até ficar homogêneo. Reserve.

PARA A MASSA
1. Prepare a massa brisée sucrée (p. 73). Separe uma parte para fechar a torta.
2. Com o auxílio do rolo, abra a massa sobre o saco plástico e forre a fôrma com ela. Leve para gelar.
3. Retire da geladeira e coloque o recheio no centro da massa.
4. Com o auxílio de um pincel, passe os ovos nas laterais da torta.
5. Abra o restante da massa e cubra a torta. Faça uma leve pressão nas laterais para unir as duas massas, assim a torta não irá abrir na hora do cozimento.
6. Com o auxílio de uma faca, faça pequenas incisões no centro da torta, as quais servirão como ventilação.
7. Bata os ovos e pincele-os por cima da torta.
8. Leve para assar a 160 °C por 25 minutos até a massa ficar dourada. Pode-se também polvilhar açúcar cristal por cima da torta antes de ir para o forno.

:: MODO DE PREPARO – TORTAS

Torta de limão (lemon curd)

1. Separe os ingredientes que serão utilizados na receita, bem como os seguintes utensílios: bowl, fôrma de torta, prato de apoio, espátula de silicone, saco de confeitar, faca, peneira, pincel, folhas plásticas, rolo de abrir massa, fouet, maçarico.
2. Preaqueça o forno a 160 °C.
3. Unte a fôrma: com um pincel, espalhe manteiga sobre o fundo e as laterais, depois polvilhe com farinha de trigo.
4. Prepare um merengue italiano (p. 174) e reserve.

PARA A MASSA
1. Em bowl, faça o processo sablage (p. 74) para a produção da massa sucrée.
2. Com o auxílio de um rolo, abra a massa entre duas folhas plásticas até uma espessura de 2 mm.
3. Retire as folhas plásticas e forre uma fôrma com a massa. Leve para pré-assar em forno médio até ficar levemente dourada e firme. Reserve.

PARA O RECHEIO
1. Em um bowl, misture o açúcar, o creme de leite, as gemas, os ovos, o suco e as raspas do limão com o fouet. Mexa até ficar homogêneo.
2. Retire a massa do forno e disponha o recheio sobre ela, espalhando com o auxílio de uma espátula.
3. Leve a torta para assar a 160 °C até coagular o recheio.
4. Finalize pincelando com a glaçage neutra ou aplique o merengue italiano, passando o maçarico levemente sobre ele até adquirir um tom de caramelo.

Pastiera napolitana

1. Separe os ingredientes que serão utilizados na receita, bem como os seguintes utensílios e equipamentos: bowl, panela, fôrma de torta, prato de apoio, espátula de silicone, faca, peneira, pincel, filme plástico, rolo de abrir massa, batedeira com batedor tipo globo.
2. Preaqueça o forno a 160 °C.
3. Unte a fôrma: com um pincel, espalhe manteiga sobre o fundo e as laterais, depois polvilhe com farinha de trigo.
4. Prepare a massa frolla (p. 73), abra com o auxílio do rolo e forre o fundo e as laterais de uma fôrma, reservando a sobra da massa para a decoração.
5. Em um bowl, deixe o trigo de molho em água fria por uma noite.
6. No outro dia, coloque o trigo em uma panela e leve-o para cozinhar na água em que ficou de molho por 15 minutos.
7. Escorra o trigo e elimine a água da cocção.
8. Em uma panela, misture o trigo escorrido com o leite, o sal, as raspas de limão e 15 g de açúcar refinado. Mexa com uma espátula até ficar homogêneo.
9. Tampe a panela e cozinhe a mistura em fogo baixo, mexendo de vez em quando com a espátula para não grudar ou queimar.
10. Quando o leite reduzir, deixe esfriar.
11. Passe a ricota por uma peneira e adicione-a ao trigo.
12. Acrescente as gemas, 120 g de açúcar refinado, a canela, a uva-passa e as frutas cristalizadas. Mexa com a espátula até o recheio ficar homogêneo e reserve.
13. Na batedeira com o batedor tipo globo, acrescente as claras e bata em velocidade média. No momento que ficarem bem aeradas, pare de bater, levante o batedor e, se a mistura formar um pico firme, estará pronta a clara em neve.
14. Acrescente as claras em neve ao recheio e mexa com o fouet delicadamente apenas até incorporar.

MONTAGEM
1. Espalhe o recheio sobre a massa com o auxílio da espátula de silicone. Com o restante da massa, faça tiras e trance-as sobre o recheio (p. 280).
2. Leve a torta para assar a 160 °C por aproximadamente 30 minutos, até a massa ficar dourada.
3. Finalize peneirando açúcar de confeiteiro por cima da torta.

A seguir estão mais alguns exemplos de receitas conhecidas compostas de massas de torta e outras preparações como recheio ou cobertura.

- **Torta de caramelo salgado com cremoso de chocolate:** a base crocante dessa torta contrasta bem com o cremoso de chocolate, e o caramelo salgado, com os elementos doces, gerando uma variedade interessante de texturas e sabores.
- **Torta Saint-Honoré:** existem duas histórias sobre a origem dessa torta: a primeira diz que, ao criá-la, o famoso chef Chiboust teria homenageado Santo Honório, patrono dos confeiteiros e padeiros; e a segunda, que ele apenas teria dado à torta o nome da rua onde se localizava sua confeitaria. Essa torta é composta de uma base de massa quebradiça e carolinas caramelizadas e recheadas de creme de confeiteiro e é decorada com o crème Chiboust.

Torta de caramelo salgado com cremoso de chocolate

Ingredientes	Massa sucrée de amêndoas	Caramelo salgado	Cremoso de chocolate
Açúcar refinado	85 g	200 g	25 g
Creme de leite fresco		50 g	125 g
Chocolate 50% cacau			110 g
Farinha de amêndoas	20 g		
Farinha de trigo	160 g		
Gemas	50 g		50 g
Leite integral			125 g
Manteiga sem sal	90 g		
Sal	1 g (opcional)	2 g	
Rendimento	1 fôrma de 18 cm de diâmetro			

1. Separe os ingredientes que serão utilizados na receita, bem como os seguintes utensílios e equipamentos: bowl, rolo de abrir massa, espátula de silicone, folhas plásticas ou filme plástico, fôrma de torta, panela, termômetro, mixer, garfo, prato de apoio.
2. Preaqueça o forno a 160 °C.
3. Unte a fôrma: com um pincel, espalhe manteiga sobre o fundo e as laterais, depois polvilhe com farinha de trigo.

PARA A MASSA
1. Em um bowl, faça o processo de sablage (p. 74) com os ingredientes para a produção da massa sucrée de amêndoas.
2. Abra a massa entre duas folhas plásticas até uma espessura de 2 mm.
3. Forre a fôrma com a massa, fure toda a superfície levemente com um garfo e leve para assar a 160 °C até ficar dourada. Retire do forno e reserve.

PARA O CARAMELO SALGADO
1. Em uma panela, derreta o açúcar até virar um caramelo, mexendo sempre com uma espátula.
2. Separadamente, em outra panela, leve o creme de leite ao fogo, mexendo com uma espátula até ferver.
3. Acrescente o creme de leite ao caramelo e misture com o auxílio da espátula. Deixe cozinhar até que todo o açúcar tenha derretido e fique no ponto nappé (82 °C).
4. Tire o caramelo do fogo e acrescente o sal, mexendo com a espátula até incorporar.
5. Coloque o caramelo sobre a massa sucrée assada e leve para gelar.

PARA O CREMOSO DE CHOCOLATE
1. Em uma panela, faça um creme inglês (p. 138) com o creme de leite, o leite, as gemas e o açúcar.
2. Assim que o creme inglês ficar no ponto nappé (82 °C), coloque-o sobre o chocolate e mexa com um mixer para emulsificar.

MONTAGEM
1. Com o auxílio de uma espátula, espalhe o cremoso sobre o caramelo já gelado na massa. Leve a torta para gelar.
2. Para finalizar, decore a torta com arabescos de chocolate.

:: MODO DE PREPARO – TORTAS

Torta Saint-Honoré

Ingredientes	Massa brisée sucrée	Massa choux	Crème Chiboust	Caramelo
Açúcar refinado	8 g	1 g		200 g
Água	25 g-30 g (opcional)	75 g		60 g
Creme de confeiteiro			500 g	
Cremor de tártaro				5 g
Farinha de trigo	125 g	33 g		
Manteiga sem sal	63 g	25 g		
Merengue suíço			150 g	
Ovos	25 g	42 g		
Sal	1 g	1 g		
Rendimento	1 fôrma de 20 cm de diâmetro			

1. Separe os ingredientes que serão utilizados na receita, bem como os seguintes utensílios e equipamentos: bowl, rolo de abrir massa, folhas plásticas ou filme plástico, fôrma de torta, panela, espátula de silicone, termômetro, aro de 20 cm, garfo, prato de apoio, assadeira, batedeira com o batedor tipo globo, saco de confeitar, bico perlê, bico Saint-Honoré, garfo de banhar ou palito de dente, silpat.
2. Preaqueça o forno a 160 °C.
3. Unte a assadeira: com um pincel, espalhe óleo sobre o fundo e as laterais, depois polvilhe com farinha de trigo.

PARA O CRÈME CHIBOUST
1. Em um bowl, misture os ingredientes delicadamente com o auxílio de um fouet até incorporar. Reserve.

PARA O CARAMELO
1. Em uma panela, misture os ingredientes com uma espátula e leve ao fogo até que a calda chegue a 145 °C. Reserve.

PARA A MASSA
1. Em um bowl, faça o processo de sablage (p. 74) com os ingredientes para a produção da massa brisée sucrée.
2. Com o auxílio do rolo, abra a massa entre duas folhas plásticas até atingir a espessura de 2 mm.
3. Corte um disco de 20 cm de diâmetro de massa, coloque-o sobre uma assadeira e fure toda a superfície com um garfo.
4. Leve para assar a 160 °C até que a massa fique dourada. Reserve.

PARA A MASSA CHOUX
1. Em uma panela, coloque a água, o sal, o açúcar e a manteiga. Leve ao fogo e mexa com uma espátula até a manteiga derreter e a água começar a ferver.
2. Abaixe o fogo e adicione a farinha de trigo de uma só vez. Misture com a espátula rapidamente até formar uma massa homogênea. Deixe cozinhar até que a massa solte das paredes da panela e não apresente pontinhos de farinha crua.
3. Coloque a massa na batedeira com o batedor tipo raquete e adicione os ovos aos poucos, sem parar de bater, até que atinja o ponto de pico.
4. Coloque a massa em um saco de confeitar com bico perlê (liso) e faça pequenas bolinhas (carolinas) sobre a assadeira untada.
5. Leve-as para assar a 180 °C até que a massa expanda. Depois, reduza a temperatura para 160 °C e asse até a massa ficar seca e crocante.

6. Recheie as carolinas com crème Chiboust.
7. Espete as carolinas em palitos de dente ou utilize o garfo de banhar bombons para mergulhar cada carolina no caramelo quente. Faça isso com todas as carolinas recheadas, colocando-as em cima do silpat.

MONTAGEM
1. Em cima de um prato, coloque a base de torta. Arrume as carolinas carameladas nas laterais da torta, formando uma coroa, e use o caramelo para ajudar a colá-las nessa base.
2. Complete o centro da torta com o crème Chiboust, com o auxílio de um bico de confeitar Saint-Honoré. Decore a torta com fios de caramelo.

:: DECORAÇÃO DE TORTAS

Treliça

1. Antes de forrar a fôrma com a massa de torta, separe uma parte da massa para fazer a decoração.

2. Após o processo de abrir a massa, forrar a fôrma e rechear a torta, abra a massa separada em uma espessura uniforme e utilize uma carretilha ou uma faca afiada para cortar tirinhas em uma largura padrão. (Essas tirinhas podem ser mais grossas ou mais finas, o importante é manter o padrão.)
3. Para aplicar as tiras (treliças) sobre a torta, temos duas opções:

• **Sobrepor:** coloque as tiras em um sentido – por exemplo, do lado direito para o esquerdo – e depois coloque as demais no outro sentido, ou seja, de cima para baixo. Finalize inserindo uma tira na lateral.

• **Trançar:** coloque cinco tiras no sentido vertical. Levante apenas as tiras de número 2 e 4 e insira uma nova tira no sentido horizontal. Depois de recolocar as tiras no lugar, levante as de número 1, 3 e 5 e faça o mesmo processo. Repita a ação até que tenha coberto toda a torta. Finalize a lateral com uma tira.

Crumble

1. Abra a massa, forre a fôrma com ela e recheie a torta.

2. Faça a massa *crumble* (p. 73) e disponha sobre a torta já com o recheio. Leve para assar até dourar.

Da frente para o fundo: torta decorada com treliça, torta decorada com sobreposição e torta decorada com crumble.

CHEESECAKES

Esta preparação, na forma como a conhecemos hoje, popularizou-se a partir dos Estados Unidos, embora haja indícios de que uma receita semelhante já fosse conhecida desde a Antiguidade.

A tradução literal do nome é "bolo de queijo", mas o cheesecake pode ser considerado um tipo de torta em virtude da massa utilizada. O recheio é composto principalmente de cream cheese aliado a outros ingredientes que podem variar dependendo da forma como será consumido (frio ou quente). A técnica de preparo pode ser fria ou assada.

Ingredientes	Cheesecake fria	Cheesecake assada
Açúcar refinado	100 g	Qtde. 1: 100 g Qtde. 2: 100 g
Água	60 g	
Bolachas de maisena	200 g	
Cream cheese	400 g	400 g
Creme de leite UHT	200 g	
Essência de baunilha		2 g
Farinha de trigo		20 g
Frutas vermelhas		200 g
Gelatina em pó sem sabor	12 g	
Gemas		20 g
Leite condensado	395 g	
Leite integral		300 g
Manteiga sem sal	100 g	
Massa sucrée		200 g
Morango fresco	200 g	
Ovos		120 g
Raspas de limão	1 unidade	
Rendimento	1 torta de 25 cm de diâmetro	1 torta de 20 cm de diâmetro

:: MODO DE PREPARO – CHEESECAKES

Cheesecake fria

1. Separe os ingredientes que serão utilizados na receita, bem como os seguintes utensílios e equipamentos: bowl, fôrma de fundo removível, liquidificador, micro-ondas, espátula de silicone, panela, pincel.
2. Em um bowl, hidrate e dissolva a gelatina na água (p. 41). Reserve.

PARA A MASSA
1. Triture as bolachas no liquidificador até que vire uma farinha.
2. Em um bowl, coloque a farinha feita com as bolachas e adicione a manteiga. Misture com uma espátula até formar uma massa.
3. Coloque a massa na fôrma e pressione com as mãos para ficar bem compactada e reta, ocupando todo o fundo. Leve para gelar até o recheio ficar pronto.

PARA O RECHEIO
1. Bata no liquidificador o leite condensado e o cream cheese até misturar bem os ingredientes. Desligue o liquidificador e coloque a mistura em um bowl.
2. Acrescente o creme de leite, a gelatina hidratada e derretida e as raspas de limão. Mexa com a espátula apenas para incorporar os ingredientes.
3. Retire a massa da geladeira e despeje o recheio sobre ela. Deixe gelar por 3 horas ou até o cheesecake ficar firme e desenforme.

PARA A COBERTURA
1. Em uma panela, adicione o morango e o açúcar e leve ao fogo, mexendo com a espátula até ferver e atingir a textura de geleia.
2. Finalize colocando uma camada fina de geleia de morango por cima do cheesecake e desenforme antes de servir.

Cheesecake assada

1. Separe os ingredientes que serão utilizados na receita, bem como os seguintes utensílios: bowl, panela, fouet, fôrma de fundo removível, pincel, folhas plásticas ou filme plástico, espátula de silicone.
2. Preaqueça o forno a 160 °C.
3. Unte a fôrma: com um pincel, espalhe manteiga sobre o fundo e as laterais, depois polvilhe com farinha de trigo.

PARA A MASSA
1. Prepare a massa sucrée (p. 73) e, com o auxílio do rolo, abra a massa entre duas folhas plásticas.
2. Forre uma fôrma com a massa, fure toda a superfície com um garfo e leve para pré-assar a 160 °C até que fique levemente dourada e firme. Retire do forno e reserve.

PARA A COBERTURA
1. Em uma panela, coloque as frutas vermelhas e 100 g de açúcar refinado. Leve ao fogo, mexendo com uma espátula até ferver e obter a textura de geleia. Reserve.

PARA O RECHEIO
1. Em um bowl, misture o cream cheese, as gemas e os ovos com o auxílio de um fouet até ficar homogêneo.
2. Adicione a farinha e 100 g de açúcar, sem parar de mexer.
3. Acrescente lentamente o leite e a essência, mexendo com o fouet até ficar homogêneo.

4. Coloque o recheio sobre a massa pré-assada e leve para assar a 160 °C até coagular o recheio.
5. Retire do forno e leve o cheesecake para gelar por 4 horas.
6. Retire da geladeira e decore o cheesecake espalhando a geleia por cima da torta fria com o auxílio da espátula. Desenforme antes de servir.

Da esquerda para a direita: cheesecake fria, cheesecake assada e torta de limão.

Sobremesas

O hábito de comer sobremesa teve início séculos atrás. Muitas preparações doces acabaram se tornando célebres mesmo fora de seus países de origem, despertando o encanto de todos com os mais variados sabores e aparências.

A seguir estão algumas sobremesas bastante conhecidas. Algumas têm a preparação e a montagem mais simplificadas; outras são compostas de preparações diferentes que devem ser montadas para formar o produto final.

- **Verrines:** são sobremesas montadas em pequenos copos de aproximadamente 30-50 mℓ (os chamados copos de shot). Para conseguir um verrine harmonioso, o interessante é trabalhar com texturas diferentes utilizando, por exemplo, massas espumosas, massas cremosas ou massas secas como base, ou ainda merengue francês ou frutas frescas picadas. Sobre a base, pode-se utilizar um produto com textura cremosa, como cremes de confeiteiro aromatizados, crème mousseline, cremosos, crème légère ou mousses, que agregarão leveza. Para finalizar, podem-se adicionar caldas de caramelo, chocolate ou fruta, ou creme chantili, para proporcionar uma aparência equilibrada. Para a decoração, podem-se usar frutas frescas, folhas de hortelã, plaquinhas, cigarettes ou arabescos de chocolate.
- **Tiramisù:** sobremesa originalmente italiana que leva como ingrediente principal o queijo mascarpone – embora, inicialmente, a receita fosse mais parecida com um pudim, pois a adição do mascarpone foi posterior à invenção do prato. A receita leva, ainda, ovos, bolacha champanhe, café forte, licor ou vinho, entre outros ingredientes.
- **Cannoli:** outra receita típica da Itália, o nome cannoli faz referência ao seu formato de pequenos tubos. A massa é frita e pode sofrer variações (como o acréscimo de chocolate). Os tubos geralmente são recheados com um creme de queijo (como ricota).
- **Paris-Brest:** esta sobremesa, que é considerada um clássico da confeitaria francesa, foi nomeada por seu criador em homenagem à corrida de bicicleta que percorria a distância entre as cidades de Paris e Brest – talvez por seu formato redondo lembrar a roda de uma bicicleta. É composta tradicionalmente de massa choux e de crème Paris-Brest.
- **Fraisier:** outra sobremesa clássica francesa, utiliza como base a massa génoise, o crème mousseline e tradicionalmente o morango (o nome faz referência à fruta, que em francês se chama *fraise*), entre outros ingredientes, o que concede uma variedade de texturas ao prato e um sabor delicioso.
- **Ópera (Opéra):** inventada no século XX, esta sobremesa foi nomeada em homenagem a um antigo teatro de Paris. É formada por diferentes camadas, que compreendem uma massa de amêndoas, creme de manteiga, ganache de chocolate e xarope de café, entre outros ingredientes.
- **Bavaroise tropical:** sobremesa fria e leve, seu recheio de frutas tropicais combina com estações mais quentes. A massa génoise pode apresentar uma variação: ser composta de castanhas-do-pará.
- **Bolo concord (concord cake):** atribuído ao famoso chef pâtissier francês Gaston Lenôtre, é uma sobremesa composta de merengue de chocolate e crème concord (uma ganache com alta quantidade de creme de leite fresco, que, após gelada, é batida para conferir uma textura levemente aerada).
- **Dacquoise com mousse de frutas e biscuit decorado:** essa sobremesa leva dois tipos de massa como base, as quais fornecem uma textura crocante para contrastar com o recheio.

:: MODO DE PREPARO – SOBREMESAS

Verrine

Ingredientes (preparações)	Quantidade
Base (pode ser de massas espumosas, cremosas ou secas; merengue francês ou frutas frescas picadas)	80 g
Decoração (pode ser de folhas de hortelã, pitanga de mousse/chantili/merengue, frutas picadas, etc.)	10 unidades
Molho	200 g
Mousse	200 g
Rendimento	10 unidades de 60 g (aprox.)

1. Separe os utensílios que serão utilizados: copos de shot (verrines), espátula de silicone, saco de confeitar, bicos de confeitar.
2. Defina sua montagem: escolha qual será a ordem das preparações sugeridas acima.
3. Com o auxílio de uma espátula ou do saco de confeitar com bico, coloque cada preparação no copo de shot seguindo a ordem escolhida e respeitando o tempo de endurecimento de cada uma, se houver.

:: MODO DE PREPARO – SOBREMESAS

Tiramisù

Ingredientes	Creme	Calda	Montagem
Açúcar impalpável	60 g		
Açúcar refinado		30 g	
Água	22 g	160 g	
Arabescos de chocolate			q.b.
Bolacha champanhe			24 unidades
Cacau em pó			15 g
Café solúvel		5 g	
Creme de leite fresco	240 g		
Gelatina em pó sem sabor	5 g		
Licor Amaretto		15 g	
Queijo mascarpone	480 g		
Rendimento		1 aro quadrado de 20 cm ou 5 unidades em taças	

1. Separe os ingredientes que serão utilizados na receita, bem como os seguintes utensílios e equipamentos: bowl, fouet, micro-ondas, espátula, batedeira com o batedor tipo globo, panela, aro, fita de acetato, peneira.

PARA O CREME
1. Em um bowl, misture o queijo mascarpone e o açúcar impalpável com o auxílio de um fouet apenas até ficar homogêneo. Reserve.
2. Em outro bowl, hidrate e dissolva a gelatina na água (p. 41).
3. Incorpore um pouco do creme à gelatina para não endurecer, mexendo com o fouet; depois adicione o restante da gelatina e mexa novamente.
4. Na batedeira com o batedor tipo globo, bata o creme de leite fresco gelado em velocidade média até o ponto de pico (crème fouettée – p. 135).
5. Coloque o crème fouettée na mistura em duas etapas, mexendo delicadamente com o auxílio de um fouet até incorporar.

PARA A CALDA
1. Em uma panela, coloque a água, o café e o açúcar refinado e leve ao fogo, mexendo com uma espátula até ferver.
2. Acrescente o licor de Amaretto à calda sem parar de mexer. Quando incorporar, tire a calda do fogo.

MONTAGEM
1. Em um aro, coloque uma camada de bolachas e umedeça-as com a calda de café.
2. Sobre a camada de bolachas, coloque metade do creme de queijo e espalhe com a espátula de silicone.
3. Repita as camadas de bolacha e queijo, finalizando com o creme. Leve para gelar até ficar firme.
4. Na hora de servir, polvilhe o cacau em pó com uma peneira e corte uma porção do tiramisù com a ajuda de um aro menor ou de uma faca.
5. Decore com arabescos de chocolate para finalizar.

:: MODO DE PREPARO – SOBREMESAS

Paris-Brest

Ingredientes	Massa choux	Crème Paris-Brest	Montagem
Açúcar impalpável			10 g
Açúcar refinado	1 g		
Água	75 g		
Amêndoas laminadas			50 g
Creme de confeiteiro frio		200 g	
Farinha de trigo	33 g		
Manteiga sem sal	25 g	100 g (pomada)	
Ovos	42 g		
Pasta de praliné pronta		50 g (temperatura ambiente)	
Sal	1 g		
Rendimento	\multicolumn{3}{c}{1 fôrma de 20 cm de diâmetro}	

1. Separe os ingredientes que serão utilizados na receita, bem como os seguintes utensílios e equipamentos: assadeira, silpat, panela, espátula de silicone, saco de confeitar com bico pitanga grande, batedeira com o batedor tipo raquete, aro de 20 cm, pincel, bowl, fouet, faca de serra e peneira.
2. Preaqueça o forno a 180 °C.
3. Disponha o silpat sobre a assadeira e reserve.

PARA A MASSA CHOUX
1. Em uma panela, coloque a água, o sal, o açúcar e a manteiga. Leve ao fogo e mexa com uma espátula até a manteiga derreter e a água começar a ferver.
2. Abaixe o fogo e adicione de uma só vez a farinha de trigo, misturando com a espátula até formar uma massa homogênea.
3. Deixe cozinhar até que a massa solte das paredes da panela e não apresente pontinhos de farinha crua.
4. Retire do fogo e coloque a massa na batedeira com o batedor tipo raquete. Bata em velocidade média e adicione os ovos aos poucos, sem parar de bater, até que atinja o ponto de pico.
5. Coloque a massa em um saco de confeitar com bico pitanga grande e faça um círculo de 20 cm de diâmetro sobre o silpat.
6. Pincele a massa com ovo batido e coloque as amêndoas laminadas.
7. Leve para assar a 180 °C até que a massa expanda. Depois, reduza a temperatura para 160 °C e asse até ficar seca e crocante. Retire do forno e reserve.

PARA O CREME
1. Em um bowl, coloque a pasta praliné e a manteiga e bata com o auxílio do fouet até formar um creme macio.
2. Separadamente, em outro bowl, faça o creme de confeiteiro (p. 137) e bata com o auxílio do fouet até ficar liso.
3. Adicione o creme de confeiteiro batido ao creme feito com a pasta praliné. Mexa com o fouet até incorporar os ingredientes.

MONTAGEM
1. Corte a massa choux ao meio com o auxílio de uma faca de serra.
2. Coloque o creme em um saco de confeitar com bico pitanga e espalhe sobre a base da sobremesa.
3. Cubra com a outra parte da massa choux e polvilhe açúcar impalpável para finalizar. Decore com as amêndoas laminadas.

Em sentido horário, da esquerda para a direta: carolinas, Paris-Brest e bombas.

:: MODO DE PREPARO – SOBREMESAS

Cannoli

Ingredientes	Massa para cannoli branco	Massa para cannoli de chocolate	Recheio	Montagem
Açúcar impalpável				50 g
Açúcar refinado	15 g	15 g	80 g	
Amêndoas sem casca				40 g
Cacau em pó		15 g		
Cerejas				50 g
Claras	q.b.	q.b.		
Cream cheese			100 g	
Farinha de trigo especial	170 g	150 g		
Manteiga	20 g	20 g		
Mel				50 g
Ovo	55 g	60 g		
Pistache torrado sem casca				40 g
Ricota fresca			180 g	
Sal refinado	2 g	2 g		
Vinho Marsala	20 g	20 g		
Rendimento	15 a 20 unidades de 10 cm (aprox.)			

1. Separe os ingredientes que serão utilizados na receita, bem como os seguintes utensílios: bowl, cilindro de abrir massa, aro de 10 cm, tubos de alumínio para cannoli, pincel, panela, escumadeira, peneira, saco de confeitar, tesoura, espátula de silicone e fouet.
2. Em uma panela, aqueça o óleo para fritura por imersão a 180 °C.

PARA A MASSA
1. Em um bowl, misture todos os ingredientes com as mãos até obter uma massa homogênea.
2. Retire a massa do bowl e passe-a por um cilindro até que fique lisa.
3. Abra a massa em uma espessura de 1 mm e corte em discos de 10 cm de diâmetro com o auxílio do aro.
4. Enrole os discos de massa em um tubo de alumínio e cole as pontas pincelando um pouco de clara.
5. Frite os cannoli em óleo a 180 °C até que fiquem dourados.
6. Retire-os do óleo, coloque para escorrer em uma peneira e deixe esfriar para tirar os canudos do tubo.

PARA O RECHEIO
1. Em um bowl, passe a ricota duas vezes por uma peneira fina.
2. Junte o cream cheese e o açúcar à ricota e misture com a espátula até ficar homogêneo.

MONTAGEM
1. Coloque o recheio em um saco de confeitar e aplique nos cannoli. Decore as pontas com pistache, amêndoas ou cereja.
2. Para finalizar, passe um fio de mel sobre os cannoli e polvilhe açúcar impalpável. Sirva em seguida.

:: MODO DE PREPARO – SOBREMESAS

Fraisier

Ingredientes	Massa génoise	Calda	Coulis de morango	Crème mousseline	Veludo verde	Montagem
Açúcar refinado	65 g	100 g	26 g	Qtde. 1: 90 g Qtde. 2: 100 g		
Água		100 g	30 g	Qtde. 1: 25 g Qtde. 2: 50 g		
Amido de milho				22 g		
Claras	70 g			50 g		
Farinha de trigo	65 g					
Fava de baunilha				½ unidade		
Gelatina em pó			6 g	5 g		
Gemas	40 g			75 g		
Gordura	12 g					
Leite integral				260 g		
Licor Grand Manier	10 g					
Manteiga sem sal				220 g		
Creme de leite fesco				100 g		
Marzipã						200 g
Morangos			135 g (batidos)			400 g
Chocolate branco					160 g	120 g
Manteiga de cacau					40 g	
Corante lipossolúvel em pó verde					3 g	
Rendimento			1 fôrma de 20 cm de diâmetro			

1. Separe os ingredientes que serão utilizados na receita, bem como os seguintes utensílios e equipamentos: panela, bowl, batedeira com os batedores tipo globo e raquete, faca, aro com 20 cm de diâmetro, fita de acetato, pincel, saco de confeitar, espátula de silicone, pulverizador de chocolate, aros pequenos de diferentes tamanhos, prato de apoio.

PARA A CALDA
1. Em uma panela, coloque a água e o açúcar e leve ao fogo, mexendo com o auxílio de uma espátula até ferver.
2. Retire a calda do fogo e adicione o licor. Mexa com a espátula até incorporar.

PARA O COULIS DE MORANGO
1. Em um bowl, hidrate e dissolva a gelatina na água (p. 41). Reserve.
2. Em uma panela, coloque os morangos e o açúcar e deixe cozinhar por 5 minutos.
3. Retire do fogo e adicione a gelatina hidratada, misturando com a espátula até ficar homogêneo.

PARA O CRÈME MOUSSELINE
1. Em uma panela, faça um creme de confeiteiro (p. 137) com o leite, a fava de baunilha, 90 g de açúcar, o amido de milho e as gemas.
2. Retire do fogo, adicione metade da manteiga e misture com a espátula até ficar homogêneo. Leve para gelar.
3. Em um bowl, hidrate e dissolva a gelatina em 25 g de água (p. 41). Reserve.

BOLOS, TORTAS E SOBREMESAS

4. Faça um merengue italiano (p. 174) com as claras, 100 g de açúcar e 50 g de água.
5. Retire o creme da geladeira e, na batedeira com o batedor tipo raquete, bata em velocidade média.
6. Incorpore a gelatina derretida ao creme, acrescente o restante da manteiga e bata até ficar leve e fofo. Reserve.
7. Acrescente o merengue italiano ao creme em duas vezes, mexendo delicadamente com o fouet. Reserve.

PARA O VELUDO VERDE
1. Em um bowl, coloque o chocolate branco e derreta em banho-maria ou no micro-ondas.
2. Acrescente a manteiga de cacau e o corante verde e mexa bem com o auxílio da espátula até que tenham derretido.

MONTAGEM

1. Corte a massa na metade para ficar com duas camadas de bolo.
2. Forre um aro com acetato.

3. Posicione uma camada da massa sobre o aro e umedeça-a com a calda.

4. Coloque um pouco do creme no saco de confeitar e faça um círculo em cima da massa, deixando um espaço de 1 cm na borda.

5. Corte alguns morangos ao meio e coloque-os nas laterais do aro com o lado cortado voltado para fora.
6. Pique os morangos que sobraram em cubos pequenos e espalhe-os no centro da torta.
7. Cubra os morangos com o restante do creme e nivele com a espátula até ficar uma superfície lisa.

8. Posicione a segunda camada de massa e umedeça-a com a calda.

9. Aplique uma camada fina de crème mousseline e alise bem com a espátula.
10. Leve para congelar.
11. Retire do congelador e aplique um círculo de marzipã em cima, cortando três buracos de tamanhos diferentes.
12. Pulverize o veludo verde sobre o frasier.
13. Preencha os buracos com o coulis de morango.
14. Desenforme a torta sobre um prato de apoio e espere descongelar para tirar o acetato.

:: MODO DE PREPARO – SOBREMESAS

Ópera (Opéra)

Ingredientes	Massa de amêndoas (biscuit Joconde)	Xarope de café (sirop café)	Creme de manteiga (crème au beurre)	Ganache	Glaçage
Açúcar refinado	Qtde. 1: 150 g Qtde. 2: 25 g	75 g	200 g		
Água		Qtde. 1: 75 g Qtde. 2: 45 g	50 g		
Café solúvel		20 g			
Chocolate amargo 70% cacau				250 g	100 g
Chocolate meio amargo 50% cacau					300 g
Claras	120 g				
Creme de leite fresco				125 g	
Farinha de amêndoas	150 g				
Farinha de trigo	30 g				
Manteiga sem sal	20 g (derretida e fria)		250 g	75 g	
Óleo					30 g
Ovos	200 g		100 g		
Rum		10 g			
Xarope de glucose				25 g	
Rendimento	1 torta de 30 cm × 20 cm				

296

MANUAL PRÁTICO DE CONFEITARIA SENAC

1. Separe os ingredientes que serão utilizados na receita, bem como os seguintes utensílios e equipamentos: batedeira com o batedor tipo globo, fouet, assadeira, silpat, espátula de silicone, espátula angular para bolo, panela, termômetro, pincel, faca.
2. Preaqueça o forno a 160 ºC.
3. Disponha o silpat sobre uma assadeira e reserve.

PARA A MASSA DE AMÊNDOAS (BISCUIT JOCONDE)
1. Na batedeira com o batedor tipo globo, bata os ovos com 150 g de açúcar em velocidade média até dobrarem de volume.
2. Pare de bater, retire o recipiente da batedeira e misture, com o auxílio de um fouet, a farinha de amêndoas, a farinha de trigo e por último a manteiga derretida e fria. Reserve.
3. Separadamente, na batedeira com o batedor tipo globo, acrescente as claras e bata em velocidade média. No momento que ficarem bem aeradas, pare de bater, levante o batedor e, se a mistura formar um pico firme, estará pronta a clara em neve.
4. Acrescente 25 g de açúcar às claras em neve e bata até ficar em picos e com brilho. Desligue a batedeira.
5. Junte as claras em neve à massa de amêndoas, misturando delicadamente com o auxílio do fouet até incorporar.
6. Com o auxílio de uma espátula angular para bolo, espalhe a massa sobre o silpat na assadeira.
7. Leve para assar a 160 ºC até a massa dourar.
8. Retire do forno e desenforme a massa ainda quente. Em seguida, corte-a em quatro pedaços e reserve.

PARA O XAROPE DE CAFÉ
1. Em uma panela, coloque 75 g de água e o açúcar e leve ao fogo, mexendo com uma espátula até atingir a temperatura de 110 ºC.
2. Separadamente, em um bowl, dissolva o café em 45 g de água.
3. Quando a calda estiver sem bolhas, acrescente o café diluído e mexa com a espátula para incorporar, formando um xarope.
4. Desligue o fogo e deixe esfriar. Acrescente o rum somente quando o xarope estiver frio, para o álcool não evaporar.

PARA O CREME DE MANTEIGA
1. Em uma panela, faça uma calda com água e açúcar, mexendo com a espátula até atingir a temperatura de 120 ºC.
2. Na batedeira com o batedor tipo globo, bata os ovos em velocidade média até começar a espumar.
3. Adicione a calda em fio aos ovos na batedeira, sem parar de bater. Quando incorporar, desligue a batedeira e deixe esfriar.
4. Quando o creme estiver frio, adicione a manteiga gelada em cubos e bata novamente até estabilizar (ficar liso e brilhante).
5. Aromatize o creme acrescentando o xarope de café frio e reserve.

PARA A GANACHE
1. Em uma panela, leve o creme de leite e o xarope de glucose ao fogo, mexendo com a espátula para incorporar.
2. Acrescente a mistura de creme de leite ao chocolate e mexa com uma espátula até derreter.
3. Coloque a manteiga na mistura de chocolate e mexa com a espátula até incorporar.
4. Deixe esfriar e leve para gelar.

PARA A GLAÇAGE
1. Em um bowl, derreta os chocolates em banho-maria ou no micro-ondas.
2. Acrescente o óleo e misture com uma espátula até ficar homogêneo.

MONTAGEM
1. Em uma assadeira, coloque uma camada de biscuit joconde e umedeça-a com o xarope de café com o auxílio de um pincel.
2. Por cima da massa umedecida, espalhe uma camada fina de creme de manteiga com o auxílio da espátula angular de bolo.
3. Coloque uma camada de biscuit joconde sobre o creme de manteiga e umedeça-a com o xarope de café.
4. Aplique uma camada de ganache sobre a massa com o auxílio da espátula angular de bolo.
5. Repita este processo novamente, finalizando com a ganache.
6. Leve para gelar por 12 horas e finalize colocando a glaçage quente por cima da sobremesa gelada. Passe a espátula angular de bolo rapidamente em toda a superfície para nivelar a glaçage. (É importante fazer este processo rapidamente e não espalhar a glaçage muitas vezes, pois esta começa a endurecer e a marcar a superfície.)
7. Com o auxílio de uma faca levemente aquecida, alinhe as beiradas da sobremesa e, se desejar, corte em pedaços retangulares para servir.

OBSERVAÇÃO
Para uma montagem perfeita, todas as camadas da sobremesa devem ter a mesma espessura. Por esse motivo a montagem é feita fora de um aro, apenas alinhando as camadas com uma espátula angular de bolo.

:: MODO DE PREPARO – SOBREMESAS

Bavaroise tropical

Ingredientes	Massa génoise de castanha-do-pará	Creme bavarois de coco	Coulis de frutas tropicais	Montagem
Açúcar refinado	190 g	100 g	50 g	
Água		90 g	Qtde. 1: 50 g Qtde. 2: 25 g	
Banana			50 g	
Bolacha champanhe				200 g
Carambola			50 g	
Clara	210 g			
Crème fouettée		260 g		
Farinha de castanha-do-pará	38 g			
Farinha de trigo	152 g			
Fava de baunilha		¼ unidade		
Gelatina em pó		10 g	5 g	
Gemas	120 g	80 g		
Glaçage neutra				50 g
Leite de coco		200 g		
Leite integral		200 g		
Manga			100 g	
Manteiga sem sal	40 g			
Physalis				20 g
Polpa de maracujá			50 g	
Rendimento	1 fôrma de 20 cm de diâmetro			

1. Separe os ingredientes que serão utilizados na receita, bem como os seguintes utensílios e equipamentos: batedeira com o batedor tipo globo, panela, fôrma de 20 cm de diâmetro, espátula de silicone, bowl, termômetro, aro de 15 cm, faca.
2. Preaqueça o forno a 150 °C.
3. Unte a fôrma: com um pincel, espalhe manteiga sobre o fundo e as laterais, depois polvilhe com farinha de trigo.

PARA A GÉNOISE DE CASTANHA-DO-PARÁ
1. Na batedeira com o batedor tipo globo, bata as claras e as gemas com o açúcar em velocidade média até dobrar de volume e a espuma ficar firme. Pare de bater.
2. Em um bowl, misture a farinha de trigo com a farinha de castanhas e acrescente à espuma feita na batedeira. Misture com o auxílio de um fouet até incorporar.

3. Acrescente a manteiga derretida e fria e mexa delicadamente com o fouet apenas até ficar homogêneo.
4. Coloque a massa na fôrma untada e leve para assar a 150 °C até ficar dourada e firme no centro. Reserve.

PARA O COULIS DE FRUTAS TROPICAIS
1. Em uma panela, faça um coulis (p. 207) com as frutas, o açúcar e 50 g de água.

2. Quando o coulis estiver em ponto nappé, retire do fogo e deixe esfriar.
3. Separadamente, em um bowl, hidrate e dissolva a gelatina em 25 g de água (p. 41).
4. Quando o coulis estiver em temperatura ambiente, acrescente a gelatina derretida e misture com a espátula para incorporar.
5. Coloque o coulis em um aro de 15 cm de diâmetro e leve para congelar até o momento de utilizar.

PARA O CREME BAVAROIS DE COCO
1. Em uma panela, faça um creme inglês (p. 138) com o leite, o leite de coco, o açúcar, as gemas e a baunilha.
2. Em um bowl, hidrate e dissolva a gelatina na água (p. 41).
3. Acrescente a gelatina ao creme inglês pronto e quente. Mexa com uma espátula até ficar homogêneo.
4. Faça um banho-maria invertido (utilize gelo no lugar de água quente) e esfrie o creme inglês sem parar de mexer com a espátula até atingir a consistência de creme de confeiteiro (24-29 °C).
5. Na batedeira com o batedor tipo globo, bata o creme de leite fresco gelado em velocidade média até atingir o ponto de picos (crème fouettée – p. 135).
6. Misture o crème fouettée delicadamente no creme de confeiteiro com o auxílio do fouet e utilize imediatamente para fazer a montagem, para que a gelatina não endureça antes de ser aplicada.

MONTAGEM
1. Corte uma das extremidades das bolachas champanhe para deixar todas do mesmo tamanho e ficar mais fácil deixá-las de pé.
2. Em um aro de 20 cm de diâmetro, coloque as bolachas champanhe na vertical, forrando toda a lateral.
3. Coloque a base de génoise de castanha-do-pará no fundo do aro.
4. Coloque metade do creme bavarois de coco sobre a base.
5. Retire o disco de coulis do congelador, desenforme e coloque sobre o creme bavarois.
6. Complete a sobremesa com o creme bavarois de coco por cima e alise a superfície com uma espátula angular para bolo.
7. Leve para gelar por 3 horas.
8. Finalize pincelando uma fina camada de glaçage neutra e decore com physalis.

:: MODO DE PREPARO – SOBREMESAS

Bolo concord (concord cake)

Ingredientes	Merengue de chocolate	Crème concord
Açúcar impalpável	250 g	
Açúcar refinado	250 g	
Água		15 g
Cacau em pó marrom	30 g	
Cacau em pó vermelho	20 g	
Chocolate 60% cacau		175 g
Clara	250 g	
Creme de leite fresco		500 g
Gelatina em pó sem sabor		3 g
Rendimento	1 fôrma de 20 cm de diâmetro	

1. Separe os ingredientes que serão utilizados na receita, bem como os seguintes utensílios e equipamentos: bowl, batedeira com o batedor tipo globo, fouet, saco de confeitar com bico perlê médio, aro de 20 cm, silpats, espátula de silicone, mixer, fita de acetato, peneira, assadeiras.
2. Preaqueça o forno a 120 °C.
3. Disponha os silpat sobre duas assadeiras e reserve.

PARA O MERENGUE DE CHOCOLATE
1. Em um bowl, misture o cacau marrom, o cacau vermelho e o açúcar impalpável, mexendo com a espátula até incorporar bem.
2. Na batedeira com o batedor tipo globo, faça um merengue francês (p. 172) com as claras e o açúcar refinado. Desligue a batedeira.
3. Acrescente delicadamente a mistura de cacau ao merengue, mexendo com a espátula apenas até incorporar.
4. Coloque uma parte do merengue em um saco de confeitar com bico perlê médio e faça três discos de 20 cm de diâmetro em cima do silpat na assadeira.
5. Com o restante do merengue, faça longos tubos (troncos) em cima de outra assadeira com silpat.
6. Leve-os para assar a 120 °C até que os merengues tenham secado.

PARA O CRÈME CONCORD
1. Em um bowl, hidrate e dissolva a gelatina na água (p. 41).
2. Em uma panela, aqueça o creme de leite e adicione a gelatina, mexendo até incorporar.
3. Adicione o creme de leite ainda quente sobre o chocolate. Emulsione com um mixer para misturar bem e leve para gelar.
4. Na hora de utilizar, bata o creme na batedeira com o batedor tipo globo em velocidade média até dobrar de volume.

MONTAGEM
1. Coloque uma fita de acetato ao redor de um aro.
2. Coloque um disco de merengue no aro e, por cima, aplique o crème concord com o auxílio de uma espátula.
3. Repita o processo até acabarem os discos de merengue, terminando com o creme. Leve para gelar.
4. Quebre os tubinhos de merengue para que fiquem do tamanho do bolo.
5. Retire o bolo da geladeira, passe uma fina camada de creme nas laterais e coloque os tubinhos de merengue.
6. Coloque um pouco de creme sobre o bolo e posicione os tubinhos em cima. Finalize polvilhando cacau em pó.

:: MODO DE PREPARO – SOBREMESAS

Dacquoise com mousse de frutas e biscuit decorado

Ingredientes	Dacquoise	Pâte à cigarette	Génoise	Mousse de frutas	Gelificado de frutas
Açúcar de confeiteiro		75 g			
Açúcar impalpável	120 g				
Açúcar refinado	50 g		190 g	200 g	60 g
Água					100 g
Cacau em pó		2 g-10 g (dependendo da intensidade da cor desejada)			
Claras	150 g	75 g			
Creme de leite fresco				400 g	
Essência de baunilha			2 g		
Farinha de amêndoas	120 g				
Farinha de trigo		75 g	190 g		
Gelatina em pó					20 g
Gemas				150 g	
Manteiga sem sal		75 g (em pomada)	40 g (derretida fria)	110 g	
Ovos			300 g		
Polpa de frutas				120 g	100 g
Rendimento	1 fôrma de 20 cm de diâmetro				

OPÇÃO DE SUBSTITUIÇÃO – PÂTE À CIGARETTE

Ingrediente	Substituir por	Quantidade
Cacau em pó	Corante	3 a 6 gotas (dependendo da intensidade da cor)

1. Separe os ingredientes que serão utilizados na receita, bem como os seguintes utensílios e equipamentos: bowl, fouet, micro-ondas, batedeira com o globo, panela, aro, peneira, saco de confeitar com bico perlê, duas assadeiras, dois silpats, espátula de silicone, espátula angular para bolo, estêncil, termômetro.

2. Preaqueça o forno a 160 °C.
3. Disponha os silpats sobre duas assadeiras e reserve.

PARA A DACQUOISE
1. Na batedeira com o batedor tipo globo, coloque as claras e bata em velocidade média. No momento que ficarem bem aeradas, pare de bater, levante o batedor e, se a mistura formar um pico firme, estará pronta a clara em neve.
2. Adicione o açúcar refinado às claras em neve e bata até ficar com brilho.
3. Pare de bater e adicione cuidadosamente os demais ingredientes secos peneirados, misturando com o auxílio de um fouet até incorporar.

4. Coloque a massa em um saco de confeitar com bico perlê e faça círculos sobre um silpat na assadeira (um ao lado do outro). Os círculos precisam ser menores que o diâmetro do aro em que será montada a sobremesa.
5. Leve a massa para assar a 160 °C por cerca de 25 minutos até ficar seca. Reserve.

PARA A PATÊ À CIGARETTE

1. Em um bowl, misture todos os ingredientes com o auxílio de uma espátula de silicone até ficar homogêneo.
2. Em outra assadeira com silpat ou papel-manteiga, posicione um estêncil e espalhe a patê à cigarette com o auxílio de uma espátula angular, formando uma fina camada para criar uma decoração.
3. Leve para congelar.

PARA A GÉNOISE

1. Na batedeira com o batedor tipo globo, bata os ovos com o açúcar em velocidade média até dobrar de volume.
2. Pare de bater e vá acrescentando e misturando, com o auxílio de um fouet, os ingredientes secos e, por último, a manteiga derretida e fria.

3. Coloque na assadeira retangular com a decoração da pâte à cigarette e espalhe com o auxílio de uma espátula angular para bolo.
4. Leve para assar a 160 °C até a massa ficar firme no centro, porém não pode ficar crocante. Reserve.

PARA A MOUSSE DE FRUTAS

1. Em uma panela, coloque a polpa de fruta e metade do açúcar e leve ao fogo, mexendo com uma espátula até ferver.
2. Em um bowl, bata as gemas com o restante do açúcar, com o auxílio de um fouet.
3. Adicione aos poucos a polpa de fruta ainda quente às gemas e leve ao fogo, mexendo sem parar com uma espátula. Cozinhe até atingir 82 °C.
4. Desligue o fogo e coloque a mistura na batedeira com o batedor tipo globo. Bata em velocidade média até esfriar, depois retire da batedeira e adicione a manteiga em textura de pomada. Misture até incorporar e reserve.
5. Separadamente, na batedeira com o batedor tipo globo, bata o creme de leite fresco gelado em velocidade média até atingir o ponto de pico (crème fouettée – p. 135).
6. Incorpore o crème fouettée à mistura em duas etapas, mexendo delicadamente com o auxílio de um fouet. Reserve.

PARA O GELIFICADO

1. Em uma panela, leve a polpa de frutas e o açúcar ao fogo, mexendo com uma espátula até ferver.
2. Em um bowl, hidrate e dissolva a gelatina na água (p. 41).
3. Adicione a gelatina à polpa de frutas ainda quente. Mexa com a espátula até ficar homogêneo.

MONTAGEM

1. Coloque uma fita de

acetato ao redor de um aro.
2. Coloque os biscuits decorados (as génoises com pâte cigarrette) em toda a lateral do aro, formando uma camada menor que a altura do aro.
3. Adicione uma dacquoise menor que o tamanho do diâmetro do aro.

4. Coloque metade da mousse sobre a dacquoise.

5. Acrescente outra dacquoise e o restante da mousse, formando camadas.

6. Alise bem a última camada de mousse com o auxílio de uma espátula angular de bolo e leve para congelar.
7. Finalize colocando o gelificado de frutas por cima da sobremesa.

CAPÍTULO 9
Produções geladas

Há muitas teorias acerca da invenção dos sorvetes. Alguns registros indicam que, por volta de 3000 a.C., os chineses já produziam um tipo de alimento comestível e gelado, preparado com leite, água e outros ingredientes. Sabe-se também que, em aproximadamente 430 a.C., as civilizações grega e romana apreciavam muitíssimo um refresco feito de mel e suco de frutas, resfriado em valetas cheias de neve.

Em 1292, Marco Polo trouxe do Oriente as primeiras receitas de sorvete preparadas com métodos de refrigeração artificiais (água misturada com pólvora), algo que os chineses já conheciam há muito tempo. O líquido resfriante corria pelos lados do recipiente contendo a mistura a ser congelada.

Em Florença, no século XVI, o sorvete adquiriu uma consistência mais cremosa (mais parecida com a que conhecemos hoje), e Catarina de Médici, então casada com o rei francês, começou a importar receitas de "sorvetes à moda italiana" para a França. Em 1686, surgiu em Paris o primeiro estabelecimento de café a servir sorvete, o Le Procope.

Como ocorreu com muitas outras sobremesas, inicialmente o sorvete foi uma iguaria à qual somente as classes mais altas tinham acesso. No entanto, em 1851 surgiu a primeira fábrica de manufatura de sorvete nos Estados Unidos, o que ajudou a popularizá-lo.

Industrialização do sorvete

Em 1860 foi inventada a primeira máquina geradora de frio por métodos de absorção. A industrialização de sorvete teve início quando foi possível congelar o produto de um modo mais rápido e a uma temperatura mais baixa do que a utilizada para os sorvetes caseiros, conferindo cristais pequenos e uma textura mais macia ao produto.

Outra característica importante foi a substituição dos ingredientes tradicionais (creme de leite e gemas) por gelatina e sólidos lácteos concentrados. Após a Segunda Guerra Mundial, houve também o aumento da dose de aditivos para preservar a maciez, bem como a utilização de corantes e aromatizantes artificiais.

Desde então, as técnicas e os equipamentos para a fabricação de sorvete vêm se desenvolvendo e a produtividade continua crescendo de modo incessante, assim como o largo interesse pelo produto.

Composição geral

Os sorvetes são compostos de três elementos:
- **Cristais de gelo:** o tamanho dos cristais determina a maciez do sorvete.
- **Creme concentrado:** trata-se de uma mistura que não congela a -18 °C por causa da quantidade de açúcar.
- **Ar:** é adquirido com o batimento da massa.

É importante que a composição resulte em uma estrutura equilibrada, cremosa, lisa, firme e quase elástica. Quanto menor for a quantidade de água, maior será a quantidade de cristais pequenos, resultando em uma melhor textura do produto.

TIPOS DE SORVETE
De acordo com sua composição, os sorvetes podem ser divididos em:
- **Comum ou filadélfia:** contém creme, leite, açúcar e outros ingredientes (dependendo do sabor do sorvete).
- **Francês/leite e ovos/gelato/base creme:** feito à base de creme inglês. Possui textura lisa, mesmo contendo pouca gordura láctea, e bastante água, por causa da presença dos ovos.
- **Soft:** encontrado nos Estados Unidos, é um tipo de sorvete que não leva gordura ou a apresenta em uma quantidade menor que 10% do peso total da massa. Usa aditivos como glucose, leite em pó e gomas vegetais para limitar o tamanho dos cristais de gelo.
- **Sorbet:** feito à base de uma calda composta de água, açúcar e frutas.

INGREDIENTES E SUAS FUNÇÕES
LEITE E CREME DE LEITE
Na produção do sorvete podem ser utilizados leite integral UHT ou leite em pó, creme de leite e manteiga.

As gorduras e proteínas do leite e do creme (caseína e soro) oferecem uma textura delicada e cremosa, auxiliando na estabilização da espuma. O excesso desses ingredientes, porém, deixa a textura do sorvete arenosa.

COMPARATIVO DOS INGREDIENTES PROVENIENTES DO LEITE NA COMPOSIÇÃO DE SORVETES E SORBETS

Ingredientes	Água	Totais	Gordura	Outros sólidos	Lactose
Leite integral	88%	12%	3,6%	8,4%	
Leite condensado	66%	34%	10%	24%	
Leite desnatado em pó	3%	97%	0%	97%	50%
Creme de leite 35% gordura	59,02%	40,98%	35%	5,98%	
Manteiga	16%	84%	82%	2%	

Fonte: adaptado de Suas (2011, p. 494).

OVOS

Têm a função de enriquecer o sorvete em textura e sabor. A gema é composta de 25%-30% de gordura, 9% de lecitina, 16% de proteínas e 50% de água. A lecitina encontrada nas gemas auxilia na emulsificação do sorvete, estabilizando a dispersão da água e da gordura graças aos fosfolipídeos.

AÇÚCAR

O açúcar tem papel fundamental na produção de gelati, sorvetes e soberts (ou sorbetti), pois auxilia no equilíbrio de sabores, como os amargos do café e do chocolate e os sabores ácidos das frutas. Porém, sua função mais importante é a interferência na textura do produto, pois quanto maior a quantidade de açúcar, menor será o seu congelamento, resultando em produtos mais macios.

Existem outros tipos de açúcar que auxiliam na diminuição da cristalização e no aumento da durabilidade, funcionando como crioprotetores (ou seja, protege os alimentos dos danos que os cristais de gelos podem gerar), como o açúcar invertido, a glicose, a dextrose e o xarope de milho.

Veja a seguir uma tabela contendo a porcentagem de água e de sólidos dos açúcares usados na fabricação de produções geladas, bem como seu poder adoçante.

Ingredientes	Água	Sólidos	Poder adoçante (PA)
Açúcar comum (sacarose)	1%-5%	95%	100%
Açúcar invertido	22%	78%	125%
Mel*	20%	80%	130%
Xarope de glucose 38	30%	70%	45%
Glucose em pó	1%-5%	95%	45%
Dextrose	1%-5%	95%	70%
Frutose	1%-5%	95%	130%
Sorbitol	1%-5%	95%	55%
Lactose	1%-5%	95%	15%-20%
Maltose	1%-5%	95%	33%
Isomalt	1%-5%	95%	40%

* A composição do mel pode variar por ser um produto natural.
Fonte: Suas (2011, p. 496).

O poder adoçante é calculado em relação à sacarose, que é avaliada em 100. Quanto mais elevado for o poder adoçante de um açúcar, mais ele influenciará o ponto de congelamento do sorvete.

TIPOS DE AÇÚCAR

- **Glucose atomizada ou em pó:** é utilizada como aporte de extrato seco em uma mistura. É muito prática graças ao seu baixo poder adoçante. Possui um efeito anticristalizador sobre a sacarose. Em dose muito alta, porém, deixa o sorvete com uma textura borrachenta.
- **Dextrose:** possui as mesmas funções que a glucose, mas, por causa de seu poder adoçante mais elevado, ela influencia no ponto de congelamento – o sorvete fica mais difícil de congelar e, portanto, mais macio de manusear. Em dose elevada, ela prejudicará sensivelmente o aumento de volume do produto.
- **Açúcar invertido:** tem funções idênticas às dos produtos anteriores, mas seu poder adoçante é extremamente elevado. É utilizado em sorvetes muito duros, como o de chocolate e o de praliné.
- **Lactose:** é encontrada em estado natural no leite (4,2%). Seu poder adoçante é muito baixo, mas ela será levada em conta no balanceamento. Em dose excessiva, pode cristalizar e proporcionar uma sensação de areia na degustação.

EMULSIFICANTES E ESTABILIZANTES

Possuem a função de evitar as flutuações de temperatura que podem ocorrer durante o transporte ou o armazenamento dos produtos.

- **Emulsificantes:** mantêm a mistura de água e gordura. Exemplos de emulsificantes são as gemas, os polissorbatos e os mono e diglicerídeos.
- **Estabilizantes:** evitam que a água saia da mistura, aumentando a viscosidade da solução quando os cristais derretem. Exemplos de estabilizantes:
  - **Alginato (algas):** dissolve facilmente na água, mas tem sua propriedade reduzida em misturas altamente ácidas (de pH 3,4). Geralmente é utilizado na proporção de 0,2% a 0,3% em relação ao peso total da produção.
  - **Ágar (algas):** não é muito usado, pois precisa de cocção superior às utilizadas nos sorvetes. Quando utilizado, geralmente é na proporção de 0,3% a 0,35% em relação ao peso total da produção.
  - **Carragena (algas):** reage bem com as proteínas lácteas. Geralmente é utilizada na proporção de 0,15% a 0,25% em relação ao peso total da produção. A carragena só consegue gelificar graças aos íons de cálcio presentes em leites e derivados.
  - **Farinha guar (sementes guar):** dissolve melhor que a goma. É solúvel em água fria e reage bem em pH neutro. Geralmente é utilizada na proporção de 0,15% a 0,3% em relação ao peso total da produção.
  - **Farinha alfarroba:** similar à guar, mas deixa o sorvete menos elástico. Geralmente é utilizada na proporção de 0,15% a 0,3% em relação ao peso total da produção.
  - **Pectina (casca de cítricos):** possui alta dose de metoxi e reage melhor em soluções ácidas e de alta concentração de açúcar. Geralmente é utilizada na proporção de 0,3% a 0,5% em relação ao peso total da produção.
  - **Gelatina (proteína animal):** apresenta ótima viscosidade e retarda o descongelamento. Geralmente é utilizada na proporção de 0,25% a 0,5% em relação ao peso total da produção.

AROMATIZANTES

- **Frutas:** podem ser utilizadas cozidas, assadas ou frescas. Quando frescas, pode-se retirar o excesso de água antes de utilizar.
- **Castanhas:** geralmente são tostadas para realçar o sabor e a textura.
- **Chocolate:** para utilizá-lo, deve-se considerar a composição de cada tipo, pois, quanto maior for a composição de massa de cacau (apresentada em %), mais firme ficará o produto. Outra questão importante é a presença de açúcar, que confere maciez.

OBSERVAÇÃO
Metoxi é uma referência do poder de espessamento de um produto. O grau de metoxilação (DM) é uma medida da proporção de grupos carboxílicos que estão presentes na forma esterificada.

Etapas gerais de elaboração

- **Mise en place:** escolha e separação dos ingredientes, equipamentos e utensílios.
- **Mistura:** combinação, dissolução e hidratação dos ingredientes na pasteurizador (máquina utilizada para a cocção da calda do sorvete. Na ausência da máquina, é possível fazer a calda utilizando uma panela e o fogão).
- **Maturação:** é necessário chegar à temperatura de 4 °C o mais rápido possível para evitar a proliferação de bactérias. Nessa etapa, os emulsificantes aderem às gotas de água e os estabilizantes se hidratam. Utiliza-se, para isso, a geladeira ou um resfriador rápido. As temperaturas ideais *versus* o tempo máximo de maturação são:
    » 24 horas a 6 °C;
    » 48 horas a 2 °C;
    » 4 horas a 2 °C, com a ajuda de uma baixa agitação.
- **Congelamento:** etapa em que se bate a massa a uma temperatura de -20 °C. Nesse momento ocorre o overrun.
- **Endurecimento:** estabilização da massa batida. Geralmente esse processo é feito em congelador rápido a -20 °C.
- **Estocagem:** deve ser feita em temperatura ideal de -18 °C.
- **Serviço:** a temperatura ideal para o consumo do sorvete é de -13 °C.

CRISTALIZAÇÃO

As moléculas de açúcar tendem a se ligar e a formar cristais naturalmente. Essa cristalização é um importante fator para a indústria de produções geladas, podendo ser provocada ou evitada, dependendo do objetivo.

O processo de cristalização é dividido em duas etapas: a primeira compreende a formação de sementes e núcleos dos cristais (ou seja, as moléculas do soluto, dispersas no solvente, começam a se juntar em aglomerados em escala manométrica); a segunda é quando ocorre o crescimento desses cristais, conferindo volume ao sorvete.

Alguns fatores influenciam na formação de cristais, como as partículas da massa, a temperatura e o correto batimento da massa. Por outro lado, há ingredientes que limitam a formação desses cristais, como alguns tipos de açúcar.

COMO CALCULAR O OVERRUN

O chamado *overrun* indica a quantidade de ar incorporado à massa. Esse índice é essencial para a produção, pois, por meio dele, é possível definir se temos um produto (gelato, sorvete ou sorbet) de boa qualidade. Quanto menor for a quantidade de ar incorporado à receita, maior será sua qualidade; por outro lado, quanto maior for essa quantidade, maior será o rendimento e, portanto, o produto apresentará maior rentabilidade.

A porcentagem ideal de *overrun* em sorbets é de 10% a 30%. Já em glaces, sorvetes e gelati, é de 50% a 100%.

Para medir esse índice, é preciso colocar a mistura líquida dos ingredientes (chamada de calda) em um recipiente antes de bater e pesar; depois, deve-se encher o mesmo recipiente com a massa batida e pesá-la. Então, pega-se o peso da calda, subtrai-se o peso da massa, divide-se o resultado da subtração pelo peso da massa e multiplica-se por 100%. O resultado final representa a porcentagem de ar incorporado à massa.

$$\frac{\text{peso antes de congelar (calda)} - \text{peso após congelar (massa)}}{\text{peso após congelar (massa)}} \times 100\% = \%\text{ de ar incorporado}$$

Sorbet

Ao desenvolver uma receita de sorbet, devemos levar em consideração o chamado extrato seco da fruta. Dependendo da época e da região de plantio, a fruta pode estar mais seca ou então possuir maior quantidade de água; por isso, calculando-se o extrato seco é possível criar e manter o sorvete com a textura desejada, independentemente do fornecedor e da época do ano em que cada fruta é adquirida.

Para calcular o índice de extrato seco é preciso colocar um pouco de purê da fruta em um refratômetro e medir a porcentagem por meio da luz. O ideal é sempre medir no início de cada produção, pois a alteração do índice irá mudar toda a fórmula do sorbet.

Algumas outras regras devem ser seguidas para se obter um produto final adequado. Por exemplo:

- É necessário definir a margem percentual de fruta a ser utilizada (ver tabela nesta página).
- É preciso manter o nível de extrato seco total (EST) – ou seja, a soma de todos os ingredientes sólidos da mistura – entre 29% e 33% para frutas doces, e entre 31% e 33% para frutas ácidas, em relação ao peso total da receita.
- Deve-se manter o poder adoçante (PA)* da fruta com porcentagem entre 24% e 33% do peso total da receita.
- A porcentagem de glucose atomizada (glucose em pó) deve sempre ser 6% do peso total da receita.

A porcentagem de estabilizante deve sempre ser 0,4% do peso total da receita.

O EST do estabilizante é de 100% do peso do estabilizante (ou seja, os pesos são iguais, pois o estabilizante não contém água).

A porcentagem de gordura na receita deve variar entre 0,5% e 2% do peso total (lembrando que essa gordura é proveniente das frutas utilizadas).

Será levado em conta o poder adoçante da sacarose como 100% e o da glucose atomizada (glucose em pó) como 50%.

Veja na tabela a seguir a margem percentual de utilização de frutas na produção de sorbets:

OBSERVAÇÃO
Para descobrir o poder adoçante da fruta, é necessário multiplicar o peso do extrato seco total pela constante 1,25.

PA Fruta = EST × 1,25

Margem percentual de utilização			
Limão	25%-35%	Pêssego	50%-70%
Maracujá	30%-45%	Amora	45%-55%
Cassis	40%-50%	Banana	50%-60%
Groselha	35%-45%	Kiwi	50%-60%
Framboesa	45%-55%	Manga	50%-60%
Morango	45%-70%	Cereja	40%-50%
Abacaxi	45%-60%	Ameixa	50%-60%
Laranja	55%-70%	Grapefruit	35%-50%
Tangerina	45%-55%	Melão	60%-80%
Damasco	50%-60%	Mirtilo	45%-55%

Fonte: adaptado de Ecole Lenôtre (1995, p. 33).

A seguir é apresentada uma tabela com a média padrão de extrato seco, de nível de acidez, nível de gordura e nível de açúcar de algumas frutas que podem ser usadas na elaboração das receitas.

Composição das frutas				
Nome	**Extrato seco**	**Acidez**	**Gordura**	**Teor de açúcar**
Damasco	14%	7%		9% a 18%
Abacaxi	14%	15%		
Abacate	3%		54%	
Cereja	19%	14%		9% a 18%
Limão	9%	1%		
Morango	11%	66%		5% a 12%
Framboesa	14%	3%		6% a 12%
Maracujá	15%			
Goiaba	15%			
Kiwi	16%	6%		
Manga	15%	25%		
Melão	8%	200%		
Mirtilo	15%	8%		
Avelãs	93%		60%	
Nozes	93%		55%	
Coco	56,2%		35,55%	
Laranja	10%	5%		
Mamão papaia	15%	70%		
Pêssego	14%	14%		6% a 12%
Pera	17%	30%		6% a 15%
Maçã	14%	18%		8% a 17%

Fonte: adaptado de Ecole Lenôtre (1995, p. 24).

ETAPAS E CÁLCULOS NA ELABORAÇÃO DE SORBETS
Para a elaboração da receita de um sorbet, é comum utilizar uma tabela padrão, como a apresentada a seguir:

SORBET			
	Peso	**EST**	**PA**
Purê de fruta (%) – EST % de Brix			
Sacarose			
Glucose em pó (%)			
Estabilizante (%)			0
Água		0	0
Total (g)	10.000		
Porcentagem ideal	100%	%	%

Fonte: adaptado de Ecole Lenôtre (1995, p. 25).

Algumas etapas devem ser seguidas a fim de completar a tabela e calcular as quantidades necessárias de ingredientes para produzir o sorbet. São elas:

ETAPA 1

Nessa etapa são determinadas a fruta e sua margem percentual de utilização. Também define-se o extrato seco por meio do refratômetro.

Como exemplo, será utilizado o morango para a elaboração de uma receita de sorbet: a margem percentual de sua utilização será de 60%, e a do extrato seco será de 11%.

Para definir o peso da fruta, será necessário multiplicar o peso total da fruta por sua margem percentual de utilização.

Peso total da receita × % margem de utilização = Peso da fruta
10.000 × 60% = 6.000 g

Sorbet de morango			
	Peso	EST	PA
Purê de fruta (60%) – EST 11% de Brix	6.000		
Sacarose			
Glucose em pó (%)			
Estabilizante (%)			0
Água		0	0
Total (g)	10.000		
Porcentagem ideal		%	%

ETAPA 2

Determina-se a porcentagem total de extrato seco da receita, sabendo-se que, para sorbets com frutas ácidas, é ideal que o valor fique entre 31% e 33% do peso total da receita. Optou-se, no exemplo, pela utilização da média 32%.

Sorbet de morango			
	Peso	EST	PA
Purê de fruta (60%) – EST 11% de Brix	6.000		
Sacarose			
Glucose em pó (%)			
Estabilizante (%)			0
Água		0	0
Total (g)	10.000	3.200	%
Porcentagem ideal		32%	

OBSERVAÇÕES

No exemplo, optou-se pela porcentagem de 60% da margem de utilização da fruta para obter um sorbet com maior concentração e sabor; porém, a porcentagem pode ser alterada conforme o objetivo. (Verificar as possibilidades da margem de utilização na tabela da p. 312.)

Brix (símbolo °Bx) é uma escala numérica do índice de refração de uma solução, ou seja, indica o quanto a luz se desvia em relação ao desvio provocado por água destilada. É usada na indústria de alimentos para medir a quantidade aproximada de açúcares, por exemplo, em sucos de fruta e vinhos.

ETAPA 3

Calcula-se o extrato seco total (EST) por meio da multiplicação do peso do purê de fruta pela porcentagem EST da fruta. O resultado é o peso de EST da fruta.

Para esta receita será utilizado o índice de 11%.

Peso da fruta × % EST da fruta = Peso de EST da fruta
6.000 × 11% = 660 g

Sorbet de morango			
	Peso	EST	PA
Purê de fruta (60%) – EST 11% de Brix	6.000	660	
Sacarose			
Glucose em pó (%)			
Estabilizante (%)			0
Água		0	0
Total (g)	10.000	3.200	%
Porcentagem ideal		32%	

ETAPA 4

Determina-se a porcentagem de outros açúcares que não sejam sacarose.

Como é utilizada a glucose em pó (atomizada), é necessário manter a porcentagem sugerida de 6% do peso total da receita para chegar a uma mistura equilibrada.

Peso total da receita × 6% = Peso da glucose em pó
10.000 × 6% = 600 g

Sorbet de morango			
	Peso	EST	PA
Purê de fruta (60%) – EST 11% de Brix	6.000	660	
Sacarose			
Glucose em pó (6%)	600		
Estabilizante (%)			0
Água		0	0
Total (g)	10.000	3.200	
Porcentagem ideal		32%	%

ETAPA 5

Determina-se o EST dos açúcares que não sejam a sacarose.

Como será utilizada a glucose em pó (atomizada) e seu EST é sempre de 95%, multiplica-se o peso total da glucose pela porcentagem do EST da glucose em pó. O resultado será o EST total da glucose em pó (atomizada).

Peso total da glucose em pó × % EST da glucose em pó = Peso do EST da glucose em pó
600 × 95% = 570 g

Sorbet de morango			
	Peso	**EST**	**PA**
Purê de fruta (60%) – EST 11% de Brix	6.000	660	
Sacarose			
Glucose em pó (6%)	600	570	
Estabilizante (%)			0
Água		0	0
Total (g)	10.000	3.200	
Porcentagem ideal		32%	

ETAPA 6

Determina-se a porcentagem de estabilizantes da receita. Para isso, temos a porcentagem padrão de 0,4% do peso total da receita e o EST do estabilizante é de 100%.

Peso total da receita × 0,4% = Peso do estabilizante
10.000 g × 0,4% = 40 g

Peso do estabilizante × 100% = EST do estabilizante
40 g × 100% = 40 g

Sorbet de morango			
	Peso	**EST**	**PA**
Purê de fruta (60%) – EST 11% de Brix	6.000	660	
Sacarose			
Glucose em pó (6%)	600	570	
Estabilizante (0,4%)	40	40	0
Água		0	0
Total (g)	10.000	3.200	
Porcentagem ideal		32%	

ETAPA 7

Determina-se o peso da sacarose. Para chegar ao valor, soma-se o peso do EST da fruta, o peso do EST do estabilizante, mais o EST dos outros açúcares (glucose em pó). O resultado é subtraído do peso total do EST da receita, indicando o peso de sacarose a ser acrescentado na receita.

EST da receita – (EST da fruta + EST dos outros açúcares + EST do estabilizante) = Peso da sacarose
3.200 – (660 + 570 + 40) = 1.930 g

Nessa etapa, também é definido o extrato seco total da sacarose, uma vez que seu valor é de 100%.

1.930 × 100% = 1.930 g

Sorbet de morango			
	Peso	EST	PA
Purê de fruta (60%) – EST 11% de Brix	6.000	660	
Sacarose	1.930	1.930	
Glucose em pó (6%)	600	570	
Estabilizante (0,4%)	40	40	0
Água		0	0
Total (g)	10.000	3.200	
Porcentagem ideal		32%	

ETAPA 8

Determina-se a quantidade de água por meio da soma de todos os pesos encontrados, subtraindo-se do peso total da receita. O resultado é o peso da água.

Peso total da receita – (Peso da fruta + Peso da sacarose + Peso do estabilizante) = Peso da água
10.000 – (6.000 + 1.930 + 600 + 40) = 10.000 - 8.570 = 1.430 g de água

Sorbet de morango			
	Peso	EST	PA
Purê de fruta (60%) – EST 11% de Brix	6.000	660	
Sacarose	1.930	1.930	
Glucose em pó (6%)	600	570	
Estabilizante (0,4%)	40	40	0
Água	1.430	0	0
Total (g)	10.000	3.200	
Porcentagem ideal		32%	

ETAPA 9

Calcula-se o poder adoçante (PA) do sorbet, considerando que:
- o PA de um sorbet deve sempre ficar entre 25%-33%;
- o PA da sacarose é de 100% sobre o seu peso;
- o PA da glucose é de 50% sobre seu peso.

Para descobrir o PA da fruta, é necessário multiplicar o valor do EST pela constante 1,25.
EST da fruta × 1,25 = PA da fruta

Sendo assim:
» PA da sacarose: 100% × 1.930 g = 1.930 g
» PA da glucose: 50% × 600 g = 300 g
» PA da fruta: 660 g × 1,25 = 825 g
» Soma de todos os PA encontrados: 1.930 + 300 + 825 = 3.055 g

Com o resultado, percebe-se que o PA ficou dentro da margem ideal da receita, o que significa que ela está balanceada.

Sorbet de morango	Peso	EST	PA
Purê de fruta (60%) – EST 11% de Brix	6.000	660	825
Sacarose	1.930	1.930	1.930
Glucose em pó (6%)	600	570	300
Estabilizante (0,4%)	40	40	0
Água	1.430	0	0
Total (g)	10.000	3.200	3.055
Porcentagem ideal		32%	25%-33%

OBSERVAÇÃO
Caso a receita não esteja balanceada, é necessário diminuir a quantidade de sacarose e aumentar a quantidade de glucose em pó em pesos iguais. Assim será possível diminuir o poder adoçante da fórmula.

SORBETS COM POLPA DE FRUTA ADOÇADA

Quando são utilizadas polpas de frutas já adoçadas na elaboração do sorbet, a primeira informação necessária é a porcentagem de açúcar contida na polpa. A partir dela, pode-se equilibrar a receita.

Comercialmente, as polpas de frutas são processadas *in natura*, ou seja, não há adição de açúcares na sua formulação; porém, quando há a necessidade de agregar açúcar, costuma-se utilizar uma margem de 10%.

É muito simples equilibrar uma receita de sorbet nesses casos: deve-se apenas subtrair o peso do açúcar contido na polpa do total da sacarose da receita. Por exemplo, na receita citada anteriormente, é utilizado o purê de morango. Caso o purê seja substituído por polpa de morango com 10% de açúcar, será necessário, primeiro, saber a quantidade de açúcar contida na polpa, para depois multiplicar o peso total da polpa pela porcentagem de açúcar contida nela. O resultado será o total de açúcar.

Peso da polpa × % de açúcar = Peso do açúcar da polpa
6.000 g × 10% = 600 g de açúcar

Sabendo o peso do açúcar, basta subtrair o peso total de sacarose sem mexer nos demais valores.

1.930 – 600 = 1.330 g (peso da sacarose)

:: MODO DE PREPARO – SORBET

Sorbet de morango

Sorbet de morango com polpa adoçada a 10%			
	Peso	EST	PA
Purê de fruta (60%) – EST 11% de Brix	6.000	660	825
Sacarose	1.330	1.930	1.930
Glucose em pó (6%)	600	570	300
Estabilizante (0,4%)	40	40	0
Água	1.430	0	0
Total (g)	10.000	3.200	3.055
Porcentagem ideal		32%	25%-33%

1. Com o auxílio de uma balança, pese todos os ingredientes com precisão.
2. Separe os utensílios e o equipamento que serão utilizados: bowl, panela, espátula de silicone, termômetro, máquina de sorvete.
3. Em um bowl, misture os ingredientes secos com o auxílio de uma espátula.
4. Em uma panela, aqueça a água até atingir a temperatura de 40 ºC.
5. Adicione os ingredientes secos à água e mexa rapidamente com o auxílio da espátula.
6. Aqueça a mistura até 85 ºC. Em seguida, resfrie rapidamente, colocando o bowl com a mistura em cima de outro bowl com gelo, até a mistura atingir 20 ºC. (Outra opção é utilizar um resfriador rápido.)
7. Incorpore a polpa de fruta à mistura, mexendo bem com o auxílio da espátula.
8. Leve a mistura à geladeira para maturar por 2 a 6 horas. (Nesse momento, os emulsificantes aderem às gotas de água e os estabilizantes se hidratam).
9. Retire da geladeira e coloque a mistura na máquina de sorvete. Bata até ficar com textura cremosa e firme.
10. Transfira o sorbet para um recipiente fechado e leve para congelar.
11. Conserve os recipientes dentro de um freezer a -25 ºC até o momento de consumir.

Sorvetes e glaces

Quando se trata da base de um sorvete, duas fórmulas podem ser utilizadas: base de creme e base de ovos. Assim como ocorre com os sorbets, é necessário seguir algumas premissas para obter uma receita balanceada. Alguns lembretes importantes:

Na elaboração de sorvetes e glaces, serão consideradas as seguintes siglas, utilizadas internacionalmente:

- EST para o índice de extrato seco total;
- MG para sólidos gordurosos;
- ESDL para sólidos não gordurosos.

As porcentagens de sólidos não gordurosos se referem aos produtos lácteos ou aos seus derivados.

O ideal é não ultrapassar um total de 11% de gorduras e 10% de sólidos não gordurosos, ou seja, a quantidade de sólidos gordurosos (MG) mais a de sólidos não gordurosos (ESDL) não pode exceder 22% ou ficar abaixo de 16%.

O conteúdo total de extrato seco (EST) da mistura deve ficar entre 37% e 42%.

O poder adoçante deve ficar entre 16% e 23%.

Para definir o peso de lactose de uma receita, deve-se dividir o valor total de sólidos não gordurosos por 2.

Quando falamos em poder adoçante dos produtos lácteos, deve-se levar em conta a porcentagem de 16% contida na lactose.

Veja nas tabelas a seguir os índices utilizados para a elaboração do sorvete:

PORCENTAGEM DE USO			
Matérias-primas	**Dose mínima de uso**		**Dose habitual de uso**
	Base de creme	Base de ovos	
Lácteos			
Leite integral			
Creme de leite			10%
Manteiga *laitier*			10%
Leite em pó 0% MG			10%
Gorduras	7%	2%	
Açúcares			
Sacarose	16%	18%	16% a 20%
Glucose atomizada	2%	2%	4% a 6%
Açúcar invertido			4% a 6%
Dextrose			4% a 6%
Outros			
Estabilizante	0,4%	0,4%	Sorbet 0,4% Sorvete 0,5%
Gemas de ovos		3%	3% a 10%
Aromas			
Baunilha			4%
Chocolate	2%	2%	10%
Café solúvel	3%	3%	2,5%
Pistache em pasta	3%	3%	6,5%
Caramelo			10%
Cacau em pó	2%	2%	3%
Purê			
Damasco	10%	10%	70%
Morango	10%	10%	70%
Framboesa	10%	10%	60%
Pera	15%	15%	70%
Cassis	10%	10%	40%
Maracujá	10%	10%	40%
Pêssego	15%	15%	70%
Banana	15%	15%	50%
Abacaxi	10%	10%	60%
Limão	10%	10%	30%
Laranja	10%	10%	40%

Fonte: adaptado de Ecole Lenôtre (1995, p. 18).

TABELA ANALÍTICA DOS ALIMENTOS

Matérias-primas	Água	Sólidos gordurosos (MG)	Sólidos não gordurosos (ESDL)	Extrato seco total (EST)	Açúcar	Poder Adoçante (PA)
Leite integral	88%	3,6%	8,4%	12%		
Leite desnatado	91%		9,2%	9,3%		
Creme de leite 30%	63,4%	30%	6,4%	36,5%		
Creme de leite 35%		35%	6%	41%		
Manteiga	16%	82%	2%	84%		
Leite em pó 0% MG	4%		97%	97%		
Leite em pó 26% MG	3%	26%	71%	97%		
Leite condensado	26%	9%	74%			
Açúcares						
Sacarose				100%	100%	100%
Glucose atomizada	5%			95%	100%	50%
Açúcar invertido	22%		78%	82%	100%	125%
Dextrose				92%	100%	75%
Outros ingredientes						
Estabilizante			100%			
Gemas de ovos	50%	23,5%	50%			
Aromas						
Baunilha						
Cacau em pó		18%	100%	82%		
Massa de cacau		54,5%	100%	45,98%		
Chocolate concorde		39,4%		100%	32,8%	
Chocolate 70%		42,5%	70%	100%	32,8%	30%
Chocolate branco			30,5%	14,5%		55%
Café solúvel				100%		
Pistache em pasta		33%		85%		
Caramelo				100%	100%	100%
Purê						
Damasco				15%		
Morango				10%		
Framboesa				15%		
Pera				22%		
Cassis				18%		
Maracujá				15%		
Pêssego				12%		
Banana				16%		
Abacaxi				15%		
Limão				9%		
Laranja				15%		

Fonte: adaptado de Ecole Lenôtre (1995, p. 24).

Utiliza-se uma planilha padrão para elaborar os sorvetes à base de ovos, de creme ou de ovo e chocolate. A seguir está um exemplo da planilha utilizada.

SORVETE À BASE DE CREME OU À BASE DE OVOS					
	Peso	Extrato seco	Sólidos gordurosos	Sólidos não gordurosos	Poder adoçante
Leite integral					
Leite em pó 0% MG					
Sacarose (16%-20%)					
Glucose em pó (4%-6%)					
Manteiga					
Gema (3%-10%)					
Estabilizante (0,4%-0,5%)					
Peso total					
Porcentagem ideal		36%-42%	Até 11%	Até 10%	16%-23%

Fonte: adaptado de Ecole Lenôtre (1995, p. 26).

ETAPAS E CÁLCULOS PARA A ELABORAÇÃO DE SORVETES E GLACES
:: SORVETE À BASE DE OVOS

ETAPA 1
Definem-se as porcentagens dos sólidos gordurosos, dos sólidos não gordurosos, dos açúcares, das gemas e do estabilizante, tendo como base a tabela de porcentagem de uso (p. 321), os índices obrigatórios e o gosto pessoal.

» Sólidos gordurosos (MG): 8%
» Sólidos não gordurosos (ESDL): 9,5%
» Açúcares: 18%
  • Sacarose: 14%
  • Glucose em pó: 4%
» Gemas: 3%
» Estabilizante composto: 0,5%

SORVETE À BASE DE OVOS					
	Peso	Extrato seco	Sólidos gordurosos	Sólidos não gordurosos	Poder adoçante
Leite integral					
Leite em pó 0% MG					
Sacarose (14%)					
Glucose em pó (4%)					
Manteiga					
Gema (3%)					
Estabilizante (0,5%)					
Peso total					
% escolhida		37%	8%	9,5%	18%
% prevista pela legislação		37%-42%	Até 11%	Até 10%	16%-23%

PRODUÇÕES GELADAS

ETAPA 2

Calcula-se o peso dos índices propostos na etapa anterior.

Para calcular esses valores, basta multiplicar o peso total da receita pela porcentagem escolhida. Será considerado como peso total o valor de 10.000 g.

Peso total da receita × % do índice/produto = Peso total do índice/produto

Sabe-se que:
» Sólidos gordurosos: 10.000 g × 8% = 800 g
» Sólidos não gordurosos: 10.000 g × 9,5% = 950 g
» Açúcares: 10.000 g × 18% = 1.800 g
» Sacarose: 10.000 g × 14% = 1.400 g
» Glucose em pó: 10.000 g × 4% = 4.000 g
» Gemas: 10.000 g × 3% = 300 g
» Estabilizante: 10.000 g × 0,5% = 50 g

SORVETE À BASE DE OVOS

	Peso	Extrato seco	Sólidos gordurosos	Sólidos não gordurosos	Poder adoçante
Leite integral					
Leite em pó 0% MG					
Sacarose (14%)	1.400 g				
Glucose em pó (4%)	400 g				
Manteiga					
Gema (3%)	300 g				
Estabilizante (0,5%)	50 g				
Peso total	10.000 g		800 g	950 g	
% escolhida		37%	8%	9,5%	18%
% prevista pela legislação		36%-42%	Até 11%	Até 10%	16%-23%

ETAPA 3

Define-se o valor do soro, que será utilizado posteriormente para o cálculo de outros produtos.

Para isso, é necessário somar os pesos dos açúcares, da gema, do estabilizante e dos sólidos gordurosos, deixando de fora o peso dos sólidos não gordurosos. O valor da soma será subtraído do peso total da receita, e o resultado da subtração será o peso do soro.

Peso total da receita − (Peso dos açúcares + Peso da gema + Peso do estabilizante + Peso dos sólidos gordurosos) = Peso do soro do leite em pó

Sabe-se que:
» Peso dos açúcares (sacarose + glucose em pó): 1.800 g
» Peso da gema: 300 g
» Peso do estabilizante: 50 g
» Peso dos sólidos gordurosos: 800 g
» Peso total da receita: 10.000 g

Aplicando os valores na fórmula:
10.000 − (800 + 1.800 + 300 + 50) = 10.000 − 2.950 = 7.050 g (peso do soro)

ETAPA 4

Define-se a quantidade de leite em pó que será utilizada na receita, aplicando-se a seguinte fórmula:

OBSERVAÇÃO
O valor 0,088 é uma constante e nunca deverá ser alterado.

$$\frac{\text{(Peso necessário de sólidos não gordurosos)} - \text{(Peso do soro} \times 0,088)}{\text{(Peso de sólidos não gordurosos em 1 kg de leite em pó)} - (0,088)} = \text{Peso do leite em pó}$$

Sabe-se que:
- Peso dos sólidos não gordurosos: 0,950 g
- Peso do soro: aplicar 7.050 ÷ 1.000 = 7,050 g
- Porcentagem de sólidos não gordurosos no leite em pó: 97% (com base na tabela analítica dos alimentos da p. 322)
- Peso dos sólidos não gordurosos em 1 kg de leite em pó: 0,970 g

Aplicando os valores na fórmula:

$$\frac{0,950 - (7,050 \times 0,088)}{0,970 - 0,088} = \frac{0,950 - 0,620}{0,882} = \frac{0,330}{0,882} = 0,374 \text{ kg} = 374 \text{ g de leite em pó}$$

SORVETE À BASE DE OVOS	Peso	Extrato seco	Sólidos gordurosos	Sólidos não gordurosos	Poder adoçante
Leite integral					
Leite em pó 0% MG	374 g				
Sacarose (14%)	1.400 g				
Glucose em pó (4%)	400 g				
Manteiga					
Gema (3%)	300 g				
Estabilizante (0,5%)	50 g				
Peso total	10.000 g		800	950	
% escolhida		37%	8%	9,5%	18%
% prevista pela legislação		36%-42%	Até 11%	Até 10%	16%-23%

OBSERVAÇÃO
Embora as fórmulas apresentem o quilo como unidade, a análise da tabela é feita em gramas, por isso é necessário fazer a conversão.

ETAPA 5

Define-se o peso dos sólidos não gordurosos do leite em pó. Para isso, basta multiplicar o peso do leite em pó pela porcentagem de sólidos não gordurosos.

Peso do leite em pó × % sólidos não gordurosos do leite em pó = Peso dos sólidos não gordurosos do leite em pó

Sabe-se que:
- Porcentagem dos sólidos não gordurosos do leite em pó: 97% (com base na tabela analítica dos alimentos da p. 322)
- Peso do leite em pó: 374 g

Aplicando os valores na fórmula:

374 × 97% = 362 g (peso dos sólidos não gordurosos do leite em pó)

PRODUÇÕES GELADAS

SORVETE À BASE DE OVOS	Peso	Extrato seco	Sólidos gordurosos	Sólidos não gordurosos	Poder adoçante
Leite integral					
Leite em pó 0% MG	374 g			362 g	
Sacarose (14%)	1.400 g				
Glucose em pó (4%)	400 g				
Manteiga					
Gema (3%)	300 g				
Estabilizante (0,5%)	50 g				
Peso total	10.000 g		800 g	950 g	
% escolhida		37%	8%	9,5%	18%
% prevista pela legislação		36%-42%	Até 11%	Até 10%	16%-23%

ETAPA 6

Determina-se mais uma vez o soro que será utilizado como valor para conseguir o peso da manteiga.

Diferentemente da etapa 3, neste momento serão somados o peso do leite em pó, o peso dos açúcares, o peso da gema e o peso do estabilizante, deixando de fora o peso dos sólidos gordurosos e dos sólidos não gordurosos. O valor da soma será subtraído do peso total da receita, e o valor conseguido será o soro.

Peso total da receita − (Peso do leite em pó + Peso dos açúcares + Peso da gema + Peso do estabilizante) = Peso do soro

Sabe-se que:
» Peso do leite em pó: 374 g
» Peso dos açúcares (sacarose + glucose em pó): 1.800 g
» Peso da gema: 300 g
» Peso do estabilizante: 50 g
» Peso total da receita: 10.000 g

Aplicando os valores na fórmula:

10.000 − (374 + 1.800 + 300 + 50) = 10.000 − 2.524 = 7.476 g (peso do soro)

ETAPA 7

Determina-se o peso da manteiga que será utilizada na receita. Para se chegar a esse valor, a seguinte fórmula é usada:

$$\frac{(\text{Total de sólidos gordurosos}) - (\text{Soro} \times \text{\% de gordura do leite})}{(\text{\% de gordura da manteiga}) - (\text{\% de gordura do leite})} = \text{Peso da manteiga}$$

Sabe-se que:
» Total de sólidos gordurosos: 800 g
» Soro: 7.476/1.000 = 7,476
» Porcentagem de gordura do leite: 3,6 % (índice com base na tabela analítica dos alimentos da p. 322)
» Porcentagem de gordura da manteiga: 82 % (índice com base na tabela analítica dos alimentos da p. 322)

Aplicando os valores na fórmula:

$$\frac{0{,}800 - (7{,}476 \times 0{,}036)}{0{,}820 - 0{,}036} = \frac{0{,}800 - 0{,}269}{0{,}784} = \frac{0{,}531}{0{,}784} = 680 \text{ g de manteiga}$$

SORVETE À BASE DE OVOS	Peso	Extrato seco	Sólidos gordurosos	Sólidos não gordurosos	Poder adoçante
Leite integral					
Leite em pó 0% MG	374 g			362 g	
Sacarose (14%)	1.400 g				
Glucose em pó (4%)	400 g				
Manteiga	680 g				
Gema (3%)	300 g				
Estabilizante (0,5%)	50 g				
Peso total	10.000 g		800 g	950 g	
% escolhida		37%	8%	9,5%	18%
% prevista pela legislação		36%-42%	Até 11%	Até 10%	16%-23%

ETAPA 8

Define-se o peso dos sólidos gordurosos e dos sólidos não gordurosos da manteiga. Para isso, basta multiplicar a porcentagem de sólidos gordurosos ou não gordurosos da manteiga pelo seu peso total.

Peso dos sólidos gordurosos:

Peso total da manteiga × % dos sólidos gordurosos da manteiga = Peso dos sólidos gordurosos da manteiga

Sabe-se que:
» Peso total da manteiga: 680 g
» Porcentagem dos sólidos gordurosos: 84% (com base na tabela analítica dos alimentos na p. 322)

Aplicando os valores na fórmula:

680 × 82% = 557 g (peso dos sólidos gordurosos)

Peso dos sólidos não gordurosos:

Peso total da manteiga × % dos sólidos não gordurosos da manteiga = Peso dos sólidos não gordurosos da manteiga

Sabe-se que:
» Peso total da manteiga: 680 g
» Porcentagem dos sólidos não gordurosos: 2% (com base na tabela analítica dos alimentos na p. 322)

Aplicando os valores na fórmula:

680 × 2% = 13 g (peso dos sólidos não gordurosos)

SORVETE À BASE DE OVOS					
	Peso	Extrato seco	Sólidos gordurosos	Sólidos não gordurosos	Poder adoçante
Leite integral					
Leite em pó 0% MG	374 g			362 g	
Sacarose (14%)	1.400 g				
Glucose em pó (4%)	400 g				
Manteiga	680 g		557 g	13 g	
Gema (3%)	300 g				
Estabilizante (0,5%)	50 g				
Peso total	10.000 g		800 g	950 g	
% escolhida		37%	8%	9,5%	18%
% prevista pela legislação		36%-42%	Até 11%	Até 10%	16%-23%

ETAPA 9

Determina-se o peso total do leite. Para isso, basta somar o peso do leite em pó, o peso dos açúcares, o peso da manteiga, o peso das gemas e o peso do estabilizante e subtrair do peso total da receita.

Peso total da receita − (Peso do leite em pó + Peso dos açúcares + Peso da manteiga + Peso das gemas + Peso do estabilizante) = Peso do leite

Sabe-se que:
» Peso do leite em pó: 374 g
» Peso dos açúcares (sacarose + glucose em pó): 1.800 g
» Peso da manteiga: 680 g
» Peso das gemas: 300 g
» Peso do estabilizante: 50 g

Aplicando os valores na fórmula:

10.000 − (374 + 1.400 + 400 + 680 + 300 + 50) = 10.000 − 3.204 = 6.796 g (peso do leite)

SORVETE À BASE DE OVOS					
	Peso	Extrato seco	Sólidos gordurosos	Sólidos não gordurosos	Poder adoçante
Leite integral	6.796 g				
Leite em pó 0% MG	374 g			362 g	
Sacarose (14%)	1.400 g				
Glucose em pó (4%)	400 g				
Manteiga	680 g		557 g	13 g	
Gema (3%)	300 g				
Estabilizante (0,5%)	50 g				
Peso total	10.000 g		800 g	950 g	
% escolhida		37%	8%	9,5%	18%
% prevista pela legislação		36%-42%	Até 11%	Até 10%	16%-23%

ETAPA 10

Define-se o peso dos sólidos gordurosos e dos sólidos não gordurosos do leite integral. Para isso, basta multiplicar a porcentagem de sólidos gordurosos ou não gordurosos do leite pelo seu peso total.

Peso dos sólidos gordurosos:

Peso total do leite × % dos sólidos gordurosos do leite = Peso dos sólidos gordurosos do leite

Sabe-se que:
» Peso total do leite integral: 6.796 g
» Porcentagem dos sólidos gordurosos: 3,6% (com base na tabela analítica dos alimentos na p. 322)

Aplicando os valores na fórmula:

6.796 × 3,6% = 244 g (peso dos sólidos gordurosos)

Peso dos sólidos não gordurosos:

Peso total do leite × % dos sólidos não gordurosos do leite = Peso dos sólidos não gordurosos do leite

Sabe-se que:
» Peso total do leite integral: 6.796 g
» Porcentagem dos sólidos não gordurosos: 8,4% (com base na tabela analítica dos alimentos na p. 322)

Aplicando os valores na fórmula:

6.796 × 8,4% = 570 g (peso dos sólidos não gordurosos)

SORVETE À BASE DE OVOS

	Peso	Extrato seco	Sólidos gordurosos	Sólidos não gordurosos	Poder adoçante
Leite integral	6.796 g		244 g	570 g	
Leite em pó 0% MG	374 g			362 g	
Sacarose (14%)	1.400 g				
Glucose em pó (4%)	400 g				
Manteiga	680 g		557 g	13 g	
Gema (3%)	300 g				
Estabilizante (0,5%)	50 g				
Peso total	10.000 g		800 g	950 g	
% escolhida		37%	8%	9,5%	18%
% prevista pela legislação		36%-42%	Até 11%	Até 10%	16%-23%

ETAPA 11

Define-se o extrato seco dos açúcares, do leite integral, do leite em pó, da manteiga, das gemas e do estabilizante. Para isso, basta multiplicar a porcentagem de extrato seco total do ingrediente pelo seu peso total.

Peso total do ingredientes × % do extrato seco total do ingredientes = Peso do extrato seco total

Sabe-se que:
» Peso total do leite integral: 6.796 g
» Porcentagem de EST do leite integral: 12% (com base na tabela analítica dos alimentos na p. 322)
» Peso total do leite em pó: 374 g
» Porcentagem de EST do leite em pó: 97% (com base na tabela analítica dos alimentos na p. 322)
» Peso total da sacarose: 1.400 g
» Porcentagem de EST da sacarose: 100% (com base na tabela analítica dos alimentos na p. 322)
» Peso total da glucose em pó: 400 g
» Porcentagem de EST da glucose em pó: 95% (com base na tabela analítica dos alimentos na p. 322)
» Peso total da manteiga: 680 g
» Porcentagem de EST da manteiga: 84% (com base na tabela analítica dos alimentos na p. 322)
» Peso total da gema: 300 g
» Porcentagem de EST da gema: 50% (com base na tabela analítica dos alimentos na p. 322)
» Peso total do estabilizante: 50 g
» Porcentagem de EST do estabilizante: 100% (com base na tabela analítica dos alimentos na p. 322)

Aplicando os valores na fórmula:
» Leite integral: 6.796 × 12% = 816 g (peso do EST)
» Leite em pó: 374 × 97% = 363 g (peso do EST)
» Sacarose: 1.400 × 1.000 % = 1.400 g (peso do EST)
» Glucose em pó: 400 × 95% = 380 g (peso do EST)
» Manteiga: 680 × 84% = 571 g (peso do EST)
» Gema: 300 × 50% = 150 g (peso do EST)
» Estabilizante: 50 × 100% = 50 g (peso do EST)

SORVETE À BASE DE OVOS

	Peso	Extrato seco	Sólidos gordurosos	Sólidos não gordurosos	Poder adoçante
Leite integral	6.796 g	816 g	224 g	570 g	
Leite em pó 0% MG	374 g	363 g		362 g	
Sacarose (14%)	1.400 g	1.400 g			
Glucose em pó (4%)	400 g	380 g			
Manteiga	680 g	571 g	557 g	13 g	
Gema (3%)	300 g	150 g			
Estabilizante (0,5%)	50 g	50 g			
Peso total	10.000 g		800 g	950 g	
% escolhida		37%	8%	9,5%	18%
% prevista pela legislação		36%-42%	Até 11%	Até 10%	16%-23%

ETAPA 12

Define-se o poder adoçante dos açúcares. Para isso, basta multiplicar a porcentagem de poder adoçante dos açúcares pelo seu peso total.

Peso total dos açúcares × % do poder adoçante dos ingredientes = Peso do poder adoçante

Sabe-se que:
» Peso total da sacarose: 1.400 g
» Porcentagem de PA da sacarose: 100% (com base na tabela analítica dos alimentos na p. 322)
» Peso total da glucose em pó: 400 g
» Porcentagem de PA da glucose em pó: 50% (com base na tabela analítica dos alimentos na p. 322)

Aplicando os valores na fórmula:

» Sacarose: 1.400 × 1.000 % = 1.400 g (peso do EST)
» Glucose em pó: 400 × 50% = 200 g (peso do EST)

SORVETE À BASE DE OVOS

	Peso	Extrato seco	Sólidos gordurosos	Sólidos não gordurosos	Poder adoçante
Leite integral	6.796 g	816 g	224 g	570 g	
Leite em pó 0% MG	374 g	363 g		362 g	
Sacarose (14%)	1.400 g	1.400 g			1.400 g
Glucose em pó (4%)	400 g	200 g			400 g
Manteiga	680 g	571 g	557 g	13 g	
Gema (3%)	300 g	150 g	69 g		
Estabilizante (0,5%)	50 g	50 g			
Peso total	10.000 g		850 g	945 g	
% escolhida		37%	8%	9,5%	18%
% prevista pela legislação		36%-42%	Até 11%	Até 10%	16%-23%

ETAPA 13

Define-se o poder adoçante dos produtos lácteos. Para determinar esses valores é preciso, primeiro, descobrir o peso da lactose contida nos ingredientes e, para isso, basta dividir o peso dos sólidos não gordurosos por 2.

Sabendo o peso da lactose, basta multiplicar esse valor pela porcentagem do poder adoçante da lactose. O resultado será o poder adoçante dos produtos lácteos.

:: Fórmula 1
(Peso total dos sólidos não gordurosos) ÷ 2 = Peso de lactose

:: Fórmula 2
Peso da lactose × % do poder adoçante da lactose = Peso do poder adoçante dos produtos lácteos

Sabe-se que:
» Peso dos sólidos não gordurosos do leite: 570 g
» Peso dos sólidos não gordurosos do leite em pó: 362 g
» Peso dos sólidos não gordurosos da manteiga: 13 g
» Porcentagem de PA da lactose: 16%

Aplicando os valores na fórmula:

» Leite:
(570 ÷ 2) = 285 g (peso da lactose do leite)
285 × 16% = 46 g (poder adoçante do leite)

» Leite em pó:
(362 ÷ 2) = 181 g (peso da lactose do leite em pó)
181 × 16% = 29 g (poder adoçante do leite em pó)

» Manteiga:
(13 ÷ 2) = 6,5 g (peso da lactose da manteiga)
6,5 × 16% = 1 g (poder adoçante da manteiga)

SORVETE À BASE DE OVOS					
	Peso	Extrato seco	Sólidos gordurosos	Sólidos não gordurosos	Poder adoçante
Leite integral	6.796 g	816 g	224 g	570 g	46 g
Leite em pó 0% MG	374 g	363 g		362 g	29 g
Sacarose (14%)	1.400 g	1.400 g			1.400 g
Glucose em pó (4%)	400 g	380 g			400 g
Manteiga	680 g	571 g	557 g	13 g	1 g
Gema (3%)	300 g	150 g	69 g		
Estabilizante (0,5%)	50 g	50 g			
Peso total	10.000 g	3.730 g	850 g	945 g	1.875 g
% escolhida		37%	8%	9,5%	18%
% prevista pela legislação		36%-42%	Até 11%	Até 10%	16%-23%

Como podemos observar, quase todos os níveis escolhidos foram alcançados. A diferença é causada pelo arredondamento dos valores da receita.

Caso alguma porcentagem fique fora do que é previsto pela legislação, é preciso equilibrar a receita e repetir os cálculos.

:: SORVETE À BASE DE OVOS E CHOCOLATE

Para produzir um sorvete com chocolate é necessário levar em conta as porcentagens de sólidos gordurosos e o açúcar contido no aromático. Como uma mistura que contém chocolate tende a ter uma textura mais seca e quebradiça, utiliza-se a trimolina ou o açúcar invertido para dar ao sorvete uma textura mais flexível. Também é necessário aumentar a porcentagem de gemas, pois a lecitina contida nelas dará maior cremosidade.

É comum utilizar 3% de cacau em pó em relação ao peso total da receita. Para dar aroma de chocolate, normalmente é utilizado 10% do peso total da receita, valor em que já estão sendo consideradas as porcentagens do cacau em pó e do chocolate em barra.

A seguir está o exemplo de uma receita balanceada de sorvete de chocolate à base de ovos, com suas respectivas etapas.

ETAPA 1

Escolhem-se as porcentagens de sólidos gordurosos, sólidos não gordurosos, açúcares, gemas e estabilizante tendo como base a tabela de porcentagem de uso da p. 321, os índices obrigatórios e o gosto pessoal.

- » Sólidos gordurosos (MG): 9,5%
- » Sólidos não gordurosos (ESDL): 8%
- » Açúcares: 17,5%
- » Gemas: 7%
- » Estabilizante composto: 0,4%
- » Aroma: 10% (3% cacau e 7% chocolate em barra)

SORVETE DE CHOCOLATE À BASE DE OVOS						
	Peso	MG	ESDL	Açúcares	EST	PA
Leite integral						
Leite em pó 0% MG						
Sacarose (16%)						
Glucose em pó (4%)						
Açúcar invertido						
Manteiga						
Gema (7%)						
Cacau em pó (3%)						
Chocolate em barra 70% (7%)						
Estabilizante (0,4%)						
Peso total	10.000 g					
% escolhida	100%	9,5%	8%	17,5%	37%	18%
% prevista pela legislação		Até 10%	Até 11%		37%-42%	16%-23%

ETAPA 2

Calcula-se o peso dos índices propostos na etapa anterior. Para isso, basta multiplicar o peso total da receita pela porcentagem escolhida. Será considerado como peso total o valor de 10.000 g.

Peso total da receita × % do índice/ingrediente = Peso total do índice/ingrediente

- » Sólidos gordurosos (MG): 9,5% × 10.000 = 950 g
- » Sólidos não gordurosos (ESDL): 8% × 10.000 = 800 g
- » Açúcares: 17,5% × 10.000 = 1.750 g
- » Gemas: 7% × 10.000 = 700 g
- » Estabilizante composto: 0,4% × 10.000 = 40 g
- » Cacau em pó: 3% × 10.000 = 300 g
- » Chocolate em barra 70%: 7% × 10.000 = 700 g

SORVETE DE CHOCOLATE À BASE DE OVOS						
	Peso	MG	ESDL	Açúcares	EST	PA
Leite integral						
Leite em pó 0% MG						
Sacarose						
Glucose em pó						
Açúcar invertido						
Manteiga						
Gema (7%)	700 g					
Cacau em pó (3%)	300 g					
Chocolate em barra 70% (7%)	700 g					
Estabilizante (0,4%)	40 g					
Peso total	10.000 g	950 g	800 g	1.750 g		
% escolhida	100%	9,5%	8%	17,5%	37%	18%
% prevista pela legislação		Até 10%	Até 11%		37%-42%	16%-23%

ETAPA 3

Determina-se a quantidade dos açúcares a serem utilizados. É necessário levar em conta a porcentagem de açúcar contida no chocolate.

Primeiro passo: determinar a quantidade de açúcar contida no chocolate. Para isso, basta multiplicar essa porcentagem pelo peso total do chocolate.

% de açúcar do chocolate × Peso total do chocolate = Peso total de açúcar do chocolate

Sabe-se que:
» Peso total do chocolate 70%: 700 g
» Porcentagem de açúcar no chocolate 70%: 32,8% (com base na tabela analítica dos alimentos na p. 322)

Aplicando os valores na fórmula:

700 × 32,8% = 230 g (peso do açúcar do chocolate)

Segundo passo: determinar a quantidade de açúcar invertido que será utilizada na receita. Sua porcentagem pode variar entre 6% e 10%. Para este caso, será escolhido o valor de 6%.

Para determinar o peso do açúcar invertido, basta multiplicar a porcentagem de açúcar invertido proposta pelo peso total da receita.

% de açúcar invertido × Peso total da receita = Peso total do açúcar invertido

Sabe-se que:
» Porcentagem de açúcar invertido: 6%
» Peso total da receita: 10.000 g

Aplicando os valores na fórmula:

6% × 10.000 = 600 g (peso de açúcar invertido total)

Terceiro passo: determinar o valor da sacarose. Basta somar o peso do açúcar do chocolate e o peso do açúcar invertido. O valor da soma deve ser subtraído do valor total de açúcares pretendido.

Peso total de açúcares − (Peso do açúcar do chocolate + Peso do açúcar invertido) = Peso da sacarose

Sabe-se que:
» Peso do açúcar do chocolate 70%: 230 g
» Peso do açúcar invertido: 600 g
» Peso total de açúcares: 1.750 g

Aplicando os valores na fórmula:

1.750 − (230 + 600) = 1.750 − 830 = 920 g (peso total da sacarose)

SORVETE DE CHOCOLATE À BASE DE OVOS						
	Peso	**MG**	**ESDL**	**Açúcares**	**EST**	**PA**
Leite integral						
Leite em pó 0% MG						
Sacarose	920 g			920 g		
Glucose em pó						
Açúcar invertido (6%)	600 g			600 g		
Manteiga						
Gema (7%)	700 g					
Cacau em pó (3%)	300 g					
Chocolate em barra 70% (7%)	700 g			230 g		
Estabilizante (0,4%)	40 g					
Peso total	10.000 g	950 g	800 g	1.750 g		
% escolhida	100%	9,5%	8%	17,5%	37%	18%
% prevista pela legislação		Até 10%	Até 11%		37%-42%	16%-23%

ETAPA 4
Determinam-se os pesos dos sólidos gordurosos (MG) da gema, do cacau em pó e do chocolate em barra. Para isso, basta multiplicar a porcentagem de sólidos gordurosos do produto pelo seu peso total.

% MG do produto × Peso total do produto = Peso total de MG do produto

Sabe-se que:
» Porcentagem de MG da gema: 23% (com base na tabela analítica dos alimentos na p. 322)
» Peso total da gema: 700 g
» Porcentagem de MG do cacau: 18% (com base na tabela analítica dos alimentos na p. 322)
» Peso total do cacau: 300 g
» Porcentagem de MG do chocolate em barra: 42,5% (com base na tabela analítica dos alimentos na p. 322)
» Peso total do chocolate em barra 70%: 700 g

Aplicando os valores na fórmula:

- Gema: 23% × 700 g = 161 g (peso de MG da gema)
- Cacau: 18% × 300 g = 54 g (peso de MG do cacau)
- Chocolate em barra 70%: 42,5% × 700 g = 297 g (peso de MG do chocolate em barra)

SORVETE DE CHOCOLATE À BASE DE OVOS	Peso	MG	ESDL	Açúcares	EST	PA
Leite integral						
Leite em pó 0% MG						
Sacarose	920 g			920 g		
Glucose em pó						
Açúcar invertido (6%)	600 g			600 g		
Manteiga						
Gema (7%)	700 g	161 g				
Cacau em pó (3%)	300 g	54 g				
Chocolate em barra 70% (7%)	700 g	297 g		230 g		
Estabilizante (0,4%)	40 g					
Peso total	10.000 g	950 g	800 g	1.750 g		
% escolhida	100%	9,5%	8%	17,5%	37%	18%
% prevista pela legislação		Até 10%	Até 11%		37%-42%	16%-23%

ETAPA 5

Calcula-se o soro, que será utilizado posteriormente para o cálculo de outros produtos. Para isso, é necessário somar os pesos dos açúcares, da gema, do estabilizante e o total dos sólidos gordurosos, deixando de fora o peso dos sólidos não gordurosos. O valor da soma será subtraído do peso total da receita, e o resultado da subtração será o peso do soro.

No entanto, neste caso, como parte desses sólidos já foi utilizada pela gema, pelo cacau em pó e pelo chocolate em barra, temos que descontar esses valores do peso total de sólidos gordurosos. Portanto:

950 – (161 + 54 + 297) = 950 – 512 = 438 g (novo valor a ser considerado como total de sólidos gordurosos)

Após determinar o novo valor dos sólidos gordurosos, pode-se aplicar a seguinte fórmula:

Peso total da receita – (Peso dos açúcares + Peso da gema + Peso do estabilizante + Peso do cacau + Peso do chocolate em barra + Peso dos sólidos gordurosos) = Peso do soro do leite em pó

Sabe-se que:
- Peso dos açúcares (sacarose + trimoline): 1.520 g
- Peso da gema: 700 g
- Peso do estabilizante: 40 g
- Peso do cacau: 300 g
- Peso do chocolate em barra: 700 g
- Peso dos sólidos gordurosos: 438 g
- Peso total da receita: 10.000 g

Aplicando os valores na fórmula:

10.000 − (1.520 + 700 + 40 + 300 + 700 + 438) = 10.000 − 3.698 = 6.302 (peso do soro)

ETAPA 6

Define-se a quantidade de leite em pó que será utilizada na receita. Para isso, aplica-se a seguinte fórmula:

$$\frac{(\text{Peso de sólidos não gordurosos}) - (\text{Peso do soro} \times 0{,}088)}{(\text{Peso de sólidos não gordurosos em 1 kg de leite em pó}) - (0{,}088)} = \text{Peso do leite em pó}$$

OBSERVAÇÃO
O valor 0,088 é uma constante e nunca deve ser alterado.

Sabe-se:
- Peso dos sólidos não gordurosos: 0,800
- Peso do soro: 6.302/1.000 = 6,302
- Porcentagem de sólidos não gordurosos no leite em pó: 97% (com base na tabela analítica dos alimentos na p. 322)
- Peso dos sólidos não gordurosos em 1 kg de leite em pó: 970 g

Aplicando os valores na fórmula:

$$\frac{0{,}800 - (6{,}302 \times 0{,}088)}{0{,}970 - 0{,}088} = \frac{0{,}800 - 0{,}554}{0{,}882} = \frac{0{,}246}{0{,}882} = 0{,}279 \text{ kg} = 279 \text{ g de leite em pó}$$

SORVETE DE CHOCOLATE À BASE DE OVOS						
	Peso	**MG**	**ESDL**	**Açúcares**	**EST**	**PA**
Leite integral						
Leite em pó 0% MG	279 g					
Sacarose	920 g			920 g		
Glucose em pó						
Açúcar invertido (6%)	600 g			600 g		
Manteiga						
Gema (7%)	700 g	161 g				
Cacau em pó (3%)	300 g	54 g				
Chocolate em barra 70% (7%)	700 g	297 g		230 g		
Estabilizante (0,4%)	40 g					
Peso total	10.000 g	950 g	800 g	1.750 g		
% escolhida	100%	9,5%	8%	17,5%	37%	18%
% prevista pela legislação		Até 10%	Até 11%		37%-42%	16%-23%

PRODUÇÕES GELADAS

ETAPA 7

Define-se o peso dos sólidos não gordurosos do leite em pó. Para isso, basta multiplicar o peso do leite em pó pela porcentagem de sólidos não gordurosos.

Peso do leite em pó × % sólidos não gordurosos do leite em pó = Peso dos sólidos não gordurosos do leite em pó

Sabe-se que:
» Porcentagem dos sólidos não gordurosos do leite em pó: 97% (com base na tabela analítica dos alimentos na p. 322)
» Peso do leite em pó: 279 g

Aplicando os valores na fórmula:

279 × 97% = 270 g (peso dos sólidos não gordurosos do leite em pó)

SORVETE DE CHOCOLATE À BASE DE OVOS	Peso	MG	ESDL	Açúcares	EST	PA
Leite integral						
Leite em pó 0% MG	279 g		270 g			
Sacarose	920 g			920 g		
Glucose em pó						
Invertido (6%)	600 g			600 g		
Manteiga						
Gema (7%)	700 g	161 g				
Cacau em pó (3%)	300 g	54 g				
Chocolate em barra 70% (7%)	700 g	297 g		230 g		
Estabilizante (0,4%)	40 g					
Peso total	10.000 g	950 g	800 g	1.750 g		
% escolhida	100%	9,5%	8%	17,5%	37%	18%
% prevista pela legislação		Até 10%	Até 11%		37%-42%	16%-23%

ETAPA 8

Determina-se mais uma vez o valor do soro que será utilizado para saber o peso da manteiga. Diferentemente da etapa 3, neste momento serão somados o peso do leite em pó, o peso dos açúcares, o peso da gema, o peso do estabilizante, o peso do cacau e o peso do chocolate em barra, deixando de fora o peso dos sólidos gordurosos e dos sólidos não gordurosos.

O valor da soma será subtraído do peso total da receita, e o resultado será o peso do soro.

Peso total da receita − (Peso do leite em pó + Peso dos açúcares + Peso da gema + Peso do estabilizante + Peso do cacau + Peso do chocolate em barra) = Peso do soro

Sabe-se que:
» Peso do leite em pó: 279 g
» Peso dos açúcares (sacarose + açúcar invertido): 1.520 g
» Peso da gema: 700 g
» Peso do estabilizante: 40 g
» Peso do cacau: 300 g
» Peso do chocolate em barra: 700 g
» Peso total da receita: 10.000 g

Aplicando os valores na fórmula:

10.000 − (279 + 1.520 + 700 + 40 + 300 + 700) = 10.000 − 3.539 = 6.461 g (peso do soro)

ETAPA 9

Determina-se o peso da manteiga utilizada na receita. Para isso, usa-se a seguinte fórmula:

$$\frac{(\text{Total de sólidos gordurosos}) - (\text{Peso do soro} \times \text{\% de gordura do leite})}{(\text{\% de gordura da manteiga}) - (\text{\% de gordura do leite})} = \text{Peso da manteiga}$$

Sabe-se que:
» Total de sólidos gordurosos: 438 g = 0,438
» Soro: 6.461/1.000 = 6,461 g
» Porcentagem de gordura do leite: 3,6% = 0,036 (com base na tabela analítica dos alimentos na p. 322)
» Porcentagem de gordura da manteiga: 82% = 0,82 (com base na tabela analítica dos alimentos na p. 322)

Aplicando os valores na fórmula:

$$\frac{0{,}438 - (6{,}461 \times 0{,}036)}{0{,}820 - 0{,}036} = \frac{0{,}438 - 0{,}233}{0{,}784} = \frac{0{,}205}{0{,}784} = 261 \text{ g de manteiga}$$

SORVETE DE CHOCOLATE À BASE DE OVOS						
	Peso	**MG**	**ESDL**	**Açúcares**	**EST**	**PA**
Leite integral						
Leite em pó 0% MG	279 g		270 g			
Sacarose	920 g			920 g		
Glucose em pó						
Açúcar invertido (6%)	600 g			600 g		
Manteiga	261 g					
Gema (7%)	700 g	161 g				
Cacau em pó (3%)	300 g	54 g				
Chocolate em barra 70% (7%)	700 g	297 g		230 g		
Estabilizante (0,4%)	40 g					
Peso total	10.000 g	950 g	800 g	1.750 g		
% escolhida	100%	9,5%	8%	17,5%	37%	18%
% prevista pela legislação		Até 10%	Até 11%		37%-42%	16%-23%

ETAPA 10

Define-se o peso dos sólidos gordurosos e dos sólidos não gordurosos da manteiga. Para isso, basta multiplicar a porcentagem de MG ou de ESDL da manteiga pelo seu peso total.

:: Peso dos sólidos gordurosos (MG):
Peso total da manteiga × % dos sólidos gordurosos da manteiga = Peso dos sólidos gordurosos da manteiga

Sabe-se que:
» Peso total da manteiga: 261 g
» Porcentagem dos sólidos gordurosos: 84% (com base na tabela analítica dos alimentos na p. 322)

Aplicando os valores na fórmula:

261 × 82% = 214 g (peso dos sólidos gordurosos)

:: Peso dos sólidos não gordurosos (ESDL):
Peso total da manteiga × % dos sólidos não gordurosos da manteiga = Peso dos sólidos não gordurosos da manteiga

Sabe-se que:
» Peso total da manteiga: 261 g
» Porcentagem dos sólidos não gordurosos: 2% (com base na tabela analítica dos alimentos na p. 322)

Aplicando os valores na fórmula:

261 × 2% = 5 g (peso dos sólidos não gordurosos)

SORVETE DE CHOCOLATE À BASE DE OVOS

	Peso	MG	ESDL	Açúcares	EST	PA
Leite integral						
Leite em pó 0% MG	279 g		270 g			
Sacarose	920 g			920 g		
Glucose em pó						
Açúcar invertido (6%)	600 g			600 g		
Manteiga	261 g	214 g	5 g			
Gema (7%)	700 g	161 g				
Cacau em pó (3%)	300 g	54 g				
Chocolate em barra 70% (7%)	700 g	297 g		230 g		
Estabilizante (0,4%)	40 g					
Peso total	10.000 g	950 g	800 g	1.750 g		
% escolhida	100%	9,5%	8%	17,5%	37%	18%
% prevista pela legislação		Até 10%	Até 11%		37%-42%	16%-23%

ETAPA 11

Determina-se o peso total do leite. Para isso, basta somar o peso do leite em pó, o peso dos açúcares, o peso da manteiga, o peso das gemas, o peso do estabilizante, o peso do cacau e o peso do chocolate em barra e subtrair do peso total da receita.

Peso total da receita − (Peso do leite em pó + Peso dos açúcares + Peso da manteiga + Peso das gemas + Peso do estabilizante + Peso do cacau + Peso do chocolate em barra) = Peso do leite

Sabe-se que:
» Peso do leite em pó: 279 g
» Peso dos açúcares (sacarose + açúcar invertido): 1.520 g
» Peso da manteiga: 261 g
» Peso das gemas: 700 g
» Peso do estabilizante: 40 g
» Peso do cacau: 300 g
» Peso do chocolate em barra: 700 g

Aplicando os valores na fórmula:

10.000 − (279 + 1.520 + 261 + 700 + 40 + 300 + 700) = 10.000 − 3.800 = 6.200 g (peso do leite)

SORVETE DE CHOCOLATE À BASE DE OVOS	Peso	MG	ESDL	Açúcares	EST	PA
Leite integral	6.200 g					
Leite em pó 0% MG	279 g		270 g			
Sacarose	920 g			920 g		
Glucose em pó						
Açúcar invertido (6%)	600 g			600 g		
Manteiga	261 g	214 g	5 g			
Gema (7%)	700 g	161 g				
Cacau em pó (3%)	300 g	54 g				
Chocolate em barra 70% (7%)	700 g	297 g		230 g		
Estabilizante (0,4%)	40 g					
Peso total	10.000 g	950 g	800 g	1.750 g		
% escolhida	100%	9,5%	8%	17,5%	37%	18%
% prevista pela legislação		Até 10%	Até 11%		37%-42%	16%-23%

ETAPA 12

Definem-se os pesos dos sólidos gordurosos e dos sólidos não gordurosos do leite integral. Para isso, basta multiplicar a porcentagem de MG ou de ESDL do leite por seu peso total.

:: Peso dos sólidos gordurosos:
Peso total do leite × % dos sólidos gordurosos do leite = Peso dos sólidos gordurosos do leite

Sabe-se que:
» Peso total do leite integral: 6.200 g
» Porcentagem dos sólidos gordurosos: 3,6% (com base na tabela analítica dos alimentos na p. 322)

Aplicando os valores na fórmula:

6.200 × 3,2% = 198 g (peso dos sólidos gordurosos)

:: Peso dos sólidos não gordurosos:
Peso total do leite × % dos sólidos não gordurosos do leite = Peso dos sólidos não gordurosos do leite

Sabe-se que:
» Peso total do leite integral: 6.200 g
» Porcentagem dos sólidos não gordurosos: 8,4% (com base na tabela analítica dos alimentos na p. 322)

Aplicando os valores na fórmula:

6.200 × 8,4% = 521 g (peso dos sólidos não gordurosos)

SORVETE DE CHOCOLATE À BASE DE OVOS						
	Peso	MG	ESDL	Açúcares	EST	PA
Leite integral	6.200 g	198 g	521 g			
Leite em pó 0% MG	279 g		270 g			
Sacarose	920 g			920 g		
Glucose em pó						
Açúcar invertido (6%)	600 g			600 g		
Manteiga	261 g	214 g	5 g			
Gema (7%)	700 g	161 g				
Cacau em pó (3%)	300 g	54 g				
Chocolate em barra 70% (7%)	700 g	297 g		230 g		
Estabilizante (0,4%)	40 g					
Peso total	10.000 g	950 g	800 g	1.750 g		
% escolhida	100%	9,5%	8%	17,5%	37%	18%
% prevista pela legislação		Até 10%	Até 11%		37%-42%	16%-23%

ETAPA 13

Define-se o extrato seco dos açúcares, do leite integral, do leite em pó, da manteiga e do estabilizante. Para isso, basta multiplicar a porcentagem de extrato seco total do produto pelo seu peso total.

Peso total do ingrediente × % do extrato seco total dos ingredientes = Peso do extrato seco total

Sabe-se que:
» Peso total do leite integral: 6.200 g
» Porcentagem de EST do leite integral: 12% (com base na tabela analítica dos alimentos na p. 322)
» Peso total do leite em pó: 279 g
» Porcentagem de EST do leite em pó: 97% (com base na tabela analítica dos alimentos na p. 322)
» Peso total da sacarose: 920 g
» Porcentagem de EST da sacarose: 100% (com base na tabela analítica dos alimentos na p. 322)
» Peso total do açúcar invertido: 600 g
» Porcentagem de EST do açúcar invertido: 82% (com base na tabela analítica dos alimentos na p. 322)

- » Peso total da manteiga: 261 g
- » Porcentagem de EST da manteiga: 84% (com base na tabela analítica dos alimentos na p. 322)
- » Peso total da gema: 700 g
- » Porcentagem de EST da gema: 50% (com base na tabela analítica dos alimentos na p. 322)
- » Peso total do estabilizante: 40 g
- » Porcentagem de EST do estabilizante: 100% (com base na tabela analítica dos alimentos na p. 322)
- » Peso total do cacau em pó: 300 g
- » Porcentagem de EST do cacau em pó: 82% (com base na tabela analítica dos alimentos na p. 322)
- » Peso total do chocolate em barra: 700 g
- » Porcentagem de EST do chocolate em barra: 100% (com base na tabela analítica dos alimentos na p. 322)

Aplicando os valores na fórmula:
- » Leite integral: 6.200 × 12% = 744 g (peso do EST)
- » Leite em pó: 279 × 97% = 271 g (peso do EST)
- » Sacarose: 920 × 100% = 920 g (peso do EST)
- » Açúcar invertido: 600 × 82% = 492 g (peso do EST)
- » Manteiga: 261 × 84% = 219 g (peso do EST)
- » Gema: 700 × 50% = 350 g (peso do EST)
- » Estabilizante: 40 × 100% = 40 g (peso do EST)
- » Cacau em pó: 300 × 82% = 246 g (peso do EST)
- » Chocolate em barra: 700 × 100% = 700 g (peso do EST)

SORVETE DE CHOCOLATE À BASE DE OVOS						
	Peso	MG	ESDL	Açúcares	EST	PA
Leite integral	6.200 g	198 g	521 g		744 g	
Leite em pó 0% MG	279 g		270 g		271 g	
Sacarose	920 g			920 g	920 g	
Glucose em pó						
Açúcar Invertido (6%)	600 g			600 g	492 g	
Manteiga	261 g	214 g	5 g		219 g	
Gema (7%)	700 g	161 g			350 g	
Cacau em pó (3%)	300 g	54 g			246 g	
Chocolate em barra 70% (7%)	700 g	297 g		230 g	700 g	
Estabilizante (0,4%)	40 g				40 g	
Peso total	10.000 g	950 g	800 g	1.750 g	3.982 g	
% escolhida	100%	9,5%	8%	17,5%	40%	18%
% prevista pela legislação		Até 10%	Até 11%		37%-42%	16%-23%

ETAPA 14

Define-se o poder adoçante dos açúcares. Para isso, basta multiplicar a porcentagem de poder adoçante por seu peso total.

Peso total dos açúcares × % do poder adoçante dos ingredientes = Peso do poder adoçante

Sabe-se que:
» Peso total da sacarose: 920 g
» Porcentagem de PA da sacarose: 100% (com base na tabela analítica dos alimentos na p. 322)
» Peso total do açúcar invertido: 600 g
» Porcentagem de PA do açúcar invertido em pó: 125% (com base na tabela analítica dos alimentos na p. 322)
» Peso do açúcar do chocolate em barra 70%: 230 g
» Porcentagem de PA do açúcar do chocolate em barra: 100%

Aplicando os valores na fórmula:
» Sacarose: 920 × 1.000% = 920 g (peso do EST)
» Açúcar invertido: 600 × 125% = 750 g (peso do EST)
» Açúcar do chocolate em barra: 230 × 100% = 230 g (peso do EST)

SORVETE DE CHOCOLATE À BASE DE OVOS	Peso	MG	ESDL	Açúcares	EST	PA
Leite integral	6.200 g	198 g	521 g		744 g	
Leite em pó 0% MG	279 g		270 g		271 g	
Sacarose	920 g			920 g	920 g	920 g
Glucose em pó						
Açúcar invertido (6%)	600 g			600 g	492 g	750 g
Manteiga	261 g	214 g	5 g		219 g	
Gema (7%)	700 g	161 g			350 g	
Cacau em pó (3%)	300 g	54 g			246 g	
Chocolate em barra 70% (7%)	700 g	297 g		230 g	700 g	230 g
Estabilizante (0,4%)	40 g				40 g	
Peso total	10.000 g	950 g	796 g	1.750 g	3.982 g	
% escolhida	100%	9,5%	8%	17,5%	40%	18%
% prevista pela legislação		Até 10%	Até 11%		37%-42%	16%-23%

ETAPA 15

Define-se o poder adoçante dos produtos lácteos. Para chegar a esses valores, é necessário, primeiramente, descobrir o peso da lactose. Para isso, basta dividir o peso dos sólidos não gordurosos por 2.

Sabendo o peso da lactose, deve-se multiplicar este valor pela porcentagem do poder adoçante da lactose, e o resultado será o poder adoçante dos produtos lácteos.

:: Fórmula 1:
Peso total dos sólidos não gordurosos ÷ 2 = Peso da lactose

:: Fórmula 2:
Peso da lactose × % do poder adoçante da lactose = Peso do poder adoçante

Sabe-se que:
» Peso dos sólidos não gordurosos do leite: 521 g
» Peso dos sólidos não gordurosos do leite em pó: 270 g
» Peso dos sólidos não gordurosos da manteiga: 5 g
» Porcentagem de PA da lactose: 16%

Aplicando os valores na fórmula:

» Leite:
(521 ÷ 2) = 260,5 g (peso da lactose do leite)
260,5 × 16% = 42 g (poder adoçante do leite)

» Leite em pó:
(270 ÷ 2) = 135 g (peso da lactose do leite em pó)
135 × 16% = 21 g (poder adoçante do leite em pó)

» Manteiga:
(5 ÷ 2) = 2,5 g (peso da lactose do creme de leite)
2,5 × 16% = 1 g (poder adoçante da manteiga)

SORVETE DE CHOCOLATE À BASE DE OVOS

	Peso	MG	ESDL	Açúcares	EST	PA
Leite integral	6.200 g	198 g	521 g		744 g	42 g
Leite em pó 0% MG	279 g		270 g		271 g	21 g
Sacarose	920 g			920 g	920 g	920 g
Glucose em pó						
Açúcar invertido (6%)	600 g			600 g	492 g	750 g
Manteiga	261 g	214 g	5 g		219 g	1 g
Gema (7%)	700 g	161 g			350 g	
Cacau em pó (3%)	300 g	54 g			246 g	
Chocolate em barra 70% (7%)	700 g	297 g		230 g	700 g	230 g
Estabilizante (0,4%)	40 g				40 g	
Peso total	10.000 g	950 g	796 g	1.750	3.982 g	
% escolhida	100%	9,5%	8%	17,5%	40%	18%
% prevista pela legislação		Até 10%	Até 11%		37%-42%	16%-23%

:: SORVETE À BASE DE CREME

No caso dos sorvetes à base de creme, é preciso substituir a manteiga por creme de leite e tirar a gema da composição da receita.

Para o caso da gema, pode-se apenas desconsiderar seus pesos e manter o peso dos demais ingredientes. Porém, quando a manteiga for substituída por creme de leite, isso modificará a receita.

A seguir está uma receita neutra de sorvete à base de creme com suas respectivas etapas.

ETAPA 1

Escolhem-se as porcentagens de sólidos gordurosos, sólidos não gordurosos, açúcares, gemas e estabilizante tendo como base a tabela de porcentagem de uso da p. 321, os índices obrigatórios e o gosto pessoal.

- Sólidos gordurosos (MG): 8%
- Sólidos não gordurosos (ESDL): 9,5%
- Açúcares: 18%
  - Sacarose: 14%
  - Glucose em pó: 4%
- Estabilizante: 0,5%

SORVETE À BASE DE CREME	Peso	Extrato seco	Sólidos gordurosos	Sólidos não gordurosos	Poder adoçante
Leite integral					
Leite em pó 0% MG					
Sacarose (14%)					
Glucose em pó (4%)					
Creme de leite					
Gema					
Estabilizante (0,5%)					
Peso total					
% escolhida		37%	8%	9,5%	18%
% prevista pela legislação		36%-42%	Até 11%	Até 10%	16%-23%

ETAPA 2

Calcula-se o peso dos índices propostos na etapa anterior. Para isso, basta multiplicar o peso total da receita pela porcentagem escolhida. Será considerado como peso total o valor de 10.000 g.

Peso total da receita × % do índice/produto = Peso total do índice/produto

- Sólidos gordurosos (MG): 8% × 10.000 g = 800 g
- Sólidos não gordurosos (ESDL): 9,5% × 10.000 g = 950 g
- Açúcares: 18% × 10.000 g = 1.800 g
  - Sacarose: 14% × 10.000 g = 1.400 g
  - Glucose em pó: 4% × 10.000 g = 400 g
- Estabilizante: 0,5% × 10.000 g = 50 g

SORVETE À BASE DE CREME					
	Peso	Extrato seco	Sólidos gordurosos	Sólidos não gordurosos	Poder adoçante
Leite integral					
Leite em pó 0% MG					
Sacarose (14%)	1.400 g				
Glucose em pó (4%)	400 g				
Creme de leite					
Gema					
Estabilizante (0,5%)	50 g				
Peso total	10.000 g		800 g	950 g	
% escolhida		37%	8%	9,5%	18%
% prevista pela legislação		36%-42%	Até 11%	Até 10%	16%-23%

ETAPA 3

Calcula-se o peso do soro da receita, o qual será utilizado posteriormente para o cálculo de outros produtos.

Para isso, é necessário somar os pesos dos açúcares, do estabilizante e dos sólidos gordurosos, deixando de fora o peso dos sólidos não gordurosos. O valor da soma será subtraído do peso total da receita, e o resultado será o peso do soro da receita.

Peso total da receita − (Peso dos açúcares + Peso do estabilizante + Peso dos sólidos gordurosos) = Peso do soro

Sabe-se que:
» Peso dos açúcares (sacarose + glucose em pó): 1.800 g
» Peso do estabilizante: 50 g
» Peso dos sólidos gordurosos: 800 g
» Peso total da receita: 10.000 g

Aplicando os valores na fórmula:

10.000 − (1.800 + 800 + 50) = 10.000 − 2.650 = 7.350 (peso do soro)

ETAPA 4

Define-se a quantidade de leite em pó que será utilizada na receita aplicando-se a seguinte fórmula:

$$\frac{(\text{Peso de sólidos não gordurosos}) - (\text{Peso do soro} \times 0{,}088)}{(\text{Peso de sólidos não gordurosos em 1 kg de leite em pó}) - (0{,}088)} = \text{Peso do leite em pó}$$

OBSERVAÇÃO
O valor 0,088 é uma constante e nunca deverá ser alterado.

Sabe-se que:
» Peso dos sólidos não gorduroso: 0,950 g
» Peso do soro: 7.350/1.000 = 7,350 g
» Porcentagem de sólidos não gordurosos no leite em pó: 97% (com base na tabela analítica dos alimentos na p. 322)
» Peso dos sólidos não gordurosos em 1 kg de leite em pó: 0,970 g

Aplicando os valores na fórmula:

$$\frac{0,950 - (7,350 \times 0,088)}{0,970 - 0,088} = \frac{0,950 - 0,647}{0,882} = \frac{0,303}{0,882} = 0,343 \text{ kg} = 343 \text{ g de leite em pó}$$

SORVETE À BASE DE CREME					
	Peso	Extrato seco	Sólidos gordurosos	Sólidos não gordurosos	Poder adoçante
Leite integral					
Leite em pó 0% MG	343 g				
Sacarose (14%)	1.400 g				
Glucose em pó (4%)	400 g				
Creme de leite					
Gema					
Estabilizante (0,5%)	50 g				
Peso total	10.000 g		800 g	950 g	
% escolhida		37%	8%	9,5%	18%
% prevista pela legislação		36%-42%	Até 11%	Até 10%	16%-23%

ETAPA 5

Definem-se os pesos dos sólidos não gordurosos do leite em pó. Basta multiplicar o peso do leite em pó pela porcentagem de sólidos não gordurosos.

Peso do leite em pó × % sólidos não gordurosos do leite em pó = Peso dos sólidos não gordurosos do leite em pó

Sabe-se que:
» Porcentagem dos sólidos não gordurosos do leite em pó: 97% (com base na tabela analítica dos alimentos na p. 322)
» Peso do leite em pó: 343 g

Aplicando os valores na fórmula:

343 × 97% = 333 g (peso dos sólidos não gordurosos do leite em pó)

SORVETE À BASE DE CREME					
	Peso	Extrato seco	Sólidos gordurosos	Sólidos não gordurosos	Poder adoçante
Leite integral					
Leite em pó 0% MG	343 g			333 g	
Sacarose (14%)	1.400 g				
Glucose em pó (4%)	400 g				
Creme de leite					
Gema					
Estabilizante (0,5%)	50 g				
Peso total	10.000 g		800 g	950 g	
% escolhida		37%	8%	9,5%	18%
% prevista pela legislação		36%-42%	Até 11%	Até 10%	16%-23%

ETAPA 6

Determina-se mais uma vez o valor de soro que será utilizado para obter o peso do creme de leite. Diferentemente da etapa 3, neste momento somam-se o peso do leite em pó, o peso dos açúcares e o peso do estabilizante, deixando de fora o peso dos sólidos gordurosos e dos sólidos não gordurosos. O valor da soma será subtraído do peso total da receita, e o resultado será o peso do soro.

Peso total da receita − (Peso do leite em pó + Peso dos açúcares + Peso do estabilizante) = Peso do soro

Sabe-se que:
» Peso do leite em pó: 343 g
» Peso dos açúcares (sacarose + glucose em pó): 1.800 g
» Peso do estabilizante: 50 g
» Peso total da receita: 10.000 g

Aplicando os valores na fórmula:
10.000 − (343 + 1.800 + 50) = 2.193
10.000 − 2.193 = 7.807 g (peso do soro)

ETAPA 7

Determina-se o peso do creme de leite utilizando a seguinte fórmula:

$$\frac{(\text{Sólidos gordurosos total}) - (\text{Soro} \times \text{\% de gordura do leite})}{(\text{\% de gordura do creme de leite}) - (\text{\% de gordura do leite})} = \text{Peso do creme de leite}$$

Sabe-se que:
Sólidos gordurosos total: 800 g = 0,800
Soro: 7.807/1.000 = 7,807
Porcentagem de gordura do leite: 3,6% = 0,036 (com base na tabela)
Porcentagem de gordura do creme de leite: 35% = 0,350 (com base na tabela)

Aplicando os valores na fórmula:

$$\frac{0,800 - (7,807 \times 0,036)}{0,350 - 0,036} = \frac{0,800 - 0,281}{0,314} = \frac{0,519}{0,314} = 1,653 \text{ kg de creme de leite}$$

SORVETE À BASE DE CREME					
	Peso	**Extrato seco**	**Sólidos gordurosos**	**Sólidos não gordurosos**	**Poder adoçante**
Leite integral					
Leite em pó 0% MG	343 g			333 g	
Sacarose (14%)	1.400 g				
Glucose em pó (4%)	400 g				
Creme de leite	1.653 g				
Gema					
Estabilizante (0,5%)	50 g				
Peso total	10.000 g		800 g	950 g	
% escolhida		37%	8%	9,5%	18%
% prevista pela legislação		36%-42%	Até 11%	Até 10%	16%-23%

PRODUÇÕES GELADAS

ETAPA 8

Definem-se os pesos dos sólidos gordurosos e dos sólidos não gordurosos do creme de leite. Basta multiplicar a porcentagem de sólidos gordurosos ou não gordurosos do creme de leite pelo seu peso total.

:: Peso dos sólidos gordurosos:
Peso total do creme de leite × % dos sólidos gordurosos do creme de leite = Peso dos sólidos gordurosos do creme de leite

Sabe-se que:
» Peso total do creme de leite: 1.653 g
» Porcentagem dos sólidos gordurosos: 35% (com base na tabela analítica dos alimentos na p. 322)

Aplicando os valores na fórmula:

1.653 × 35% = 578 g (peso dos sólidos gordurosos)

:: Peso dos sólidos não gordurosos:
Peso total do creme de leite × % dos sólidos não gordurosos = Peso dos sólidos não gordurosos

Sabe-se que:
» Peso total do creme de leite: 1.653 g
» Porcentagem dos sólidos não gordurosos: 6% (com base na tabela analítica dos alimentos na p. 322)

Aplicando os valores na fórmula:

1.653 × 6% = 99 g (peso dos sólidos não gordurosos)

SORVETE À BASE DE CREME	Peso	Extrato seco	Sólidos gordurosos	Sólidos não gordurosos	Poder adoçante
Leite integral					
Leite em pó 0% MG	343 g			333 g	
Sacarose (14%)	1.400 g				
Glucose em pó (4%)	400 g				
Creme de leite	1.653 g		578 g	99 g	
Gema					
Estabilizante (0,5%)	50 g				
Peso total	10.000 g		800 g	950 g	
% escolhida		37%	8%	9,5%	18%
% prevista pela legislação		36%-42%	Até 11%	Até 10%	16%-23%

ETAPA 9

Determina-se o peso total do leite. Para isso, basta somar o peso do leite em pó, o peso dos açúcares, o peso do creme de leite e o peso do estabilizante e subtrair do peso total da receita.

Peso total da receita – (Peso do leite em pó + Peso dos açúcares + Peso do creme de leite + Peso do estabilizante) = Peso do leite

Sabe-se que:
» Peso do leite em pó: 343 g
» Peso dos açúcares (sacarose + glucose em pó): 1.800 g
» Peso do creme de leite: 1.653 g
» Peso do estabilizante: 50 g

Aplicando os valores na fórmula:

10.000 – (343 + 1.800+ 1.653 + 50) = 3.846
10.000 – 3.846 = 6.154 g (peso do leite)

SORVETE À BASE DE CREME	Peso	Extrato seco	Sólidos gordurosos	Sólidos não gordurosos	Poder adoçante
Leite integral	6.154 g				
Leite em pó 0% MG	343 g			333 g	
Sacarose (14%)	1.400 g				
Glucose em pó (4%)	400 g				
Creme de leite	1.653 g		578 g	99 g	
Gema					
Estabilizante (0,5%)	50 g				
Peso total	10.000 g		800 g	950 g	
% escolhida		37%	8%	9,5%	18%
% prevista pela legislação		36%-42%	Até 11%	Até 10%	16%-23%

ETAPA 10

Definem-se os pesos dos sólidos gordurosos e dos sólidos não gordurosos do leite integral. Para isso, basta multiplicar a porcentagem de sólidos gordurosos ou não gordurosos do leite pelo seu peso total.

Peso dos sólidos gordurosos:

Peso total do leite × % dos sólidos gordurosos do leite = Peso dos sólidos gordurosos do leite

Sabe-se que:
» Peso total do leite integral: 6.154 g
» Porcentagem dos sólidos gordurosos: 3,6% (com base na tabela analítica dos alimentos na p. 322)

Aplicando os valores na fórmula:

6.154 × 3,2% = 197 g (peso dos sólidos gordurosos)

» Peso dos sólidos não gordurosos:
Peso total do leite × % dos sólidos não gordurosos do leite = Peso dos sólidos não gordurosos do leite

Sabe-se que:
» Peso total do leite integral: 6.154 g
» Porcentagem dos sólidos não gordurosos: 8,4% (com base na tabela analítica dos alimentos na p. 322)

Aplicando os valores na fórmula:

6.154 × 8,4% = 517 g (peso dos sólidos não gordurosos)

SORVETE À BASE DE CREME					
	Peso	Extrato seco	Sólidos gordurosos	Sólidos não gordurosos	Poder adoçante
Leite integral	6.154 g		197 g	517 g	
Leite em pó 0% MG	343 g			333 g	
Sacarose (14%)	1.400 g				
Glucose em pó (4%)	400 g				
Creme de leite	1.653 g		578 g	99 g	
Gema					
Estabilizante (0,5%)	50 g				
Peso total	10.000 g		800 g	950 g	
% escolhida		37%	8%	9,5%	18%
% prevista pela legislação		36-42%	Até 11%	Até 10%	16-23%

ETAPA 11
Definem-se os extratos secos dos açúcares, do leite integral, do leite em pó, do creme de leite e do estabilizante. Para isso, basta multiplicar a porcentagem de extrato seco total do produto por seu peso total.

Peso total do ingrediente × % do extrato seco total dos ingredientes = Peso do extrato seco total

Sabe-se que:
» Peso total do leite integral: 6.154 g
» Porcentagem de EST do leite integral: 12% (com base na tabela analítica dos alimentos na p. 322)
» Peso total do leite em pó: 343 g
» Porcentagem de EST do leite em pó: 97% (com base na tabela analítica dos alimentos na p. 322)
» Peso total da sacarose: 1.400 g
» Porcentagem de EST da sacarose: 100% (com base na tabela analítica dos alimentos na p. 322)
» Peso total da glucose em pó: 400 g
» Porcentagem de EST da glucose em pó: 95% (com base na tabela analítica dos alimentos na p. 322)
» Peso total do creme de leite: 1.653 g
» Porcentagem de EST do creme de leite: 41% (com base na tabela analítica dos alimentos na p. 322)
» Peso total do estabilizante: 50 g
» Porcentagem de EST do estabilizante: 100% (com base na tabela analítica dos alimentos na p. 322)

Aplicando os valores na fórmula:

» Leite integral: 6.154 × 12% = 738 g (peso do EST)
» Leite em pó: 343 × 97% = 333 g (peso do EST)
» Sacarose: 1.400 × 1.000 % = 1.400 g (peso do EST)
» Glucose em pó: 400 × 95% = 380 g (peso do EST)
» Creme de leite: 1.653 × 41% = 678 g (peso do EST)
» Estabilizante: 50 × 100% = 50 g (peso do EST)

SORVETE À BASE DE CREME

	Peso	Extrato seco	Sólidos gordurosos	Sólidos não gordurosos	Poder adoçante
Leite integral	6.154 g	738 g	197 g	517 g	
Leite em pó 0% MG	343 g	333 g		333 g	
Sacarose (14%)	1.400 g	1.400 g			
Glucose em pó (4%)	400 g	380 g			
Creme de leite	1.653 g	678 g	578 g	99 g	
Gema					
Estabilizante (0,5%)	50 g	50 g			
Peso total	10.000 g		800 g	950 g	
% escolhida		37%	8%	9,5%	18%
% prevista pela legislação		36%-42%	Até 11%	Até 10%	16%-23%

ETAPA 12

Define-se o poder adoçante dos açúcares. Para isso, basta multiplicar a porcentagem de poder adoçante dos açúcares por seu peso total.

Peso total dos açúcares × % do poder adoçante dos ingredientes = Peso do poder adoçante

Sabe-se que:
» Peso total da sacarose: 1.400 g
» Porcentagem de PA da sacarose: 100% (com base na tabela analítica dos alimentos na p. 322)
» Peso total da glucose em pó: 400 g
» Porcentagem de PA da glucose em pó: 50% (com base na tabela analítica dos alimentos na p. 322)

Aplicando os valores na fórmula:

» Sacarose: 1.400 × 1.000 % = 1.400 g (peso do EST)
» Glucose em pó: 400 × 50% = 200 g (peso do EST)

SORVETE À BASE DE CREME	Peso	Extrato seco	Sólidos gordurosos	Sólidos não gordurosos	Poder adoçante
Leite integral	6.154 g	738 g	197 g	517 g	
Leite em pó 0% MG	343 g	333 g		333 g	
Sacarose (14%)	1.400 g	1.400 g			1.400 g
Glucose em pó (4%)	400 g	380 g			200 g
Creme de leite	1.653 g	678 g	578 g	99 g	
Gema					
Estabilizante (0,5%)	50 g	50 g			
Peso total	10.000 g	3.579 g	775 g	949 g	
% escolhida		37%	8%	9,5%	18%
% prevista pela legislação		36%-42%	Até 11%	Até 10%	16%-23%

ETAPA 13

Define-se o poder adoçante dos produtos lácteos. Para isso, é necessário, primeiro, descobrir o peso da lactose, dividindo o peso dos sólidos não gordurosos por 2. Uma vez conhecido esse peso, basta multiplicar o valor pela porcentagem do poder adoçante da lactose e o resultado será o poder adoçante dos produtos lácteos.

:: Fórmula 1
Peso total dos sólidos não gordurosos ÷ 2 = Peso da lactose

:: Fórmula 2
Peso da lactose × % do poder adoçante da lactose = Peso do poder adoçante

Sabe-se que:
» Peso dos sólidos não gordurosos do leite: 517 g
» Peso dos sólidos não gordurosos do leite em pó: 333 g
» Peso dos sólidos não gordurosos do creme de leite: 99 g
» Porcentagem de PA da lactose: 16%

Aplicando os valores na fórmula:

» Leite:
(517 ÷ 2) = 258,5 g (peso da lactose do leite)
258,5 × 16% = 41 g (poder adoçante do leite)

» Leite em pó:
(333 ÷ 2) = 166,5 g (peso da lactose do leite em pó)
166,5 × 16% = 27 g (poder adoçante do leite em pó)

» Creme de leite:
(99 ÷ 2) = 49,5 g (peso da lactose do creme de leite)
49,5 × 16% = 8 g (poder adoçante do creme de leite)

SORVETE À BASE DE CREME					
	Peso	Extrato seco	Sólidos gordurosos	Sólidos não gordurosos	Poder adoçante
Leite integral	6.154 g	738 g	197 g	517 g	41 g
Leite em pó 0% MG	343 g	333 g		333 g	27 g
Sacarose (14%)	1.400 g	1.400 g			1.400 g
Glucose em pó (4%)	400 g	380 g			200 g
Creme de leite	1.653 g	678 g	578 g	99 g	8 g
Gema					
Estabilizante (0,5%)	50 g	50 g			
Peso total	10.000 g	3.579	775 g	949 g	1.676 g
% escolhida		37%	8%	9,5%	18%
% prevista pela legislação		36%-42%	Até 11%	Até 10%	16%-23%

Pode-se observar que quase todos os níveis escolhidos foram alcançados. A diferença é causada pelo arredondamento dos valores da receita.

Porém, o EST ficou abaixo da porcentagem prevista por lei, portanto, é necessário equilibrar a receita. Para isso, será preciso aumentar a quantidade de sacarose e diminuir a quantidade de glucose em pó. Após a correção, a tabela ficaria da seguinte forma:

SORVETE À BASE DE CREME					
	Peso	Extrato seco	Sólidos gordurosos	Sólidos não gordurosos	Poder adoçante
Leite integral	6.154 g	738 g	197 g	517 g	76 g
Leite em pó 0% MG	343 g	333 g		333 g	76 g
Sacarose (16%)	1.600 g	1.600 g			1.600 g
Glucose em pó (2%)	200 g	190 g			100 g
Creme de leite	1.653 g	678 g	578 g	99 g	
Gema					
Estabilizante (0,5%)	50 g	50 g			
Peso total	10.000 g	3.589 g	775 g	949 g	1.676 g
% escolhida		36%	8%	9,5%	18%
% prevista pela legislação		36%-42%	Até 11%	Até 10%	16%-23%

:: MODO DE PREPARO PARA SORVETES E GLACES

Sorvetes e glaces

1. Com o auxílio de uma balança, pese todos os ingredientes com precisão.
2. Separe todos os utensílios e equipamentos que serão utilizados na receita: bowl, panela, espátula de silicone, termômetro e máquina de sorvete.
3. Em um bowl, misture o estabilizante com dez vezes do seu peso em açúcar, mexendo com a espátula até incorporar.
4. Acrescente os leites a uma temperatura de 4 °C e misture para incorporar.
5. Leve a mistura ao fogo, mexendo com a espátula. Meça a temperatura constantemente com a ajuda de um termômetro de haste.
6. Quando o leite atingir a temperatura de 25 °C, acrescente os açúcares sem parar de mexer.
7. Quando a mistura atingir 35 °C, acrescente a manteiga ou o creme de leite sem parar de mexer.
8. Quando a mistura atingir 37 °C, acrescente os aromas sem parar de mexer.
9. Acrescente as gemas (caso for utilizar) quando a mistura atingir a temperatura de 40 °C.
10. Quando a mistura atingir a temperatura de 45 °C, misture o estabilizante sem parar de mexer.
11. Aqueça a calda até 85 °C. Em seguida, resfrie rapidamente, colocando o bowl com a mistura em cima de outro bowl com gelo, até a mistura atingir 20 °C. (Outra opção é utilizar um resfriador rápido.)
12. Leve a mistura à geladeira para maturar por 2 a 6 horas. (Nesse momento os emulsificantes aderem às gotas de água e os estabilizantes se hidratam).
13. Retire da geladeira e coloque a calda na máquina de sorvete. Bata até ficar com textura cremosa e firme.
14. Quando o sorvete estiver formado, transfira-o para um recipiente fechado e leve para congelar.
15. Conserve os recipientes dentro de um freezer a -25 °C até o momento de consumir.

COMBINAÇÕES DE SABORES

Para se diferenciar no mercado dos sorvetes, é necessário ter uma dose de ousadia no momento de criar combinações interessantes de sabores. Veja a seguir alguns exemplos de produtos que podem ser combinados:

Ingredientes	Combinações
Chocolate	Café, canela, baunilha, chá Earl Grey, chá preto, pistache, avelã, menta, laranja
Café	Avelã, baunilha, canela, limão-siciliano e chocolate
Maçã	Caramelo, açúcar mascavo, gengibre, canela, cravo-da-índia, noz-moscada, rum, coentro, mel e maple syrup
Banana	Manteiga de amendoim, rum, chocolate, coco, limão, mel, gengibre, mirtilo, bacon e baunilha
Mirtilo	Limão-siciliano, baunilha, canela, maple syrup, creme azedo, tomilho e gengibre
Amora/framboesa	Vinho tinto, laranja, mel, canela, amêndoa, chocolate e conhaque
Melão	Gengibre, capim-limão, limão, vinho do Porto, baunilha, morango, pepino e manjericão
Manga	Coco, maracujá, rum, anis-estrelado, pimenta-do-reino preta, cravo-da-índia e amora
Grapefruit (toranja)	Mel, rum, coentro, alecrim, queijo cremoso e açúcar mascavo
Figo	Nozes, caramelo, mel, vinho Marsala, lavanda, gengibre, coco, canela, menta, vinho do Porto, framboesa e pimenta-do-reino preta
Morango	Vinagre balsâmico, banana, amêndoa, limão-siciliano, queijo mascarpone, coco, queijo cremoso, laranja, pimenta-rosa, ruibarbo, vinho tinto leve, zabaione e maple syrup

Fonte: Kopfer (2015, p. 75).

Receitas de sorbet e sorvete

:: MODO DE PREPARO – SORBET E SORVETE

Sorbet de fruta

Ingredientes	Framboesa	Manga	Pitanga	Cambuci	Abacaxi com hortelã	Limão
Água	2.470 g	1.670 g	1.310 g	1.310 g	2.470 g	4.040 g
Estabilizante	40 g	40 g	40 g	40 g	40 g	40 g
Glucose em pó	600 g	600 g	600 g	600 g	600 g	600 g
Hortelã picada					100 g	
Purê da fruta	5.000 g	6.000 g	6.000 g	6.000 g	5.000 g	3.000 g
Sacarose	1.890 g	1.690 g	2.050 g	2.050 g	1.890 g	2.320 g
Rendimento	10.000 g	10.000 g	10.000 g	10.000 g	10.000 g	10.000 g

1. Separe os ingredientes que serão utilizados na receita, bem como os seguintes utensílios e equipamentos: bowl, panela, balança, espátula de silicone, máquina de sorvete e termômetro.
2. Com o auxílio de uma balança, pese todos os ingredientes com precisão.
3. Em um bowl, coloque todos os ingredientes secos e misture com o auxílio de uma espátula.
4. Em uma panela, leve a água ao fogo e deixe aquecer até 40 °C.
5. Adicione os ingredientes secos à água e mexa rapidamente com o auxílio da espátula.
6. Aqueça a mistura até atingir 85 °C, sem parar de mexer. Em seguida, resfrie rapidamente, colocando o bowl com a mistura em cima de outro bowl com gelo, até a mistura atingir 20 °C. (Outra opção é utilizar um resfriador rápido.)

7. Incorpore a polpa de frutas à mistura, mexendo bem com o auxílio da espátula.
8. Leve à geladeira para maturar por 2 a 6 horas. (Nesse momento, os emulsificantes aderem às gotas de água e os estabilizantes se hidratam).

9. Retire da geladeira e coloque a mistura na máquina de sorvete. Bata até ficar com textura cremosa e firme.

10. Transfira o sorbet para um recipiente fechado e leve para congelar.
11. Conserve o recipiente dentro de um freezer a -25 °C até o momento de consumir.

Sorbet de framboesa.

:: MODO DE PREPARO – SORBET E SORVETE

Sorvete à base de creme

Ingredientes	Coco	Chocolate	Amendoim	Baunilha	Pistache	Frutas
Açúcar invertido		600 g				
Baunilha				400 g		
Cacau em pó		300 g				
Chocolate em barra 70%						
Coco fresco ralado	1.000 g					
Creme de leite	1.777 g	1.777 g	1.710 g	1.652 g	1.710 g	1.652 g
Estabilizante	50 g	50 g	50 g	50 g	50 g	50 g
Glucose em pó	400 g		400 g	400 g	400 g	400 g
Leite em pó 0%	408 g	425 g	344 g	344 g	344 g	344 g
Leite integral	4.965 g	4.948 g	5.596 g	6.154 g	5.596 g	5.796 g
Pasta de amendoim		700 g	500 g			
Pasta de pistache					500 g	
Purê de morango						1.000 g
Sacarose	1.400 g	1.200 g	1.400 g	1.400 g	1.400 g	1.400 g
Rendimento	10.000 g	10.000 g	10.000 g	10.000 g	10.000 g	10.000 g

Sorvete de pistache à base de creme.

1. Separe os ingredientes que serão utilizados na receita, bem como os seguintes utensílios e equipamentos: bowl, panela, espátula de silicone, termômetro, máquina de sorvete e balança.
2. Com o auxílio de uma balança, pese todos os ingredientes com precisão.
3. Mantenha o leite na geladeira até o momento de utilizar.
4. Em um bowl, misture o estabilizante com dez vezes o seu peso em açúcar, mexendo com a espátula até incorporar. Reserve.
5. Em uma panela, misture o leite em pó e o leite integral, mexendo com o auxílio de uma espátula a uma temperatura aproximada entre 4 °C-8 °C.
6. Leve o leite ao fogo, mexendo com a espátula. Meça a temperatura constantemente com a ajuda de um termômetro de haste.

7. Quando o leite atingir uma temperatura de 25 °C, acrescente os açúcares sem parar de mexer.
8. Quando a mistura atingir 35 °C, acrescente o creme de leite sem parar de mexer.

9. Quando a mistura atingir 37 °C, acrescente os aromas sem parar de mexer.

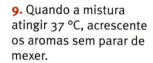

10. Quando a mistura atingir 45 °C, acrescente o estabilizante misturado com o açúcar sem parar de mexer.
11. Aqueça a calda até 85 °C sem parar de mexer. Em seguida, resfrie rapidamente, colocando o bowl com a mistura em cima de outro bowl com gelo, até atingir 20 °C. (Outra opção é utilizar um resfriador rápido.)
12. Leve à geladeira para maturar por 2 a 6 horas. (Nesse momento os emulsificantes aderem às gotas de água e os estabilizantes se hidratam.)

13. Retire da geladeira e coloque a calda na máquina de sorvete. Bata até ficar com textura cremosa e firme.
14. Quando o sorvete estiver formado, transfira para um recipiente fechado e leve para congelar (-13 °C a -20 °C).
15. Conserve os recipientes dentro de um freezer a -25 °C até o momento de consumir.

:: MODO DE PREPARO – SORBET E SORVETE

Sorvete à base de ovos

Ingredientes	Coco	Chocolate	Amendoim	Baunilha	Pistache	Frutas
Açúcar invertido		600 g				
Baunilha				400 g		
Cacau em pó		300 g				
Chocolate em barra 70%		700 g				
Coco fresco ralado	1.000 g					
Estabilizante	50 g	40 g	50 g	50 g	50 g	50 g
Gemas	300 g	700 g	300 g	300 g	300 g	300 g
Glucose em pó	400 g		400 g	400 g	400 g	400 g
Leite em pó 0%	274 g	274 g	339 g	374 g	339 g	374 g
Leite integral	6.370 g	6.255 g	6.273 g	6.796 g	6.273 g	5.796 g
Manteiga	206 g	211 g	678 g	680 g	678 g	680 g
Pasta de amendoim			500 g			
Pasta de pistache					500 g	
Purê de morango						1.000 g
Sacarose	1.400 g	920 g	1.400 g	1.400 g	1.400 g	1.400 g
Rendimento	10.000 g	10.000 g	10.000 g	10.000 g	10.000 g	10.000 g

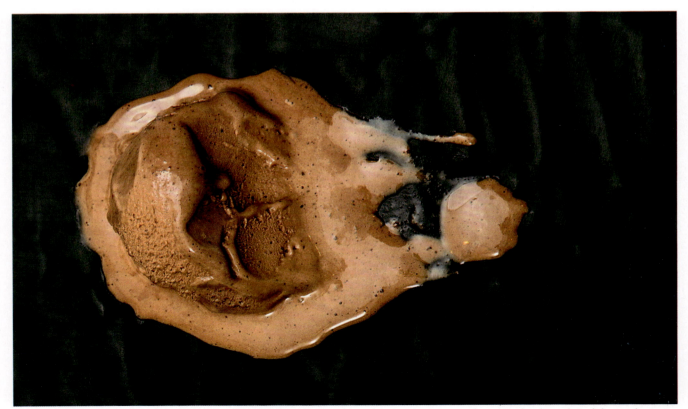

Sorvete de chocolate à base de ovos.

1. Separe os ingredientes que serão utilizados na receita, bem como os seguintes utensílios e equipamentos: bowl, panela, espátula de silicone, termômetro e máquina de sorvete.
2. Com o auxílio de uma balança, pese todos os ingredientes com precisão.
3. Mantenha o leite na geladeira até o momento de utilizar.
4. Em um bowl, misture o estabilizante com dez vezes o seu peso de açúcar, mexendo com o auxílio de uma espátula. Reserve.
5. Em uma panela, misture o leite em pó e o leite integral, mexendo com o auxílio da espátula, a uma temperatura de 4 °C.
6. Leve o leite ao fogo, mexendo com a espátula. Meça a temperatura constantemente com a ajuda de um termômetro de haste.
7. Quando o leite atingir a temperatura de 25 °C, acrescente os açúcares sem parar de mexer.
8. Quando a mistura atingir 35 °C, acrescente a manteiga sem parar de mexer.

9. Quando a mistura atingir 37 °C, acrescente os aromas sem parar de mexer.
10. Quando a mistura atingir 40 °C, acrescente as gemas sem parar de mexer.
11. Quando a mistura atingir 45 °C, acrescente o estabilizante sem parar de mexer.
12. Aqueça a calda até atingir 85 °C. Em seguida, resfrie rapidamente, colocando o bowl com a mistura em cima de outro bowl com gelo, até a mistura atingir 20 °C. (Outra opção é utilizar um resfriador rápido.)
13. Leve à geladeira para maturar por 2 a 6 horas. (Nesse momento os emulsificantes aderem às gotas de água e os estabilizantes se hidratam.)

14. Retire da geladeira e coloque a mistura na máquina de sorvete. Bata até ficar com textura cremosa e firme.
15. Quando o sorvete estiver formado, transfira para um recipiente fechado e leve para congelar.
16. Conserve os recipientes dentro de um freezer a -25 °C até o momento de consumir.

Sobremesas à base de sorbet ou sorvete

Ótimas opções ao tradicional sorvete, as produções que levam esse elemento em sua montagem utilizam texturas diversas e permitem fazer infinitas combinações. As mais utilizadas, por conta da facilidade, são as que não necessitam de uma máquina especial para a preparação, mas também podemos fazer diferentes montagens com glaces e sorbets, que exigem equipamento específico.

Estão listados a seguir alguns exemplos mais conhecidos de sobremesas ou montagens contendo sorbets e/ou sorvetes na montagem:

- **Casquinha:** feita com uma bola de sorvete/sorbet.
- **Cascão:** feita com três bolas de sorvete/sorbet.
- **Sorvete em taça:** pode levar vários tipos de produções geladas combinadas com decoração e caldas.
- **Sorvete empratado:** normalmente é moldado e servido acompanhado de calda (podendo ser fria ou quente) e elementos de textura e decorativos.
- **Coupe:** sorvete em camadas com molho de frutas e creme de leite fresco batido. É servido em pote.
- **Bombe glacée:** bases de sorvete ou outras bases, como dacquoise, montadas com uso de moldes.
- **Vacherin:** merengue cozido aerado e crocante servido com sorvete.
- **Profiteroles:** carolinas de massa choux recheadas de sorvete (ver receita na p. 93).
- **Alaska assado:** camadas de sorvete cobertas por uma fina camada de bolo espumoso, decorado com merengue e assado em forno alto apenas para o merengue ficar dourado.
- **Parfait:** produção gelada que pode ter como base a pâte à bombe ou merengues, com aromatizante e creme de leite fresco batido. Nos Estados Unidos, refere-se também a uma sobremesa feita de sorvete intercalado com frutas e creme de leite batido.
- **Suflê frio:** é semelhante a uma mousse congelada, a diferença está na apresentação, cuja aparência imita um suflê quente. É congelado e preparado em ramequins adaptados com um anel de papel-manteiga que, na hora do serviço, é retirado, imitando o clássico suflê.
- **Semifreddo:** significa "semifrio" em italiano. É uma sobremesa composta de uma base de creme com adição de creme de leite fresco batido ou merengue. Outros aromáticos também podem ser incorporados. É muito parecido com o parfait.

SOBREMESAS GELADAS

Ingredientes	Parfait	Suflê frio
Açúcar	200 g	375 g
Água	250 g	150 g
Cacau em pó	20 g	30 g
Café solúvel diluído em água na proporção de 1:1 (exemplo: para cada 10 g de café, usar 10 g de água)	20 g	30 g
Claras		210 g
Creme de leite fresco	250 g	375 g
Gemas	150 g	
Pasta de avelã	30 g	45 g
Pasta de maracujá	30 g	45 g
Pasta de morango	50 g	75 g
Raspas de laranja	3 g	4 g
Rendimento	6 unidades de 5 cm (aprox.)	6 unidades de 8 cm (aprox.)

:: MODO DE PREPARO – SOBREMESAS À BASE DE SORBET OU SORVETE

Parfait

1. Separe os ingredientes que serão utilizados na receita, bem como os seguintes utensílios e equipamentos: panela, termômetro, espátula de silicone, bowl, fouet, batedeira com o batedor tipo globo, forminhas de alumínio ou silicone.

2. Em uma panela, coloque a água e o açúcar e leve ao fogo, mexendo com o auxílio de uma espátula até atingir a temperatura de 110 °C. Depois que ferver, reserve a calda.

3. Na batedeira com o batedor tipo globo, bata as gemas até ficarem claras.

4. Incorpore a calda às gemas, mexendo com o auxílio de um fouet.

5. Bata a mistura na batedeira até espumar e até que a temperatura chegue a 80 °C-85 °C.

6. Retire da batedeira, adicione os aromáticos delicadamente ao recipiente e bata com o auxílio do fouet até incorporar. Reserve.

7. Separadamente, na batedeira com o batedor tipo globo, bata o creme de leite fresco frio até o ponto de pico (crème fouettée – p. 135). Desligue a batedeira.

8. Adicione o crème fouettée em duas etapas à mistura anterior, mexendo com o auxílio do fouet até incorporar.

9. Coloque a mistura em forminhas de alumínio ou silicone e leve para congelar.

10. Desenforme os parfaits e sirva à temperatura de −5 °C acompanhados de calda de caramelo, chocolate ou frutas.

Suflê frio (soufflé)

1. Separe os ingredientes que serão utilizados na receita, bem como os seguintes utensílios e equipamentos: panela, termômetro, bowl, fouet, batedeira com o batedor tipo globo, ramequim ou outro recipiente, papel-manteiga, fita adesiva, espátula.

2. Coloque uma tira de papel-manteiga por fora de cada ramequim/recipiente, com uma altura de 3 cm acima da borda. Prenda o papel com a fita adesiva.

3. Em uma panela, faça uma calda com a água e o açúcar, mexendo com o auxílio de uma espátula até atingir a temperatura de 120 °C.

4. Na batedeira com o batedor tipo globo, bata as claras em velocidade média. No momento que ficarem bem aeradas, pare de bater, levante o batedor e, se a mistura formar um pico firme, estará pronta a clara em neve. Adicione a calda de açúcar às claras em neve. Bata em velocidade média até esfriar, formando um merengue italiano.

5. Manualmente, adicione os aromáticos ao merengue italiano com delicadeza, misturando com o auxílio de um fouet.

6. Na batedeira com o batedor tipo globo, bata o creme de leite fresco frio até o ponto de pico (crème fouettée – p. 135).

7. Adicione o crème fouettée ao merengue em duas etapas com o auxílio do fouet.

8. Coloque a mistura nos recipientes/ramequins, alise a superfície com a espátula e leve para congelar.

9. Na hora de servir, retire os recipientes/ramequins do congelador e remova a tira de papel-manteiga de cada um. Sirva os suflês acompanhados de calda de caramelo, chocolate ou frutas.

Glossário

A terminologia em confeitaria compreende palavras geralmente vindas do idioma francês, que descrevem as técnicas e preparações encontradas nos livros clássicos sobre o assunto e que são usadas frequentemente na produção.

A seguir estão alguns desses vocábulos utilizados em confeitaria.

Abaisse: pedaço de massa a ser trabalhado.
Abaisser: abrir a massa com o rolo ou com a laminadora.
Abricotage: pincelar com geleia.
Appareil: mistura de vários ingredientes que entram na composição de uma sobremesa como recheio.
Aromatiser (aromatizar): incorporar uma substância aromática a uma preparação.
Arroser: regar.
Battre les blancs en neige (bater as claras em neve): bater as claras na batedeira ou com batedor até ficarem consistentes e mudarem de cor – elas ficam brancas como a neve, por isso a expressão.
Bavaroise: sobremesa cremosa gelatinizada.
Blanchir (branquear): bater as gemas de ovo com açúcar até ficarem cremosas e esbranquiçadas.
Blancs d'oeufs: claras de ovos.
Bouler: fazer uma massa em formato de bola.
Broyer: triturar alguns ingredientes com a ajuda de um rolo.
Brûler/caraméliser: Caramelizar.
Buée: vapor proveniente de uma ebulição.
Candir: cristalizar, glaçar.
Cerner: marcar.
Chablon: estêncil com variadas espessuras, que apresentam formas vazadas (círculos, folhas, quadrados, etc.) permitindo que a mistura assuma a forma escolhida.
Chemiser: forrar uma fôrma com uma fina camada.
Chiqueter: fazer cortes na massa.
Clarifier (clarificar): tornar clara uma produção como calda ou geleia, por meio de filtragem ou decantação.
Coller: incorporar gelatina umedecida.
Corner: raspar um bowl para retirar o máximo do produto.

Cornet: folha de papel em forma de cone.
Corser: aumentar a resistência de uma massa, amassando-a.
Creme bavarois: creme dentro de uma produção.
Crémer: bater até obter consistência cremosa.
Cristalliser (cristalizar): mergulhar frutas, docinhos ou bombons em uma cuba especial, com uma calda de açúcar.
Cuisson: cocção.
Décorer: decorar.
Démouler: retirar um produto da fôrma.
Dessécher: desidratar.
Dorer: pincelar com ovos.
Douille: bico de saco de confeitar.
Écumer (escumas): tirar a espuma que se forma em cima de um líquido ou de uma preparação durante o cozimento (calda, açúcar, geleia).
Édulcorer: adoçar com adoçante.
Effiler: fatiar frutas secas em fatias finas.
Emporte-pièces: vazadores.
Émulsion (emulsão): processo de aumentar o volume de um líquido incorporando ar.
Enrober (enrolar): cobrir um recheio com uma camada de chocolate, creme ou sorvete – por exemplo, a camada de chocolate nos bombons.
Épépiner: retirar caroços.
Éplucher: retirar a pele.
Festonner: fazer relevos nas bordas de uma sobremesa.
Flamber: adicionar álcool a uma sobremesa e depois passar rapidamente por uma chama.
Fleurer/fariner: enfarinhar levemente.
Foisonner: aumentar de volume.
Foncer (forrar): guarnecer o fundo e as laterais de uma assadeira com massa, arrumando bem sua forma e seu tamanho, depois recortar com um cortador ou passar o rolo nas bordas da fôrma para tirar o excesso.
Fouetter: ação de bater com o fouet.
Glacer (glaçar): cobrir bolos e doces com uma fina camada (quente ou fria) de chocolate para torná-los brilhantes e apetitosos, ou com uma camada de glacê, de creme, de geleia, etc. Cobrir com fondant ou glaçage.
Grainer: cristalizar o açúcar.
Hacher: cortar em pequenos pedaços com um hachoir.
Huiler: untar com azeite/óleo.
Imbiber: pincelar/banhar algo líquido em uma preparação.
Jaunes d'oeufs: gemas.
Lever: levedar.
Lisser: encher uma fôrma ou assadeira com uma mistura, nivelando bem para remover excessos.
Malaxer: misturar uma massa até ficar homogênea.
Manier: misturar manteiga e farinha.
Marbrer: marmorizar.
Masser: cristalizar um xarope.
Meringuer: cobrir com merengue.
Mixer: bater no mixer.
Monter: bater claras em picos duros.
Mouliner: passar no processador.
Mousser: bater até obter consistência espumosa.
Napper: cobrir com molho, creme ou calda.
Panacher: misturar ingredientes diferentes.
Pétrir: sovar.
Pocher: cozinhar um produto em líquido aromatizado com baixa ebulição.
Pousser: crescer, fermentar.
Refraîchir: colocar na geladeira até esfriar completamente.

Rhodoid: folha de plástico rígido (acetato) utilizada para forrar o interior de fôrmas ao montar sobremesas.
Rioler: colocar tiras de massa em diagonal.
Ruban: ponto de claras que forma uma fita.
Sabler: misturar manteiga e farinha até atingir a consistência de areia.
Singer: polvilhar com farinha.
Sucre cassonade: açúcar demerara.
Sucre cristallisé: açúcar cristal.
Sucre en poudre/semoule: açúcar refinado.
Sucre glace: açúcar de confeiteiro 3%.
Sucre neige decor: açúcar impalpável.
Tamiser: peneirar.
Tarte: torta "aberta", sem massa em cima.
Tartellete: minitorta.
Tourte: torta com massa embaixo e em cima.
Voiler: cobrir com açúcar caramelado.
Zester: retirar casca de cítricos.

Bibliografia

ANVISA. *Cartilha Boas Práticas para Serviços de Alimentação*. Disponível em http://portal.anvisa.gov.br/documents/33916/389979/Cartilha+Boas+Pr%C3%A1ticas+para+Servi%C3%A7os+de+Alimenta%C3%A7%C3%A3o/d8671f20-2dfc-4071-b516-d595987o1afo. Acesso em 5/5/2017.

ARAÚJO, Wilma et al. *Alquimia dos alimentos*. Distrito Federal: Editora Senac, 2007.

CANELLA, Sandra. *Espessantes na confeitaria: texturas e sabores*. São Paulo: Editora Senac São Paulo, 2014.

ECOLE LENÔTRE. *Les recettes glacées de l'Ecole Lenôtre*. Paris: Editions Jérôme Villette, 1995.

GISSLEN, Wayne. *Panificação e confeitaria profissionais*. 5ª ed. Barueri: Manole, 2011.

KOPFER, Torrance. *Sorvetes artesanais: gelatos e sorbets – 45 receitas e técnicas para criar sobremesas geladas saborosas*. São Paulo: Editora Senac São Paulo, 2015.

ORGANIZAÇÃO MUNDIAL DA SAÚDE. *Cinco chaves para uma alimentação mais segura: manual*. Genebra, 2006. Disponível em http://www.who.int/foodsafety/consumer/manual_keys_portuguese.pdf?ua=1. Acesso em 18/7/2017.

PERRELLA, Angelo Sabatino & PERRELLA, Myriam Castanheira. *Receitas históricas da confeitaria mundial*. São Paulo: Editora Senac São Paulo, 2016.

SUAS, Michel. *Pâtisserie: abordagem profissional*. São Paulo: Cengage Learning, 2011.

Sobre os autores

DIEGO RODRIGUES COSTA

Graduado em tecnologia em gastronomia pelo Senac São Paulo, duplamente certificado em glacerie e viennoiserie pela École Lenôtre (Paris, França) em parceria com o Senac, e especialista em decoração artística pelo método Wilton. Trabalhou na confecção de doces personalizados para casamento por 4 anos. Atualmente é docente de confeitaria e panificação no Senac São Paulo e de cozinha internacional em uma instituição de ensino superior. Participou da Feira Internacional de Panificação (Fipan) como palestrante nas edições de 2015, 2016 e 2017.

FÁBIO COLOMBINI FIORI

Formado em gastronomia pela École Lenôtre (Paris, França) e pela Scuola di Arte Culinaria Cordon Bleu (Florença, Itália), bacharel em administração pelo Instituto UVB e pós-graduado em docência para a educação profissional pelo Senac Distrito Federal. Possui MBA em gestão de projetos pela Fundação Getulio Vargas (FGV), Certificat de Connaissance de Vin pela Le Cordon Bleu (Paris, França) e certificado ProChef1 pelo Culinary Institute of America. Ministrou aulas em cursos livres, de extensão e de graduação no Centro Universitário Senac São Paulo, no Centro Especializado em Gastronomia (CEG), na capital paulista, e no ensino superior da Universidade do Vale do Itajaí (Univali). Participou como membro do júri de avaliadores da edição brasileira do Concurso Bocuse d'Or. Desde 2011 atua como coordenador técnico-pedagógica do Centro de Aperfeiçoamento em Gastronomia do Departamento Nacional do Senac, em Brasília.

FELIPE SOAVE VIEGAS VIANNA

Graduado em tecnologia em gastronomia pelo Senac São Paulo e especialista em alimentação escolar e gestão de operação em cozinhas, como buffet/catering. Realizou projetos de assessoria em diversas frentes da área de alimentação por mais de quinze anos e participou do Prêmio Educação Além do Prato, organizado pelo Departamento de Alimentação Escolar (DAE) da Secretaria Municipal de Educação – Prefeitura de São Paulo (2014). Possui experiência com eventos de pequeno e grande porte nas áreas de gestão de cozinha, pesquisa de mercado, elaboração de cardápio, posicionamento de marca e operação. Atuou em diversos restaurantes no Brasil, principalmente no estado de São

Paulo, bem como fora do país. No Senac São Paulo, coordenou a área de desenvolvimento em gastronomia por cinco anos, estabelecendo estratégias para o segmento e contribuindo para o portfólio dos cursos. Atuou no Projeto Práticas Inovadoras na Alimentação, que estabeleceu uma conexão entre as áreas de alimentação do Senac e propôs um novo formato para os ambientes de aprendizagem – os chamados laboratórios de alimentação –, desenvolvendo situações de aprendizagem inovadoras que possibilitam a participação ativa dos alunos na construção do conhecimento. É coautor do livro *Sanduíches especiais: receitas clássicas e contemporâneas*, publicado pela Editora Senac São Paulo.

GISELA REDOSCHI

Graduada em gastronomia e hotelaria e pós-graduada em gastronomia: vivências culturais pelo Senac São Paulo. Desenvolveu consultoria para empresas como Nestlé, Natura e Philips e atuou como proprietária no segmento de alimentação por dez anos. Foi professora nos cursos superiores de hotelaria e responsável pela implantação e pela coordenação operacional dos cursos de gastronomia no Senac São Paulo, bem como pelo acompanhamento de projetos especiais. Atualmente é gestora de desenvolvimento da área de gastronomia na Gerência de Desenvolvimento no Senac São Paulo.

MARCELLA FARIA LAGE

Graduada em turismo e hotelaria e pós-graduada em cozinha brasileira e docência em ensino superior pelo Senac São Paulo. Atua como docente de habilidades de cozinha, alimentos e bebidas, cozinha brasileira, panificação e confeitaria no Senac São Paulo e na Universidade Paulista (Unip). É ex-proprietária da confeitaria Wondercakes, loja especializada em cupcakes na cidade de São Paulo, e da Ofélia doces, em Recife. Atualmente é consultora na área de gastronomia e sócia-proprietária da Le cook – paneteria e doceria artesanal.

SAMARA TREVISAN COELHO

Graduada em tecnologia em gastronomia pelo Senac Campos do Jordão e pós-graduada em organização e realização de eventos pelo Senac São Paulo. Especialista em chocolate, confeitaria artística, confeitaria para restaurantes, glacerie e viennoiserie pela École Lenôtre (Paris, França) e em confeitaria europeia pela DCT (Vitznau, Suíça). Atua como docente de confeitaria e panificação no Centro Universitário Senac – Campus Santo Amaro e esteve à frente do processo de desenvolvimento de diversos cursos da instituição. Também é consultora na área de confeitaria e panificação e sócia-proprietária da Le cook – paneteria e doceria artesanal.

Índice de receitas

Babá ao rum, 129
Baklava, 105
Bala (hard candy), 190
Bala de caramelo de leite, 191
Bala de goma ou jujuba, 196
Bala tipo toffee, 190
Bavaroise tropical, 298
Beignet, 99
Biscuit Joconde, 55
Blini, 98
Blondie, 236
Bolacha champanhe, 56
Bolo anjo, 57
Bolo básico recheado, 256
Bolo chiffon, 58
Bolo concord (concord cake), 300
Bolo de chocolate sem farinha, 245
Bolo sacher (sachertorte), 257
Bolos de andares, 252
Bombons banhados, 223
Bombons maciços, 222
Bombons moldados, 224
Breton de cacau, 241
Brioche, 123
Brownie, 84

Calda de caramelo, 207
Calda de chocolate, 207
Calda de frutas ou coulis, 207
Cannoli, 292
Chantili de chocolate, 245
Chausson, 114
Cheesecake assada, 283

Cheesecake fria, 283
Chocolate para moldar, 231
Chocolate tipo veludo ou para pulverização, 232
Colomba pascal, 128
Compota de frutas, 205
Cookie, 83
Coulis de frutas tropicais, 298
Coulis de morango, 293
Creme bavarois, 155
Crème brûlée, 142
Creme chantili, 135
Crème Chiboust ou crème Saint-Honoré, 156
Creme de amêndoas, 153
Creme de confeiteiro (crème pâtissière), 137
Creme de manteiga à base de merengue italiano, 149
Creme de manteiga à francesa, 149
Creme de manteiga à inglesa, 149
Creme de manteiga frio ou básico, 149
Creme diplomata de chocolate (crème diplomate au chocolat), 246
Crème diplomate, 152
Crème fouettée, 135
Crème frangipane, 153
Creme inglês (crème anglaise), 138
Crème légère, 152
Crème mousseline, 154

Crème Paris-Brest, 156
Cremes a frio, 134
Cremes assados, 140
Cremes gelatinizados, 144
Cremoso de chocolate amargo (crémeux au chocolat), 246
Cremoso ou crémeux, 157
Crepe, 97
Crocante de chocolate (croustillant), 240
Cupcake red velvet com frost cream, 68

Dacquoise, 54
Dacquoise com mousse de frutas e biscuit decorado, 303
Decorações de açúcar (fillé/cheveux d'ange/fios ou boullé/bolhas), 188
Dragée, 184

Figuras ocas, 226
Financier, 84
Flan brasileiro, 145
Flan francês, 143
Floresta negra (Schwarzwalder Kirschtorte), 258
Fondant, 178
Fraisier, 293
Fudge americano, 179
Fudge tradicional (chocolate e frutas secas), 179

Ganache, 218

Ganache batida, 241
Ganache de corte, 219
Ganache de pingar (trufa), 221
Ganache para moldes (macia), 220
Geleias, 205
Génoise, 53
Glaçage de chocolate, 241
Glaçage de frutas, 266
Glaçage espelho, 267
Glaçage neutra, 266
Glacê mármore, 263
Glacê real, 263
Gotas de licor, 180

Le croquant, 238

Macaron (com merengue francês), 200
Macaron (com merengue italiano), 202
Macaron (com merengue suíço), 202
Madeleine, 83
Marshmallow, 196
Massa choux, 93
Massa crocante (pailleté feuilletine), 240
Massa folhada, 110
Massa phyllo, 103
Mendiants, 225
Merengue francês, 172
Merengue italiano, 174
Merengue suíço, 173
Mil-folhas (mille-feuilles), 113

Mousse com merengue italiano, 161
Mousse com zabaione, 163
Mousse de chocolate com pâte à bombe, 162
Mousse de chocolate sem ovos, 240

Nougat blanc, 194
Nougatine, 190

Ópera (Opéra), 296

Palha italiana de chocolate, 237
Palmier, 113
Panetone, 127
Pancake ou waffle, 98
Panna cotta, 145
Pão de ló nacional, 52
Parfait, 363
Paris-Brest, 290
Pasta americana, 264
Pasta de flores, 264
Pasta elástica, 264
Pastel de nata, 118
Pastiera napolitana, 277
Pastillage ou pastilhagem, 263
Pâte à bombe, 162
Pâte de fruit, 199
Pé de moleque nacional, 190
Petit gateau branco, 237
Petit gateau tradicional/collant/fondant mi-cuit, 236
Petit pot de crème, 143
Pudim (crème caramel), 142

Rocambole (biscuit roulade), 52

Sablé florentin, 82
Salaminho, 237
Savarin, 129
Sonho, 124
Sorbet de fruta, 357
Sorbet de morango, 319
Sorvete à base de creme, 358
Sorvete à base de ovos, 360
Sorvetes e glaces, 356
Strudel de maçã (Apfelstrudel), 106
Suflê frio (soufflé), 363
Suflês, 167

Tarte Tatin, 118
Técnica crémage, 75
Técnica crémage (método americano), 63
Técnica crémage (método francês), 64
Técnica sablage, 74
Theobroma, 244
Tiramisù, 288
Torta assada (crostata), 274
Torta bourdaloue, 271
Torta com crumble, 274
Torta de caramelo salgado com cremoso de chocolate, 278
Torta de frutas, 272
Torta de limão (lemon curd), 277
Torta de maçã americana (apple pie), 276
Torta Saint-Honoré, 279
Trufas, 223
Tuile ou biscoito de estêncil, 85

Verrine, 287
Veludo de chocolate, 246
Vol-au-vent, 115

Xarope aromatizante 30b, 207

Zabaione (sabayon), 139

Índice geral

Abreviaturas padrão, 45
Acabamento glaçado, 266
Açúcar, 169
Açúcares, 36
Agentes de fermentação, 40
Agentes gelificantes, 40
Amidos, 33
Aplicações, 33
Aplicações de contornos e preenchimentos, 261
Aprendiz, 18
Armazenagem e conservação do chocolate, 215
Armazenamento e conservação, 22
Aromatizantes, 310
Assar com recheios, 78
Assar somente a base, 78
Auxiliar de chocolataria, 17
Auxiliar de confeitaria, 17
Aveia, 35

Babá ao rum, 129
Baklava, 105
Bala (hard candy), 190
Bala de caramelo de leite, 191
Bala de goma ou jujuba, 196
Bala tipo toffee, 190
Base de suflês, 166
Bavaroise tropical, 298
Beignet, 99
Bibliografia, 369
Biscuit Joconde, 55
Blini, 98
Blondie, 236
Boas práticas de higiene e segurança, 19
Bolacha champanhe, 56
Bolo anjo, 57
Bolo básico recheado, 256
Bolo chiffon, 58
Bolo com coloração muito escura ou muito clara, 70
Bolo com crosta aberta ou quebradiça, 70
Bolo com crosta pegajosa, 70
Bolo com formato irregular, 70
Bolo com furos grandes, 70
Bolo concord (concord cake), 300
Bolo de casamento, 254
Bolo de chocolate sem farinha, 245
Bolo duro, 70
Bolo esfarelado, 70
Bolo murcho, 70
Bolo não cresceu, 70
Bolo pesado e denso, 70
Bolo sacher (sachertorte), 257
Bolo sem sabor, 70
Bolos, 255
Bolos de andares, 252
Bolos, tortas e sobremesas, 249
Bombons banhados, 223
Bombons maciços, 222
Bombons moldados, 224
Breton de cacau, 241
Breve história do chocolate, 211
Breve histórico da confeitaria mundial, 11
Brioche, 123
Brownie, 84

Calda de caramelo, 207
Calda de chocolate, 207
Calda de frutas ou coulis, 207
Caldas e molhos, 206
Cannoli, 292
Caracol, 89
Caramelização × reação de Maillard, 176
Chantili de chocolate, 245
Chausson, 114
Cheesecake assada, 283
Cheesecake fria, 283
Cheesecakes, 282
Chef de confeitaria executivo, 16
Chocolate e cacau, 41
Chocolate para moldar, 231
Chocolate tipo veludo ou para pulverização, 232
Chocolateiro (chocolatier), 16
Chocolates, 211
Colomba pascal, 128
Combinações de sabores, 356
Como abrir a massa, 76
Como calcular o overrun, 311
Como fazer um cartucho para decoração, 230
Como forrar a fôrma, 77
Como hidratar e dissolver gelatina em folha, 41
Como hidratar e dissolver gelatina em pó, 41
Composição, 32
Composição dos produtos de cacau e tipos de chocolate, 214
Composição geral, 308
Compota de frutas, 205
Confeiteiro (confiseur), 16
Confeitos aerados, 192
Confeitos cristalizados, 176

Confeitos de açúcar, 176
Confeitos não cristalizados, 186
Contaminação cruzada, 22
Cookie, 83
Cortados com cortadores ou vazados, 88
Creme bavarois, 155
Crème brûlée, 142
Crème Chiboust ou crème Saint-Honoré, 156
Creme de amêndoas e crème frangipane, 153
Creme de confeiteiro (crème pâtissière), 137
Creme de manteiga (crème au beurre), 148
Creme de manteiga à base de merengue italiano, 149
Creme de manteiga à francesa, 149
Creme de manteiga à inglesa, 149
Creme de manteiga frio ou básico, 149
Creme diplomata de chocolate (crème diplomate au chocolat), 246
Crème fouettée e chantili, 134
Creme inglês (crème anglaise), 138
Crème légère e diplomate, 152
Crème mousseline, 154
Crème Paris-Brest, 156
Cremes, 133
Cremes a frio, 134
Cremes assados, 140
Cremes compostos, 148
Cremes cozidos, 136
Cremes gelatinizados, 144
Cremoso de chocolate amargo (crémeux au chocolat), 246
Cremoso ou crémeux, 157
Crepe, 97
Cristalização, 311
Cristalização (témpérage), 216
Crocante de chocolate (croustillant), 240
Crumble, 280
Cupcake red velvet com frost cream, 68

Dacquoise, 54
Dacquoise com mousse de frutas e biscuit decorado, 303
Data de validade e qualidade do produto, 22
De baixo para cima ou clássica, 251
Decoração com bicos, 260
Decoração de tortas, 280
Decorações básicas com chocolate, 228

Decorações com pasta, 262
Decorações de açúcar (fillé/cheveux d'ange/fios ou boullé/bolhas), 188
Decorador (décorateur), 16
Derivados de creme de confeiteiro ou creme inglês, 150
Derretimento ou fusão, 216
Desenvolvimento da confeitaria, 12
Dragée, 184

Em camadas, 250
Emulsificantes e estabilizantes, 310
Enrolado, 89
Equivalência de pesos e medidas, 44
Erros de produção em massas espumosas e cremosas, 70
Erros de produção em massas secas, 79
Etapas da transformação, 213
Etapas de planejamento, 254
Etapas e cálculos na elaboração de sorbets, 313
Etapas gerais de elaboração, 311

Fabricação de bombons, 222
Farinhas e espessantes, 34
Fat bloom, 215
Fatiados, 88
Figuras ocas, 226
Financier, 84
Flan brasileiro, 145
Flan francês, 143
Floresta negra (Schwarzwalder Kirschtorte), 258
Fondant, 178
Fôrmas, 89
Formas corretas de cocção, 78
Formatos de petits fours modelados, 88
Fraisier, 293
Fudge americano, 179
Fudge tradicional (chocolate e frutas secas), 179

Ganache, 218
Ganache batida, 241
Ganache de corte, 219
Ganache de pingar (trufa), 221
Ganache para moldes (macia), 220
Geleias, 205
Génoise, 53
Glaçage de chocolate, 267
Glaçage de frutas, 266
Glaçage espelho, 267
Glaçage neutra, 266

Glacê mármore, 263
Glacê real, 263
Gorduras, 37
Gotas de licor, 180
Industrialização do sorvete, 308
Ingredientes e suas funções, 308
Invertida, 251

Le croquant, 238
Leite e creme de leite, 308
Leite e derivados, 38
Linear, 88

Macaron, 200
Madeleine, 83
Manual de boas práticas, 20
Marshmallow, 196
Massa cozida (pâte à choux), 92
Massa crocante (pailleté feuilletine), 240
Massa da torta encolheu após a cocção, 79
Massa da torta encruada após a cocção, 79
Massa de strudel (massa phyllo), 102
Massa elástica após o preparo ou massa muito dura, 79
Massa folhada, 108
Massa muito quebradiça, 79
Massas, 49
Massas cremosas, 60
Massas espumosas ou aeradas, 50
Massas fermentadas doces, 120
Massas líquidas, 96
Massas para petit four, 80
Massas secas (massas de tortas ou quebradiças), 72
Mendiants, 225
Merengue francês, 172
Merengue italiano, 174
Merengue suíço, 173
Merengues, 171
Mil-folhas (mille-feuilles), 113
Moldados, 89
Montagem de bolos, tortas e sobremesas, 250
Montagem do Le croquant, 242
Montagem do Theobroma, 247
Mousse com merengue italiano, 161
Mousse com zabaione, 163
Mousse de chocolate com pâte à bombe, 162
Mousse de chocolate sem ovos, 240

Mousses, 160

Normas e apresentação pessoal dos manipuladores, 20
Normas para a manipulação e conservação de alimentos, 22
Normas para a utilização de equipamentos e utensílios, 21
Nougat blanc, 194
Nougatine, 190

O que são chocolates de origem?, 212
Opções de recheios para tortas, 268
Ópera (Opéra), 296
Origens da confeitaria, 12
Outros tipos de farinha, 35
Ovo, 32
Ovos (peso aproximado), 44

Padeiro (boulanger), 17
Palha italiana de chocolate, 237
Palmier, 113
Pancake ou waffle, 98
Panetone, 127
Panna cotta, 145
Pão de ló nacional, 52
Parfait, 363
Paris-Brest, 290
Pasta americana, 264
Pasta de flores, 264
Pasta elástica, 264
Pastel de nata, 118
Pastiera napolitana, 277
Pastillage ou pastilhagem, 263
Pâte de fruit, 199
Pé de moleque nacional, 190
Petit gateau branco, 237
Petit gateau tradicional/collant/fondant mi-cuit, 236
Petit pot de crème, 143
Pingados com saco de confeitar, 88
Pontos de calda de açúcar, 170
Prefácio, 9
Preparação da massa folhada tradicional, 110
Preparação da massa phyllo, 102
Principais defeitos do chocolate, 215
Produções geladas, 307
Produtos à base de creme de leite, 39
Produtos à base de leite, 39
Profissionais da confeitaria, 15
Pudim (crème caramel), 142

Quadriculado, 88

ÍNDICE GERAL

Receitas com cremes assados, 141
Receitas com cremes gelatinizados, 144
Receitas com massa cozida (pâte à choux), 92
Receitas com massa cremosa, 61
Receitas com massa folhada, 112
Receitas com massa phyllo, 104
Receitas com massas espumosas ou aeradas, 51
Receitas com massas fermentadas doces, 122
Receitas com massas líquidas, 96
Receitas de massas secas, 73
Receitas de petit four, 81
Receitas de sorbet e sorvete, 357
Receitas de tortas, 268
Rocambole (biscuit roulade), 52

Sablé florentin, 82
Sal, 42
Salaminho, 237
Savarin, 129
Sobremesas, 286
Sobremesas à base de chocolate, 234
Sobremesas à base de sorbet ou sorvete, 362
Sobremesas compostas à base de chocolate, 238
Sobremesas geladas, 362
Sonho, 124
Sorbet, 312
Sorbet de fruta, 357
Sorvete à base de creme, 346
Sorvete à base de ovos, 360
Sorvete à base de ovos e chocolate, 332
Sorveteiro (glacier), 17
Sorvetes e glaces, 320
Strudel de maçã (Apfelstrudel), 106
Subprodutos da aveia, 35
Suflê frio (soufflé), 363
Suflês (soufflés), 166
Sugar bloom, 215

Tarte Tatin, 118
Técnica crémage, 75
Técnica crémage (método americano), 63
Técnica crémage (método francês), 64
Técnica sablage, 74
Técnicas de decoração, 260
Técnicas de utilização do chocolate, 216
Temperatura do forno, 44
Temperatura ideal de trabalho para cada tipo de chocolate, 214
Theobroma, 244
Tipos básicos de modelagem com bicos, 260
Tipos de açúcar, 309
Tipos de açúcares, 36
Tipos de amidos, 33
Tipos de chocolate e outros produtos do cacau, 42
Tipos de cremes cozidos e modos de preparo, 136
Tipos de farinha de trigo, 34
Tipos de ganache e modos de preparo, 218
Tipos de gorduras, 38
Tipos de merengues e modos de preparo, 171
Tipos de montagens, 250
Tipos de mousses e modos de preparo, 160
Tipos de sorvetes, 308
Tiramisù, 288
Torta assada (crostata), 274
Torta bourdaloue, 271
Torta com crumble, 274
Torta de caramelo salgado com cremoso de chocolate, 278
Torta de frutas, 272
Torta de limão (lemon curd), 277
Torta de maçã americana (apple pie), 276
Torta Saint-Honoré, 279
Tortas, 268
Treliça, 280
Trufas, 223
Tuile ou biscoito de estêncil, 85

Variedades do cacau e produção do chocolate, 212
Veludo de chocolate, 246
Verrine, 287
Vol-au-vent, 115

Xarope aromatizante 30b, 207

Zabaione (sabayon), 139